AF238292

ACCESO GRATIS *a la Lectura en la Nube*

Para visualizar el libro electrónico en la nube de lectura envíe junto a su nombre y apellidos una fotografía del código de barras situado en la contraportada del libro y otra del ticket de compra a la dirección:

ebooktirant@tirant.com

En un máximo de 72 horas laborales le enviaremos el código de acceso con sus instrucciones.

La visualización del libro en **NUBE DE LECTURA** excluye los usos bibliotecarios y públicos que puedan poner el archivo electrónico a disposición de una comunidad de lectores. Se permite tan solo un uso individual y privado

LA JUSTICIA DIGITAL EN ESPAÑA. RETOS Y DESAFÍOS

LA JUSTICIA DIGITAL EN ESPAÑA. RETOS Y DESAFÍOS

MARÍA JOSÉ CATALÁN CHAMORRO

Profesora Ayudante Doctor de Derecho Procesal
Universidad de Córdoba

Financiada por: FEDER-UCO Ref. 1380525-R y Grupo PAIDI de la Junta de Andalucía SEJ120: ASPECTOS SUSTANTIVOS Y PROCESALES DE LAS RELACIONES JURÍDICAS MERCANTILES
Esta obra se enmarca en los proyectos nacionales I+D+I Ref. PID2020-117872RB-I00 y Ref. PID2021-123170OB-I00 y en los Proyectos autonómicos de la Junta de Andalucía Ref. P20_00002 y FEDER-UCO Ref. 1380525-R.

tirant lo blanch
Valencia, 2023

© María José Catalán Chamorro

© TIRANT LO BLANCH
EDITA: TIRANT LO BLANCH
C/ Artes Gráficas, 14 - 46010 - Valencia
TELFS.: 96/361 00 48 - 50
FAX: 96/369 41 51
Email:tlb@tirant.com
www.tirant.com
Librería virtual: www.tirant.es
DEPÓSITO LEGAL: V-1598-2023
ISBN: 978-84-1169-248-9
MAQUETA: Disset Ediciones

Si tiene alguna queja o sugerencia, envíenos un mail a: *atencioncliente@tirant.com*. En caso de no ser atendida su sugerencia, por favor, lea en *www.tirant.net/index.php/empresa/politicas-de-empresa* nuestro procedimiento de quejas.

Responsabilidad Social Corporativa: http://www.tirant.net/Docs/RSCTirant.pdf

A José Manuel
por su amor y apoyo constante

Lo mejor está por venir

Índice

Capítulo II

Capítulo III

Capítulo IV

PRESENTACIÓN DE LA OBRA

En las últimas décadas, las voces en torno a la futurible existencia de una Justicia totalmente digital han ido en aumento. Tanto que, en la actualidad, se ha convertido en un tema en boga empero también espinoso y controvertido, que genera posiciones enfrentadas, a saber, quienes han caído en la fascinación por la tecnología y su enorme proyección en el seno de la justicia, y quienes se posicionan de forma contraria a cualquier intromisión en el *modus operandi* de la justicia a través de la tecnología, la digitalización y la incorporación de instrumentos, herramientas algorítmicas, que caminan inexorablemente hacia una, cada vez más, integración o simbiosis de la inteligencia artificial con la justicia humana.

En la doctrina procesal comienza a ebullir un cierto interés por el análisis del uso de los algoritmos y de la inteligencia artificial[1]. Cierto que ese empleo es ineludiblemente ya real y que camina a convertirse en una realidad tangible en un futuro no tan lejano. No obstante, consideramos que es importante, para poder llegar al momento de hibridación humanos-máquinas en la Justicia, analizar los pasos previos, a saber, cómo se inició la andadura en la Justicia, quizás mejor en la Administración de Justicia, mediante los diferentes pasos en digitalización en el quehacer cotidiano de nuestros juzgados y tribunales, y cómo ese camino continúa afectando a instituciones, estructuras, organización, principios, protagonistas, y por supuesto a los justiciables. Lo que es indudable es que esa incorporación digital tiene un enorme valor y puede servir para la mejora de la tutela efectiva. Pero también es innegable que la digitalización, más allá de las normas que han ido posibilitándola, primero, y exigiéndola después, están ya exigiendo -y aun lo harán más- un "repensamiento" de los principios del proceso y del procedimiento, de garantías y de derechos, de protagonistas y de su función. Son muchas las cuestiones que emergen en esta sociedad digital. Debemos considerar, por tanto, todas las cuestiones que con-

---

[1]   BARONA VILAR, S., *Algoritmización del Derecho y de la Justicia, De la Inteligencia artificial a la Smart Justice*, Tirant Lo Blanch, Valencia, 2021. Se ha convertido en la obra de cabecera de la doctrina que se adentra en el mundo de la justicia digital, sus diferentes prismas y sus complejas aristas.

fluyen en ese repensamiento de componentes y elementos de nuestro sistema procesal. Cuestiones que, en absoluto son sencillas, pero que debemos abordarlas sin más dilación.

La tarea más inminente es la de realizar un avalúo de las herramientas existentes en nuestro día a día en la Administración de Justicia y sobre todo de las utilizadas en los últimos tiempos, tras el gran avance para la digitalización de la justicia que ha supuesto la era COVID-19. Posiblemente, desde la introducción de la ofimática en los juzgados y tribunales, la justicia española no había sufrido unos cambios tan bruscos en tan poco tiempo como en estos últimos años. Sorprendentemente, nuestros funcionarios al servicio de la Administración de Justicia se han sobrepuesto a las dificultades y han sido capaces de llevar a cabo esta tarea de manera sobresaliente. Sin duda, esta situación extraordinaria exigía de soluciones extraordinarias, y propició la aparición de personas extraordinarias en el desempeño de la función por parte de los operadores de justicia.

Ciertamente, con el fin de la pandemia, el planeta comenzó a caminar, si bien algunas de las medidas adoptadas han propiciado un interesante momento de cambios o de recuperación del pasado. Esto es, surge el dilema de si los cambios que se produjeron como estado de necesidad, deben desaparecer o, por el contrario, permitir, tras un balance de las ventajas e inconvenientes, así como de los costes de estas innovaciones, tanto económicos como sociales, su consolidación en el modelo procesal o su mantenimiento con cambios o bajo condiciones.

Desde nuestro punto de vista, cualquier decisión que se adopte en el seno de la mejora y modernización de la justicia debe atender al eje fundamental, al núcleo que debe moverla, esto es, la ciudadanía. Debe ser el elemento sobre el que se geste cualesquiera propuestas en torno a una mejora de la justicia, en cuanto debe darse respuesta a la exigencia de una mejor justicia para los ciudadanos y las ciudadanas. Incluso más, no se trata de considerar en general a la ciudadanía (entendida como ciudadanos medios), sino de ser especialmente sensible ante quienes son especialmente vulnerables, entendiéndolos en el sentido más amplio de la palabra, es decir, la ciudadanía vulnerable por razón de género, por motivos económicos, sociales, lingüísticos, por discapacidad, o por edad. Así, los juristas estamos llamados a aprovechar esta nueva revolución digital para acercar a la ciudadanía la justicia que realmente necesitan, ajustada a sus conflictos.

La facilitación del acceso a la justicia de los ciudadanos no significa bajar el nivel legislativo de nuestros procesos civiles y penales, sino incluir mecanismos e instituciones que se sumen a esos procesos y los complementen. Todo ello unido a un esfuerzo extra que deberán asumir los juzgados, donde nuestros funcionarios deberán ser reforzados tanto en medios materiales como muy especialmente formativos, amén de reestructurar y aumentar los medios personales. Un acercamiento a la ciudadanía que debe comenzar por una buena formación de esta, un buen servicio de información con profesionales dedicados a esta tarea cuasi evangelizadora, así como campañas que ayuden a las personas a conocer los cauces legales que tienen en sus manos y sobre todo aquellos que sean gratuitos, que permitan la autotutela o sean más económicos para el ciudadano de a pie.

Es evidente que la justicia digital puede comportar un ineludible apoyo para facilitar el acceso a la misma por parte de la ciudadanía, empero también es cierto que paralelamente una justicia digital mal gestionada puede convertirse en un arma más para generar una enorme brecha digital. Todo cambio comporta alteraciones, que pueden ser enormemente positivas o terriblemente negativas. La digitalización no puede servir para obstaculizar o incluso negar el acceso a la justicia de los analfabetos digitales, ni de quienes por motivos económicos o culturales no tienen capacidades digitales que les favorezca y facilite el acceso a la justicia[2]. En este sentido, considerar el papel de la oficina judicial en todo el territorio nacional y hacerlo como instrumento vehicular que facilite que todos y todas tengan más fácil el acceso a la justicia debido a la transformación digital es una de las cuestiones que deben acompañar a este movimiento innovativo digital en la Justicia.

Paralelamente, existen otros mecanismos que deben ser objeto de análisis. Por ejemplo, trabajar con el fomento de la cultura de la resolución alternativa de conflictos, favoreciendo, desde la libertad de elección de estos métodos, la posibilidad de acceder a un medio de so-

---

2   BARONA VILAR, S., "Claves vertebradoras del modelo de justicia en el Siglo XXI", *Revista Boliviana de Derecho*, nº 32, julio 2021, pp. 16-17.

lución de conflictos. Parece que la tendencia actual, como se hace sentir en los proyectos de ley, y se debate en algunos foros nacionales e internacionales, es la de expandir la cultura de las ADR/ODR a golpe de norma, incorporando una suerte de obligatoriedad de acudir a estos medios, cualesquiera que estos sean, antes de iniciar la vía judicial. A mi parecer, el escepticismo del éxito de este modelo impositivo es alto, como lo han mostrado a lo largo de la historia jurídica española la incorporación de obligatoriedad de instituciones, como sucedió con la conciliación obligatoria, que tan poco éxito de evitación del proceso presentó. Otro ejemplo más moderno fue la obligatoriedad de la conciliación previa en el orden jurisdiccional social, que se ha venido traduciendo en un "mandato" de abogados a clientes para que se limiten a firmar la personación en la conciliación sin escuchar más razones para la continuación del método ADR, con la única finalidad de que se inicie el proceso judicial a la mayor brevedad posible. Sin duda, la cultura de resolución alternativa de conflictos (en adelante ADR -Alternative Dispute Resolution-) necesita ser fomentada nuevamente desde las instituciones educativas, así como la realización de campañas para la información sobre este tipo de procedimientos, pero en estos casos, solo el tiempo puede hacer que las nuevas generaciones comiencen a creer cada vez más en estos instrumentos para solventar sus conflictos y obtener una tutela efectiva alternativa de sus pretensiones[3].

Si el interés por los modelos complementarios y/o alternativos de solución de conflictos crece cada vez más, y eso se anuda a una sociedad innovativa y digital, es obvio que hallamos asistido y estemos viviendo un momento de interés por el conocimiento de los Online Dispute Resolution (en adelante, ODR) como modelos de interés para acercar la justicia a los justiciables, desde sus domicilios, con sistemas intuitivos, flexibles; modelos que, en nuestra opinión deberán ser gratuitos y públicos. Es importante que las administraciones públicas garanticen a través de sistemas seguros y de confianza este tipo de herramientas, impidiendo que entidades privadas, con evidentes intereses particulares, puedan incidir en la justicia alternativa de nuestro

---

[3] Ver más en profundidad en: BARONA VILAR, S., *Nociones y Principios de las ADR. (Solución Extrajurisdiccional de Conflictos)*, Tirant Lo Blanch, Valencia, 2018, pp. 67-68.

país. En este punto si es importante tener en cuenta la influencia que entidades privadas puedan trabajar con el uso de algoritmos, ya que estos podrían estar sesgados o predispuestos para dar la razón a una de las partes -ya sea porque sea su pagador o porque los datos previos del sistema no sean lo suficientemente abundantes y otorguen determinados sesgos erróneos-. Así veremos cómo las herramientas que comienzan a funcionar dentro de nuestros juzgados y tribunales, así como aquellas que se utilizan por parte de los abogados a través del *legaltech* son deudoras, en gran medida, de los avances previamente iniciados por estos ODR.

Elaborar esta obra no es sino fruto de la inquietud presente de quien escribe por tratar de ofrecer un tratamiento compacto de cuestiones que, de forma fragmentada, pueden ser analizadas como los grandes ejes y avances de la justicia del siglo XXI. Siempre desde la mirada puesta en el eje del derecho, la justicia y las personas, es imprescindible repensar algunos de los elementos que han venido conformando el viejo paradigma de la justicia en épocas anteriores. Evidentemente, los medios a través de los cuales facilitar el acceso a la Justicia son esenciales, tanto por vía judicial como por medio de las ADR, si bien todo ello debe ser necesariamente analizado desde la digitalización, dado que la justicia digital ha llegado para quedarse. No obstante, y aunque se ha avanzado en torno a ese profundo proceso de digitalización de la justicia, el futuro próximo está en el presente y debemos revisar las herramientas de las que gozamos hasta el momento e intentar armonizarlas de la mejor manera posible y mirar al futuro más cercano e incluso, esbozar el dibujo del futuro. Un análisis que pretendemos realizar siempre con un compañero de viaje insoslayable: los justiciables, que acuden a la Justicia en busca de tutela efectiva. Tanto más amigable sean las herramientas digitales que se empleen y tanto más se conozca su usabilidad, más podrá afirmarse que la irrupción de la digitalización está sirviendo para dar respuestas y no para generar problemas.

Capítulo I
EL ACCESO DE LOS CIUDADANOS A LA JUSTICIA DIGITAL

Es necesario iniciar nuestro relato ubicando el primer y único ítem sobre el que debe girar cualquier reforma legislativa, ese ítem, que en ocasiones no es más que un número, son los ciudadanos y ciudadanas de nuestro país, a los cuales se debe proteger y situar como pieza angular y clave de todo el desarrollo jurisdiccional. La justicia será contando con toda la ciudadanía o no será justicia.

1. CARTA DE DERECHOS DE LOS CIUDADANOS ANTE LA JUSTICIA

En el Pacto de Estado para la Reforma de la Justicia, rubricado el 28 de mayo de 2001, así como en la posterior Conferencia Sectorial en materia de Administración de Justicia celebrada en Las Palmas el día 22 de mayo de 2001, se asentaron las bases para la justificación de la necesidad de la elaboración de una Carta de Derechos de los Ciudadanos ante la Justicia.

Así las cosas, el 16 de abril de 2002 el Pleno del Congreso de los Diputados aprobó por unanimidad de todos los grupos parlamentarios, como Proposición No de Ley, el texto de la Carta de Derechos de los Ciudadanos ante la Justicia, que atiende a los principios de transparencia, información y atención adecuada, así mismo garantiza determinados derechos ante la Justicia. Uno de los componentes sobre los que se nucleó esta Carta es en la posibilidad de conseguir una Administración de Justicia centrada en la ciudadanía, esto es, un espacio en el que se puedan formular todas las sugerencias sobre el funcionamiento de la misma, así como exigir, en caso necesario, las reparaciones a que hubiera lugar por el mal funcionamiento de dicha Administración de Justicia.

En la segunda parte de esta Carta se puso el foco en la protección especial que requerían las víctimas de delitos[1]. Ahora bien, se presta atención específica a las víctimas de violencia de género y de violencia doméstica en el ámbito intrafamiliar, todo ello sin olvidar la necesaria incidencia que en la Administración de Justicia debe efectuarse respecto de sectores vulnerables, como son los menores de edad, las personas con algún tipo de discapacidad - sensorial, física o psíquica – o las personas extranjeras. Resulta incomprensible, a mi parecer, que no se haya incluido en este sector de vulnerabilidad de las personas mayores, para favorecer, en consecuencia, una suerte de función tuitiva especial sobre los mismos por parte de la justicia. Es más, creemos que es absolutamente primordial abordar las necesidades de los mayores[2], más en un país y en un continente en el que esta generación se dejó la vida por reconstruir un mundo mejor para las generaciones venideras y que ha sido capaz de con esfuerzo ayudar a levantar un entorno donde la democracia, la libertad y el acceso público y gratuito a los servicios públicos esenciales como la sanidad o la educación son su mejor legado. Repárese que España y Europa va paulatina pero imparablemente envejeciendo década a década, mostrando un sector vulnerable que requiere de una especial protección. La Justicia para este grupo poblacional dejará de ser tal si no se consideran medidas específicas que respondan a sus coordenadas y a sus necesidades. De lo contrario, la respuesta que ofrecemos también desde la Justicia frente a este sector vulnerable es la ingratitud, lo que no deja de convertirse en injusticia.

En tercer lugar, se presta también atención a las relaciones entre los profesionales de la justicia, es decir, abogados y procuradores con la ciudadanía. Es cierto que nuestros profesionales hacen todo lo posible para facilitar los trámites que sus representados o clientes precisan realizar ante la Administración de Justicia. Sin embargo, para

---

[1] Este fue el germen primigenio de lo que años más tarde cristalizó con la Ley 4/2015, de 27 de abril, del Estatuto de la víctima del delito. BOE núm. 101, de 28 de abril de 2015.

[2] Ver más sobre este particular en: BLANCO GARCÍA, A.I., "Brecha digital y vulnerabilidad del consumidor financiero: el refuerzo de su protección", *Los vulnerables ante el proceso civil*, Dir. HERRERO PEREZAGUA J.F., LÓPEZ SÁNCHEZ, J., Atelier, Barcelona, 2022, pp. 141-164.

un amplio sector de la población, estos profesionales siguen siendo calificados como personas de otro rango y a las que les cuesta ver como iguales, debido a la larga tradición de respeto, alta clase social o formalismos que han envuelto a estas profesiones jurídicas a lo largo de la historia.

Varios textos han desarrollado posteriormente esta Carta, aunque a nuestro juicio no han sido suficientes. Ejemplo de ello son la Resolución de 5 de julio de 2017, de la Secretaría de Estado de Justicia, por la que se publica el Convenio en materia de formación sobre la Carta de Derechos de los Ciudadanos ante la Justicia y Atención Ciudadana, entre el Centro de Estudios Jurídicos y el Consejo General del Poder Judicial[3]. Este acuerdo tuvo como objetivo mejorar la cooperación entre el CGPJ, a través de la Unidad de Atención Ciudadana[4], y el Centro de Estudios Jurídicos (en adelante CEJ)[5] dependiente del Ministerio de Justicia, para la realización de actividades formativas específicas en materia de desarrollo y aplicación de la Carta de Derechos de los Ciudadanos ante la Justicia y atención a la ciudadanía en los cursos selectivos así como el desarrollo de los Planes Docentes diseñados por el CEJ para los cursos selectivos de los miembros de la Carrera Fiscal, del Cuerpo de Letrados de la Administración de Justicia, Médicos Forenses, de los Facultativos del Instituto Nacional de Toxicología y Ciencias Forenses, de la Policía Judicial y de los

---

[3]   BOE N.º 169 de 17 de julio de 2017.

[4]   Que cuenta con amplia experiencia en formación en materia de aplicación y desarrollo de la Carta de Derechos de los Ciudadanos ante la Justicia y en el ámbito de la atención ciudadana en juzgados y tribunales, derivada de su función de coordinación del funcionamiento de los servicios de recepción de quejas y denuncias y de atención e información al ciudadano. Servicio disponible en: https://www.poderjudicial.es/cgpj/es/Servicios/Atencion-Ciudadana/Unidad-de-Atencion-Ciudadana/, visitada el día 3 de junio de 2021

[5]   Es un organismo autónomo adscrito al Ministerio de Justicia y tiene por objeto la colaboración con el Ministerio de Justicia en la selección, formación inicial y continua de los miembros de la Carrera Fiscal y de los funcionarios pertenecientes a los Cuerpos de Secretarios Judiciales, Médicos Forenses, y demás personal al servicio de la Administración de Justicia. Dicha colaboración se extenderá también a la formación continua de los Abogados del Estado y está regulado por el Real Decreto 312/2019, de 26 de abril, por el que se aprueba el Estatuto del Organismo Autónomo Centro de Estudios Jurídicos. BOE núm. 113, de 11 de mayo de 2019.

funcionarios al Servicio de la Administración de Justicia (Cuerpos de Gestión y Tramitación Procesal y Administrativa, Auxilio Judicial).

1.1 Contenido de la Carta

La Carta de Derechos de los Ciudadanos ante la Justicia (en adelante, Carta) se divide en tres grandes bloques.

Un primer bloque dedicado a una justicia moderna y abierta a los ciudadanos, que es sin duda el bloque más extenso y que ha presentado mayores dosis de interés y desarrollo, durante estas dos décadas de funcionamiento, a los ciudadanos a la hora de reivindicar sus necesidades en el ámbito de la justicia.

Un segundo bloque dedicado a una justicia que protege a los más débiles; este bloque es el más comprometido socialmente, ya que pretende no dejar a ningún ciudadano "atrás".

Y, finalmente, un tercer bloque en el que se desarrollan los postulados para proteger las relaciones de confianza de la ciudadanía con abogados y procuradores que les defienden y representan ante la Administración de Justicia.

1.1.1 Una Justicia moderna y abierta a los ciudadanos

El primer hito en el que se centró este epígrafe fue la puesta en marcha y el impulso de las Oficinas de Atención al ciudadano. La creación de estas Oficinas se plantea en el primer punto, así como extensión en todo el territorio español, vertebrando un sistema accesible a la ciudadanía. Este punto también se complementa con la exigencia de información expositiva del lugar claramente visible en las sedes judiciales del horario de atención al público, dado que, en ciertos casos, se venía detectando que la ausencia de algo tan sencillo como este dato informativo, provocaba obstáculos para acceder a la Justicia.

Para dar un mayor énfasis a la, hasta ese momento, deficitaria transparencia de la justicia en España, se propone la creación de un plan de transparencia judicial. Este plan se hizo realidad a través del título III de la Ley 15/2003, de 26 de mayo[6], que definió el Plan de Transparencia Judicial como el instrumento a través del cual las Cortes Generales, el Gobierno, las Comunidades Autónomas, el Consejo General del Poder Judicial y los propios ciudadanos pudiesen tener a su disposición una herramienta de información continua, rigurosa y contrastada acerca de la actividad y la carga de trabajo de todos los órganos jurisdiccionales del Estado. Este Plan fue aprobado en octubre de 2005 por Acuerdo del Consejo de Ministros[7]. Además, con la publicación de esta Carta también se reforzaron las actualizaciones de los BOE y DOUE para su fácil acceso a través de Internet, hasta gozar del sistema que tenemos actualmente donde podemos consultar las leyes consolidadas, las versiones modificadas e incluso se nos advierte de la legislación o los preceptos que han quedado derogados.

Así mismo, forma parte también de este bloque de transparencia la importante mejora en la accesibilidad al contenido y el estado de los procesos donde el ciudadano tenga algún tipo de interés legítimo acreditado. En concreto, en cuanto al acceso a la documentación y la obligatoriedad para que las autoridades y funcionarios expongan por escrito al ciudadano los motivos por los que se les deniegue, en su caso, el acceso a la información requerida de carácter procesal.

La Carta intentó acercar la justicia al ciudadano aspirando a que esta sea más comprensible. Este objetivo lo pretende lograr con la mejora de los términos utilizados, haciéndolos más sencillos, comprensibles y poco intimidatorios en los actos de comunicación judiciales, a través de un lenguaje lo más comprensible posible para la ciudadanía durante las vistas o comparecencias, así como en las sentencias y demás resoluciones judiciales. Eso sí, siempre respetando el debido rigor técnico necesario. Y, complementariamente, se facilitaban los docu-

---

6   Ley 15/2003, de 26 de mayo, *reguladora del régimen retributivo de las carreras judicial y fiscal*. BOE núm. 126, de 27 de mayo de 2003.

7   Resolución de 28 de octubre de 2005, de la Secretaría de Estado de Justicia, por la que se dispone la publicación del Acuerdo de Consejo de Ministros de 21 de octubre de 2005, por el que se aprueba el Plan de Transparencia Judicial. BOE núm. 261, de 1 de noviembre de 2005. En él también se identifica como instrumento imprescindible para lograr el objetivo de la transparencia la plena utilización de las tecnologías de la información y la comunicación en la Administración de Justicia.

mentos y formularios necesarios cuando el ciudadano quiera hacer uso de la autodefensa en los procesos en los que sea posible.

No solo es necesario que la justicia sea comprensible, sino también que preste la atención que cada persona necesita en virtud de sus propias circunstancias concomitantes psicológicas, sociales o culturales. Sin duda la Carta ha ayudado a mejorar el compromiso de puntualidad de las citaciones judiciales, así como la asunción de la debida información sobre las suspensiones adoptadas por el órgano judicial.

En este sentido, para evitar que las actuaciones judiciales supongan un lastre para los usuarios, las comparecencias deben ser las estrictamente necesarias; estas deberán estar lo más concentradas en el tiempo posible, en dependencias judiciales accesibles y en óptimas condiciones para la ciudadanía. Así mismo, se tramitarán con la máxima diligencia y celeridad las indemnizaciones económicas por razón de los desplazamientos para acudir a una actuación judicial.

En la misma línea, los ciudadanos que colaboren activamente con la justicia deberán ser debidamente protegidos. Y todos los ciudadanos deben poder conocer la identidad y categoría de los funcionarios que realicen actuaciones judiciales, salvo cuando estas estén protegidas por causas criminales. Del mismo modo, el ciudadano puede requerir ser atendido personalmente por el Juez o el Letrado de la Administración de Justicia, con flexibilidad horaria de mañana y tarde cuando resulte necesario y en la lengua oficial que este escoja, siempre que esta atención esté relacionada con una incidencia con el funcionamiento del órgano judicial.

Todos estos ambiciosos derechos descritos hasta el momento y aquellos que continuarán siendo descritos en el presente apartado no tendrían ningún valor si no pudiesen ser reivindicados ante los órganos de la Administración de Justicia. Por ello, la propia Carta establece el derecho a formular no solo reclamaciones, sino también quejas y sugerencias sobre un error judicial o por el incorrecto o anormal funcionamiento de la Administración de Justicia y establece el compromiso por parte de la Administración de remitir respuesta en el plazo máximo de un mes desde su interposición, incluyendo, en su caso, las indemnizaciones previstas legalmente.

Y como punto final de este bloque, la Carta intenta fomentar una mayor agilidad en la tramitación de los asuntos y su resolución dentro de los plazos previstos, si bien es cierto que para la mejora de estos plazos la única receta es el aumento de medios personales dentro de la Administración de Justicia[8]. Además, sería necesaria una mayor dotación de medios materiales para garantizar lo que la Carta estableció como el derecho a comunicarse con la Administración de Justicia a través de correo electrónico, videoconferencia u otros medios telemáticos. Un anhelo muy aplaudible, en todo caso, pero que exige resolver con carácter previo una serie de cuestiones que van concatenadas, entre las que se encuentra la necesidad atribución de medios en los juzgados que permitan dar debido cumplimiento a este derecho a comunicarse a través de estos medios. Son múltiples las cuestiones que giran alrededor de esta proclamación, más allá de la dotación de medios informáticos y electrónicos, esto es, la incorporación de sistemas que ofrezcan seguridad, eviten la suplantación de personalidad o que ahonden en la brecha digital a la que nos hemos referido.

Aun cuando las dudas, los problemas y las circunstancias que pueden aminorar el efecto importante que la promulgación de la Carta supuso, no puede negarse que ha sido un hito trascendental para alcanzar los avances de la digitalización de la justicia y su acercamiento a la ciudadanía a través de esta vía.

1.1.2 Una relación de confianza con abogados y procuradores

La justicia no solo se entiende con los ciudadanos y la Administración de Justicia, sino que también es necesario contar con la tercera pata de nuestro sistema, que la componen los operadores jurídicos -mayoritariamente abogados y procuradores-. En este sentido la Carta obliga a los abogados y procuradores a prestar un servicio de calidad, a guardar secreto de las revelaciones que les hagan sus clientes, a prestar información precisa y detallada sobre su procedimiento y de las resoluciones que se dicten.

---

[8] Algunos datos sobre este asunto se pueden ver en: RUBIO EIRE, J.V., "Las dilaciones indebidas en el procedimiento penal. Un estudio desde el punto de vista del reo y de la víctima del delito", en *Elderecho*.com https://elderecho.com/las-dilaciones-indebidas-en-el-procedimiento-penal-un-estudio-desde-el-punto-de-vista-del-reo-y-de-la-victima-del-delito, visitado el día 9 de junio de 2021.

Por su parte, los clientes tienen derecho a conocer anticipadamente el coste aproximado de la intervención del profesional elegido y su forma de pago, así como de las consecuencias en caso de ser condenado a costas. Estas últimas previsiones, como veremos al final de esta obra, pueden ser garantizadas a través de softwares especializados. No obstante, cuando estos derechos sean vulnerados se otorga al ciudadano el derecho a denunciar ante los Colegios de Abogados y Procuradores todas las conductas que consideren contrarias a la deontología profesional y el derecho a conocer la resolución suficiente y motivada resultado de su denuncia. Estos ciudadanos también deben poder conocer el historial de sanciones disciplinarias no canceladas por alguna actuación profesional de cualquier abogado o procurador. Y finalmente, la Carta reconoce el derecho del ciudadano a ser asesorado y defendido gratuitamente por un abogado suficientemente cualificado y a ser representado por un procurador con un servicio de calidad, cuando tenga legalmente derecho a la asistencia jurídica gratuita.

En muchos de estos preceptos se recogían derechos ya reconocidos, como sucede con el secreto profesional recientemente reforzado por el nuevo Real Decreto 135/2021, de 2 de marzo, por el que se aprueba el Estatuto General de la Abogacía Española[9]. Sin embargo, transcurridas dos décadas desde la promulgación de esta Carta de Derechos de los Ciudadanos ante la Justicia se echa en falta la inclusión en este tercer bloque de otros profesionales cuya incidencia en el modelo moderno de justicia es innegable; se trata de aquellos que han irrumpido en nuestro escenario de acceso a la justicia a través, por ejemplo, de la Ley 15/2015, de 2 de julio de Jurisdicción Voluntaria[10] para realizar determinadas actividades jurídicas, tales como los Letrados de la Administración de Justicia, Notarios, Registradores de la Propiedad y Mercantiles u otros actores como conciliadores, mediadores o árbitros que actúan en la resolución extrajurisdiccional de conflictos y que están llamados a ser actores protagonistas en el futuro de la Justicia. En el hipotético caso de plantear una posible

---

[9] BOE Núm. 71, 24 de marzo de 2021.
[10] BOE Núm. 158, de 03 de julio de 2015.

reforma de la Carta, es indudable que el ámbito digital debería asumir un lugar preminente en la misma.

1.1.3 Una Justicia que protege a los más débiles

En el segundo bloque, la Carta se centra en un carácter más social y comprometido. En primer lugar, con las víctimas de delitos, a los que se debe informar con claridad sobre su intervención en el proceso, la tramitación de este o las vías de reparación del daño. En este punto se previó la creación de Oficinas de Atención a la Víctima, aunque pasado el tiempo vemos que son muy pocas las que se han puesto en marcha por falta de medios tanto materiales, como personales.

Dentro de la Carta se detallaron las diversas medidas de protección a las que la víctima tiene derecho a tener cubiertas a la hora de enfrentarse a un proceso judicial. Así se establece que la víctima de un delito tiene derecho a que su comparecencia personal tenga lugar de forma adecuada a su dignidad, preservando la intimidad y la publicidad no deseada de su vida privada en toda clase de actuaciones judiciales. Cuestión que depende sobre todo de las infraestructuras judiciales, donde en las más anticuadas, víctimas y victimarios -de procesos delicados como violencia de género o doméstica- coinciden en espacios pequeños y momentos antes de las vistas o de la toma de declaraciones. Esta protección debe ser inmediata y efectiva y se le debe facilitar el uso de los instrumentos necesarios para su protección como mecanismos de teleasistencia por parte de los juzgados y tribunales.

De la misma manera, en este bloque la Carta pretende una protección más integral de las personas afectadas por cualquier tipo de discapacidad, ya sea física, psíquica o sensorial en cuanto a la accesibilidad a todos los derechos promulgados en la Carta. En este punto también se reafirma el derecho al uso de intérpretes o de medios tecnológicos -adecuados a cada tipo de discapacidad- que les permita obtener una información comprensible y adecuada de los actos judiciales en los que participen.

Y finalmente, se pone el foco de atención en los extranjeros, actualmente denominados migrantes, para que estos sean atendidos con los mismos derechos reconocidos en la Carta sin sufrir ningún tipo de discriminación por motivos de raza, lengua, religión o creencias, protegiéndose especialmente a aquellos menores de edad no acompañados.

Esta protección que proclama la Carta sobre los menores y los extranjeros ya estaba previamente reconocida en nuestras normas procesales, no obstante, no se habría entendido este documento sin su inclusión. A pesar de ello, y en un país tan envejecido como el nuestro, no se entiende en nuestros días la falta de previsión respecto de los mayores, como enunciábamos al inicio de este apartado. Sin bien, debemos situarnos en el tiempo de redacción de la Carta, ya que han pasado dos décadas desde la promulgación de esta, las circunstancias son diversas, las coordenadas sociales, económicas, sociológicas, son diferentes y, por ende, debe efectuarse una lectura de la misma que permita en el ahora ofrecer respuestas tuitivas imprescindibles para quienes quieren acceder a la justicia. En este sentido, en la actualidad, el envejecimiento de la población está en la agenda de todos los partidos políticos y las ayudas para la formación de estas personas en competencias digitales se considera una acción primordial para su desarrollo personal y social[11].

1.2 Oficinas de Justicia de atención al ciudadano

Inevitablemente el mundo y nuestro país han cambiado mucho en las dos décadas que han pasado desde que se publicó la Carta de Derechos de los Ciudadanos ante la Justicia. Sin embargo, aun con el transcurso del tiempo y la modulación de la sociedad hacia otros parámetros bien diversos a cuándo se elaboró, siguen aflorando algunas

---

[11]　Un número significativo de adultos enfrenta o enfrentará limitaciones: Eurostat espera que una quinta parte de la población de la UE tenga algún tipo de discapacidad para 2050. Muchos de estos adultos son o serán vulnerables y, debido a las múltiples barreras que aún existen para las personas con una discapacidad mental o física grave, no están o no estarán en condiciones de proteger sus propios intereses sin el apoyo adecuado. En situaciones transfronterizas, estas dificultades existentes pueden agravarse por obstáculos adicionales relacionados con el idioma, la representación o el acceso al sistema judicial y los servicios públicos. Ver más en: Proyecto de Conclusiones del Consejo sobre la protección de los adultos vulnerables en el conjunto de la Unión Europea, Bruselas, 27 de mayo de 202, 8636/21.

de las cuestiones que precisamente trataron de remediarse con la promulgación de esta Carta. Esto comporta que, aun cuando el aplauso a su aprobación fue indudable y sus principios y coordenadas eran más que adecuados, la realidad ha mostrado un escenario complejo en el que, pese a la esperanza inicial de la ciudadanía en un texto tan tuitivo, las respuestas en la práctica han sido mucho menos efectivas.

Ello no es óbice a considerar que, allende las falencias, que las hay, y sobre todo la falta de implementación de la misma en su totalidad, hay objetivos de la Carta que se han venido consiguiendo, como es el caso de las Oficinas de Atención al Ciudadano[12].

En este punto podemos destacar tres órganos que se dedican a canalizar y analizar las reclamaciones, quejas y sugerencias de la ciudadanía a la Administración de Justicia, hoy ya también digitalizado. En primer lugar, la Oficina de Atención al Ciudadano que puso en marcha el propio Ministerio de Justicia. En segundo lugar, aunque de manera un poco residual, nombramos el servicio de Atención al Ciudadano dependiente de la Fiscalía General del Estado. Y, finalmente, tras la implantación de la nueva oficina judicial[13], encontramos las Oficinas de Atención Ciudadana dependientes directamente del CGPJ que son las más extendidas y como veremos también las más efectivas. Estas Oficinas de Atención Ciudadana se suelen enmarcar dentro de los Servicios Comunes Generales de los Juzgados, donde se han creado Secciones de Asuntos Generales con subsecciones o equi-

---

[12] ESCUDERO MORATALLA, J.F. y CORCHETE FIGUERES, D., "Carta de servicios. Atención, información versus orientación y asesoramiento", *Diario La Ley*, n° 9875, de 21 de junio de 2021, N° 9875, 21 de jun. de 2021, Editorial Wolters Kluwer.

[13] Que a pesar de que estaba previsto que culminase el proceso de implantación a lo largo del segundo semestre de 2012, aún no está implantada en la mayoría de los partidos judiciales de nuestro país, quedando aún las sedes judiciales neurálgicas sin esta nueva organización. Disponible en: ttps://www.poderjudicial.es/cgpj/es/Temas/Modernizacion-de-la-Justicia/Oficina-Judicial/relacionados/Breve-explicacion-de-la-implantacion-de-la-Nueva-Oficina-Judicial-en-el-ambito-territorial-gestionado-por-el-Ministerio-de-Justicia, visitado el día 3 de junio de 2021

pos -en algunos juzgados y tribunales- de atención al público y a las víctimas[14].

1.2.1 Oficina de Atención al Ciudadano

En primer lugar, la oficina de atención al ciudadano puesta en marcha por el Ministerio de Justicia cuenta desgraciadamente con una única sede física, sita en la ciudad de Madrid, a la que también es necesario acudir con cita previa. Situaciones como esta hacen que no sintamos una justicia realmente cercana y vertebrada a lo largo y ancho de nuestro país. Y reflejan un espíritu centralista que ni siquiera estéticamente casa con la España autonómica.

No obstante, también existe una línea telefónica habilitada para información al ciudadano, así como un servicio de mensajería instantánea de atención al ciudadano a través de la aplicación Telegram. Además, existe un servicio de chat robotizado, pero en este caso es simplemente para información sobre legalizaciones y apostillas[15], por lo que su operatividad en cuanto al catálogo de servicios se reduce bastante.

Esta oficina tampoco deja atrás a las personas con discapacidad, ya que les habilita estos mismos servicios a partir de una aplicación informática denominada Texmee para que personas con discapacidad auditiva o visual puedan comunicarse mediante texto y a tiempo real con el Ministerio de Justicia[16]. Y finalmente, también se facilita una vía de contacto a través de formulario web para cuestiones, proble-

---

[14] Al tratarse de una competencia transferida en algunas Comunidades autónomas no todas han dotado de este servicio a los juzgados o les han dado una denominación diferente como por ejemplo Asistencia a profesionales y litigantes y asistencia a víctimas.

[15] Afortunadamente, el sistema de comprobación de apostillas en España ya está completamente digitalizado a través de la herramienta eRegister, para verificar la validez de una Apostilla o para verificar la firma electrónica de una Apostilla, disponible en: https://eregister.justicia.es/eRegister-webapp/eRegister/bienvenida, visitada el día 19 de enero de 2022.

[16] Todo lo descrito se encuentra disponible en: https://www.mjusticia.gob.es/es/atencion-ciudadano, visitada el día 2021.

mas o incidencias relacionadas con los servicios telemáticos de la Sede Electrónica del Ministerio de Justicia[17].

Como podemos comprobar toda la Administración de Justicia está volcada en realizar un acercamiento a la ciudadanía. Pero pensando siempre en una ciudadanía digital. De este modo, quedan fuera de estas previsiones todos aquellos que no son digitales o nativos digitales, personas a las que les es muy complicado contar un problema a través de una línea de Telegram o incluso de una línea telefónica. Sin duda, en este caso existe una falla importante respecto de la falta de sedes físicas con atención de cara a cara con el ciudadano para que este pueda verbalizar de la manera más natural sus inquietudes, quejas o dudas respecto del funcionamiento de la justicia en España. Es la visión macro de una sociedad digitalizada y algoritmizada pero en la que existen -y ese es el olvido- quienes no lo son, porque nacieron analógicos y morirán analógicos, sin que ello deba significar una vulneración de derechos y menos una desprotección ante la Justicia.

1.2.2 Servicio de información al ciudadano en los juzgados

El CGPJ cuenta con una Unidad de Atención Ciudadana, que a su vez se encuadra dentro del Servicio Promotor de la Acción Disciplinaria de los Juzgados. Esta Unidad se encarga de coordinar los servicios de recepción de quejas y denuncias de los ciudadanos por mal funcionamiento de la Administración de Justicia, ordena y centraliza las estadísticas y elabora una memoria anual con las sugerencias y quejas encuadrándolas dentro de los derechos reconocidos en la Carta de Derechos de los Ciudadanos ante la Justicia desde el año 2006.

Así las cosas, dependiente de esta Unidad encontramos las oficinas de atención al ciudadano que en principio deberían estar implantadas en todos los juzgados del país. Sin embargo, solamente hemos podido constatar su existencia en la mayoría de los partidos judiciales de la Comunidad de Madrid, de Cataluña o el País Vasco y en algunas provincias con mayor población como por ejemplo Valencia, Sevilla, Málaga, León o Lugo -entre otros- donde solo existe una oficina para

---

17   Disponible en: https://sede.mjusticia.gob.es/es/contacto, visitado el día 3 de junio de 2021.

toda la provincia. En otras provincias se ha optado porque esta tarea la asuman los Decanatos de Juzgados, Presidencias de Tribunales o Audiencias que posteriormente derivan estas dudas y quejas a los Servicios Comunes del partido judicial concreto de la persona reclamante para su contestación.

En definitiva, en este asunto de la accesibilidad a la información y del derecho a interponer quejas y reclamaciones en los juzgados españoles contamos con diferentes velocidades, dependiendo del partido judicial en el que residan los ciudadanos. Por ello, es necesario implantar estas oficinas de información al ciudadano en todos los juzgados de todos los partidos judiciales, tal y como estaba acordado y aprobado por el CGPJ hace ya más de dos décadas[18].

En atención a la manera en la que están estructurada las nuevas oficinas judiciales, estas oficinas de atención al ciudadano tienen una fácil integración dentro de los servicios comunes generales de los juzgados. Sin embargo, como apuntábamos anteriormente, el hecho de que la competencia de la Administración de Justicia en cuanto a medios materiales y personales esté transferida a determinadas comunidades autónomas[19] hace que la organización interna de estos Servicios Comunes Procesales tenga diferente nomenclatura en cada parte de nuestro territorio.

Ante estas oficinas o secciones de los juzgados los ciudadanos podrán presentar las reclamaciones o las sugerencias que estimen convenientes en caso de que el ciudadano haya sentido que se le ha prestado un servicio deficiente o mejorable por parte de la Administración de

---

[18]   Noticia publicada en la edición impresa del periódico El País el día 31 de mayo del año 2000, con el titular "El Poder Judicial creará oficinas de atención al ciudadano en los juzgados", Disponible en: https://elpais.com/diario/2000/06/01/espana/959810418_850215.html, visitada el día 3 de junio de 2021.

[19]   Las Comunidades Autónomas con la competencia en Justicia transferida deben dotar a juzgados y tribunales del personal, instalaciones y medios informáticos necesarios para el adecuado desarrollo de las funciones que ostentan, de juzgar y hacer ejecutar lo juzgado. El personal no judicial de aquellos tiene una doble dependencia, porque en lo funcional estarán a lo que dispongan jueces, fiscales y secretarios judiciales y, en lo orgánico, a lo señalado por la Comunidad Autónoma transferida correspondiente, que ostenta competencia y potestad reglamentaria reconocida en la Ley Orgánica del Poder Judicial, en materia de jornada laboral, organización, gestión, inspección y dirección de personal.

Justicia. Los canales habilitados para la presentación pueden ser los registros de las sedes judiciales; cualquiera de los registros de los organismos públicos; oficinas de Correos, así como los buzones para la recogida de reclamaciones y sugerencias en los edificios judiciales e incluso en la página web del Consejo General del Poder Judicial. Así mismo, se facilitan formularios modelos para cumplimentar tanto de manera online, como descargables en el propio ordenador para proceder a su impresión y a la realización de estas quejas o reclamaciones. El plazo para acusar recibo es de tan solo 48 horas y la respuesta se comprometen a emitirla en el plazo de un mes. Sin embargo, no constan datos publicados de si se cumplen o no con estas expectativas temporales.

Desgraciadamente, estas reclamaciones no tienen carácter de recurso administrativo y por lo tanto no suponen ni la prescripción, ni la paralización de ninguno de los plazos procesales de los procesos judiciales iniciados. Además, quedan fuera de la competencia de estas oficinas las reclamaciones relativas a hechos que pudieran ser constitutivos de infracción disciplinaria por parte de jueces o magistrados, cuya competencia es de la Comisión Disciplinaria del Consejo General del Poder Judicial, así como las denuncias sobre el personal al servicio de la Administración de Justicia, cuya competencia recaerá dependiendo del asunto en el Tribunal Superior de Justicia, en el Ministerio de Justicia o en caso de tratarse de personal transferido, en la Administración autonómica correspondiente. Así mismo, tampoco podrán resolverse a través de este mecanismo reclamaciones sobre el contenido de una sentencia o resolución judicial, de modo que si un ciudadano no está conforme con cualquier sentencia o resolución judicial deberá cursar el recurso correspondiente, dentro de los plazos y la forma prevista en las leyes procesales para interponerlo.

A la hora de resolver las reclamaciones y quejas, estas serán derivadas al órgano correspondiente dependiendo de su temática. De esta manera, ante las quejas sobre causas o pleitos serán competentes para su resolución los Presidentes de los Tribunales y las Audiencias; por su parte, para resolver quejas sobre procedimientos serán competentes los Decanatos; donde no existan estos, serán competentes los jueces únicos del Partido Judicial reclamado; y, finalmente, para la resolución de las quejas concernientes al propio CGPJ, corresponderá su resolución a la Unidad de Atención al Ciudadano citada supra.

1.2.3 Servicio de Atención al Ciudadano de la FGE

La Fiscalía General del Estado, apoyada en la Carta de Derecho de los Ciudadanos ante la Justicia, también ha puesto en marcha un servicio para tramitar las reclamaciones, quejas y sugerencias formuladas por los ciudadanos. Sin embargo, en este caso solo se establecen como canales habilitados el correo postal a su sede en la calle Fortuny nº 4 de Madrid o a través de su correo electrónico. Se regula una excepcionalidad, a saber, serán aceptadas a través de correo electrónico aquellas reclamaciones remitidas por el órgano competente para resolverlas, en caso de que este no fuera la propia Fiscalía General. Además de tramitar quejas también se encargan de facilitar información general pública y no confidencial sobre la organización, el funcionamiento del Ministerio Fiscal y los distintos procedimientos judiciales en los que interviene.

En definitiva, podemos apreciar como tenemos un triunvirato donde las tres grandes instituciones que conforman la Justicia en nuestro país Ministerio de Justicia, Consejo General del Poder Judicial y Fiscalía General del Estado dedican esfuerzos a la misma tarea, recoger y resolver quejas, reclamaciones o sugerencias de los ciudadanos usuarios de la Administración de Justicia que se han sentido vulnerados en sus derechos procesales.

Tras el breve repaso que hemos realizado de estas instituciones, es fácil atisbar las diversas deficiencias que tiene este sistema. Y es que si se centralizasen esfuerzos y se compatibilizasen sinergias se podría dar una respuesta más integral, eficiente, satisfactoria, y sobre todo más cercana al ciudadano y a su problemática. En este sentido, a mi parecer, la creación de un buzón o una ventanilla única, tanto física como virtual, para recibir las reclamaciones y quejas no solo facilitaría la vida de los ciudadanos, que en ocasiones se pueden encontrar perdidos ante quién deben plantear su reclamación, sino que con los mismos recursos se podría prestar un servicio de mayor calidad y más cercano a la ciudadanía, con mayor presencia física en todos los partidos judiciales, facilitando el cara a cara entre la Justicia y la ciudadanía.

1.3 Grado de cumplimiento de la Carta de Derechos de los ciudadanos ante la Justicia

Las instituciones detalladas supra, como bien hemos indicado, tienen entre sus múltiples funciones la de proteger y velar por el cumplimiento de los derechos reconocidos a los ciudadanos en la Carta. Para ello, como hemos visto, todas las instituciones han dedicado parte de sus equipos a resolver estas reclamaciones y quejas tanto físicas, como online. Por ello, analizaremos las memorias anuales más recientes que se han publicado de cada una de estas tres instituciones[20]. Si bien, debemos puntualizar que solo la Unidad de Atención al Ciudadano del CGPJ realiza un análisis sistemático de las reclamaciones gestionadas en relación con los incumplimientos de la Carta de Derechos de los ciudadanos ante la Justicia anualmente[21] y con los informes publicados en abierto desde el año 2006[22] que estudiaremos en el presente apartado con profundidad.

1.3.1 El papel de la Fiscalía General del Estado

La Fiscalía General del Estado publica datos generales sobre los expedientes de atención ciudadana incoados. Sin embargo, lo hace de una manera muy esquemática y resumidos en una tabla de Microsoft Office Excel, con datos estrictamente numéricos generales, sin leyenda, ni comentarios o explicación de los mismos que permitan analizar si algún dato es positivo o negativo o si se ha dado alguna incidencia en los mismos.

Así, se limita a numerar los escritos recibidos por correo ordinario (172)[23], por correo electrónico (788), por derivación dentro de la

---

[20] Disponibles en el apartado 4 en: https://www.poderjudicial.es/cgpj/ca/Temes/Estadistica-Judicial-/Pla-nacional-d-estadistica-judicial/ visitado el día 24 de julio de 2022.

[21] Los datos disponibles más actualizados a mes de julio de 2022 son del año 2020.

[22] Disponibles en: https://www.poderjudicial.es/cgpj/es/Temas/Estadistica-Judicial/Plan-Nacional-de-Estadistica-Judicial/Quejas-de-los-ciudadanos-sobre-el-funcionamiento-de-la-Administracion-de-la-Justicia/Sistema-de-Informacion-de-la-Unidad-de-Atencion-al-Ciudadano-del-CGPJ, visitado el día 24 de julio de 2022.

[23] Los datos numéricos de este apartado se refieren a la memoria de 2021, publicada en 2022, sobre los datos de 2020.

institución (2), por fax (1) o por presentación personal (12). Y dentro de estas se diferencia el tipo de reclamación entre quejas (190), denuncias (429), peticiones de información (299), Ley de Transparencia (11) y otros (46). Datos un poco por debajo de los expedientes de atención ciudadana incoados en 2019. Finalmente, en la memoria de la Fiscalía General del Estado de 2020 se detallaron los expedientes abiertos en el ejercicio (39%) y los expedientes pendientes al final de este (61%) respecto del total, cuestión que no aparece en la memoria del año 2021.

La cuestión quizás más relevante de estas publicaciones de la FGE se atisba al analizar la serie de datos de los años 2012 a 2020[24] donde se observa un decrecimiento exponencial en el número de reclamaciones interpuestas ante este órgano, así como de expedientes incoados. Esto solo puede tener dos razones, o la Justicia ha mejorado exponencialmente en los últimos años o los ciudadanos desconocen cada vez más las vías para la interposición de este tipo de reclamaciones. Nosotros nos decantamos más por la segunda opción, ya que creemos que la FGE relega cada vez más esta tarea entre las menos importantes para esta institución.

1.3.2 El papel del Ministerio de Justicia

El Sistema de Información de la Unidad de Atención al Ciudadano del Ministerio de Justicia no aporta datos estadísticos de sus intervenciones[25] y su metodología a seguir para realizar esta estadística aún se

---

[24] Plan Nacional de Estadística Judicial, 4. Quejas de los ciudadanos sobre el funcionamiento de la Administración de la Justicia. 4002. Sistema de Información de la Unidad de Atención al Ciudadano de la Fiscalía. Disponible en: https://www.poderjudicial.es/cgpj/es/Temas/Estadistica-Judicial/Plan-Nacional-de-Estadistica-Judicial/Quejas-de-los-ciudadanos-sobre-el-funcionamiento-de-la-Administracion-de-la-Justicia/Sistema-de-Informacion-de-la-Unidad-de-Atencion-al-Ciudadano-de-la-Fiscalia, visitado el día 24 de julio de 2022.

[25] Plan Nacional de Estadística Judicial, 4. Quejas de los ciudadanos sobre el funcionamiento de la Administración de la Justicia. 4003. Sistema de Información de la Unidad de Atención al Ciudadano del Ministerio de Justicia. https://www.poderjudicial.es/cgpj/es/Temas/Estadistica-Judicial/Plan-Nacional-de-Estadistica-Judicial/Quejas-de-los-ciudadanos-sobre-el-funcionamiento-de-la-Administracion-de-la-Justicia/Sistema-de-Informacion-de-la-Unidad-de-Atencion-al-Ciudadano-del-Ministerio-de-Justicia visitado el día 27 de julio de 2022.

encuentra en proyecto, según la propia web de estadística judicial del CGPJ. Es por ello por lo que no podemos valorar la incidencia de su actividad en la mejora de la calidad de la justicia en nuestro país. En este punto, podemos considerar esta falta de información pública como una infracción de la Ley 19/2013, de 9 de diciembre, *de transparencia, acceso a la información pública y buen gobierno*[26], atribuible en este caso con exclusividad al gobierno y en concreto al Ministerio de Justicia, ya que tanto el CGPJ como la FGE han cumplido con su deber de información marcado legislativamente.

El Ministerio de Justicia se encuentra actualmente centrado en la monitorización algorítmica de la justicia como veremos en los siguientes capítulos y parece haber dejado a un lado la medición de las reclamaciones y quejas de los ciudadanos, situándolas en un segundo plano.

1.3.3 El papel del Consejo General del Poder Judicial

La propia Carta de Derechos de los ciudadanos ante la Justicia establece en su último apartado sobre la eficacia de la Carta, la previsión de que la memoria anual elevada por el CGPJ a las Cortes Generales debe incluir una referencia específica y suficientemente detallada a las quejas, reclamaciones y sugerencias formuladas por los ciudadanos sobre el funcionamiento de la Administración de Justicia. Por ello, la Unidad de Atención Ciudadana del CGPJ publica anualmente desde 2004 -sin perjuicio de la notable disminución en la cantidad y la calidad de los datos ofrecidos- la citada memoria pormenorizada de las reclamaciones gestionadas.

Debemos aclarar que los datos que analizaremos en el presente trabajo son hasta 2021. No obstante, debemos advertir que por efectos derivados de la pandemia estos datos pueden estar sesgados o no seguir un perfil estable a estudiar por las variaciones que se hubiesen podido producir durante la aplicación del confinamiento y del estado de alarma.

Si comparamos el informe de 2021 con el informe más antiguo publicado de 2006, vemos muy pocas diferencias en cuanto al nú-

---

[26]   BOE núm. 295, de 10 de diciembre del 2013.

mero de escritos ingresados en la Unidad - 15.251 escritos en 2006 y 16.339 en 2020-, aunque este número debía haber experimentado un aumento notable, al ser cada vez más conocido por los ciudadanos este instrumento de reivindicación de los derechos ante la justicia, además de la facilitación en el trámite de estas quejas vía online, cuestión que no parece haber repercutido en un aumento de estas quejas. Si bien se infieren cambios sobre todo en cuanto a la sistematización de la memoria, ya que, por ejemplo, en el año 2006 se centró en el incipiente uso de la tecnología para iniciar las reclamaciones con la Administración de Justicia[27], asunto que en el momento presente es menos relevante, ya que el acceso a los canales electrónicos está normalizado en nuestros ciudadanos.

De los 13.810 escritos recibidos en el año 2020[28], se han computado solo el 57,93% del total general de motivos, es decir, 7.413 escritos de reclamación se corresponden con alguna de las categorías de la Carta de Derechos de los Ciudadanos ante la Justicia. Dentro del total, se registró un aumento, con respecto al anterior ejercicio del 10,21% de los motivos que tienen correlación con la citada Carta. Un porcentaje que podemos calificar de notable respecto a la situación de los españoles ante la justicia durante la pandemia. Si es remarcable apuntar que la mayoría de los motivos alegados, corresponden con el primer bloque de la Carta, el dedicado a "Una justicia moderna y abierta a los ciudadanos" en un 97,80% de las reclamaciones[29].

También es reseñable de manera positiva un descenso del 32,63% respecto del ejercicio anterior las reclamaciones encuadrables dentro del bloque segundo de "Una justicia que protege a los más débiles". No obstante, estas solo comprenden el 0,86% de las quejas referidas a la Carta. Y finalmente, el tercer bloque de la Carta de "Una relación de confianza con abogados y procuradores", que representa tan solo

---

[27]   Memoria Judicial 2007 – Aprobada por el Pleno de 6 de junio de 2007. 10.1. Unidad de atención al ciudadano y análisis de las reclamaciones y sugerencias formuladas por los ciudadanos sobre el funcionamiento de juzgados y tribunales, pp. 370-371.

[28]   Últimos datos publicados a julio de 2022.

[29]   Porcentaje que ha ascendido un 10,91% respecto del ejercicio de 2019. Unidad de Atención Ciudadana, memoria 2020, p.5.

el 1,34% de las quejas sobre la esta, que ha aumentado un 5,32% respecto al año 2019.

Como comentábamos supra, esta Unidad realiza una memoria sistemática analizando las incidencias gestionadas y resueltas por los motivos referentes a la Carta de Derechos. De mayor a menor incidencia por bloques tenemos la infracción del bloque una justicia ágil y tecnológicamente avanzada, con especial incidencia en el derecho a la tramitación ágil de los asuntos que le afecten y conocer las causas de sus retrasos que constituye un 48,19% de las reclamaciones, seguido de las deficiencias en una justicia atenta que constituye un 35,53% de las reclamaciones, donde destaca sorprendentemente la incidencia en el derecho a recibir atención respetuosa con un 9,66% de las reclamaciones.

Algunos de los motivos que podríamos calificar de residuales, por situarse en una tasa inferior al 6% pero que resultan relevantes, tenemos las incidencias en el derecho a: conocer el estado y contenido de los procesos en los que se acredite interés (2,12%); información telefónica adecuada (3,16%); el acceso a información general y actualizada sobre funcionamiento de juzgados, características y requisitos genéricos de los distintos procedimientos judiciales (1,17%); horarios insuficientes (6,12%) sobre todo en lo referente a ampliar los horarios de los registros civiles; circunstancias sobre comparecencia lo menos gravosa posible (5,25%); medios instrumentales inadecuados (4,80%) o sobre los tiempos de espera (4,37%). Por otro lado, respecto de los medios personales encontramos quejas sobre plantilla insuficiente (2,95%) o la organización interna de la oficina o servicio judicial (1,19%).

Afortunadamente encontramos una tasa inferior al 1% de reclamaciones sobre justicia gratuita y de calidad, información al ciudadano, conductas deontológicamente correctas; inmigrantes ante la justicia, protección a los discapacitados, protección de menores o de víctimas de los delitos, así como justicia comprensible o justicia responsable ante el ciudadano.

También es destacable el dato que indica que, como en otros ejercicios, en el año 2020 los órganos judiciales fueron el grupo más afectado por las quejas (70,12% del total) respecto de otros grupos de organismos no judiciales de la Administración de Justicia. Y, dentro de los órganos judiciales, los más afectados son los juzgados de primera instancia e instrucción, juzgados de primera instancia y juzgados de instrucción, que constituyeron un 67,1% del total de reclamaciones sobre órganos judiciales. Cuestión lógica ya que representan el mayor porcentaje de efectivos dentro de los citados órganos y de asuntos totales tramitados en números absolutos. Si bien debemos remarcar la especial incidencia en quejas y reclamaciones recibidas en los registros civiles que ha experimentado un aumento del 48,07% con respecto al año 2019, posiblemente debido al atasco que se produjo durante el confinamiento por el elevado número de defunciones diarias en nuestro país que fue difícilmente gestionado por nuestros registros civiles.

Sin duda, se trata de una radiografía bastante indicativa de la situación de la Justicia pospandémica, pero que en muy pocos aspectos se ha diferenciado en las estadísticas respecto de la época prepandémica. Así podemos decir que contamos con una justicia poco ágil, con retrasos y poco respetuosa con el ciudadano.

En definitiva, una justicia desbordada y necesitada de refuerzo tanto en medios materiales, como personales. No obstante, nos quedará la duda de si las demandas de la ciudadanía siguen siendo las mismas tras estos tiempos convulsos o si por el contrario nos encontramos en una situación radicalmente diferente a la descrita. Aunque la experiencia nos indica que si para algo ha servido esta pandemia es para agudizar las deficiencias detectadas con anterioridad a la misma a pesar de los grandes esfuerzos realizados por la digitalización de estas herramientas.

2. LA JUSTICIA ESPAÑOLA EN EL SENO DE EUROPA

Para tomar el pulso de la Justicia española en comparación con sus socios europeos, podemos acudir al informe comparativo más completo con el que contamos. Este es el Cuadro de indicadores de Justicia de la Unión Europea que se publica anualmente[30] y divide en

---

[30] Disponibles en: https://ec.europa.eu/info/policies/justice-and-fundamental-rights/upholding-rule-law/eu-justice-scoreboard_en, visitado el día 25 de julio de 2022.

tres grandes bloques el estudio de la justicia en todos los países de la Unión Europea. Estos tres grandes bloques son eficiencia, calidad e independencia en los sistemas de justicia de cada país miembro, que analizaremos pormenorizadamente en el presente apartado.

Es importante reseñar el alto grado de análisis que ofrecen estos informes anuales donde no solo se implican todos los Estados Miembro a través de la Comisión Europea, sino también organismos e instituciones de gran relevancia tan importantes como el Consejo de Europa en su sección dedicada a la eficiencia de la justicia (en adelante, CEPEJ), la Red Europea de Consejos del Poder Judicial[31] (en adelante, RECPJ), la Red de Presidentes de los Tribunales Supremos de la Unión Europea[32] (en adelante, NPSJC), la Asociación de Consejos de Estado y Tribunales Supremos de lo Contencioso-Administrativo de la Unión Europea[33] (en adelante, ACA-Europa), la Red Europea de Competencia[34] (en adelante, REC), el Comité de Comunicaciones[35] (en adelan-

---

[31] La RECPJ agrupa a las instituciones nacionales de los Estados miembros que son independientes del poder ejecutivo y del poder legislativo y que se encargan de ayudar a los órganos judiciales en la administración independiente de la justicia. Disponible en: https://www.encj.eu/, visitada el día 15 de junio de 2022.

[32] La NPSJC constituye un foro que brinda a las instituciones europeas la oportunidad de recabar la opinión de los Tribunales Supremos y de hacerlos más accesibles mediante el fomento del debate y el intercambio de ideas. Los Presidentes de los Tribunales Supremos Judiciales de los Estados miembros de la Unión Europea decidieron constituir una Asociación cuya Asamblea Constituyente se celebró el 10 de marzo de 2004 en la Cour de cassation francesa con el apoyo económico de la Comisión Europea (programa AGIS). Disponible en: http://network-presidents.eu/, visitado el día 15 de junio de 2022.

[33] La ACA-Europa está compuesta por el Tribunal de Justicia de la UE y los Consejos de Estado o los Tribunales Supremos Administrativos de cada Estado miembro de la Unión Europea. Disponible en: http://www.juradmin.eu/index.php/en/, visitado el día 15 de junio de 2022.

[34] La REC se ha establecido como foro de debate y cooperación de las autoridades europeas de competencia, creando así un mecanismo eficaz para contrarrestar a las empresas que participan en prácticas transfronterizas que restringen la competencia. A través de la REC, la Comisión y las autoridades nacionales de competencia de todos los Estados miembros de la UE cooperan entre sí Disponible en: http://ec.europa.eu/competition/ecn/index_en.html, visitado el día 15 de junio de 2022.

[35] El COCOM está compuesto por representantes de los Estados miembros de la Unión. Su función principal consiste en emitir un dictamen sobre los proyec-

te, COCOM), el Observatorio Europeo de las Vulneraciones de los Derechos de Propiedad Intelectual[36], la Red de Cooperación para la Protección de los Consumidores[37] (en adelante, CPC), el Grupo de Expertos en blanqueo de capitales y financiación del terrorismo[38], Eurostat[39], la Red Europea de Formación Judicial[40] (en adelante, REFJ) o el Foro Económico Mundial[41] (en adelante, FEM).

Son numerosos los países, incluido España, que han invertido importantes recursos anualmente en mejorar su capacidad para elaborar mejores estadísticas judiciales, reflejo o retrato, a la postre, del estado

---

tos de medidas que la Comisión pretende adoptar en asuntos relacionados con el mercado digital. Disponible en: https://ec.europa.eu/digital-single-market/en/communications-committee , visitado el día 15 de junio de 2022.

[36]   El Observatorio Europeo de las Vulneraciones de los Derechos de Propiedad Intelectual es una red de expertos y organizaciones interesadas en esta temática. Está integrado por representantes de los sectores público y privado, que colaboran en grupos de trabajo activos. Disponible en: https://euipo.europa.eu/ohimportal/en/web/observatory/home, visitado el día 15 de junio de 2022.

[37]   La Red de Cooperación para la Protección de los Consumidores (CPC) reúne a las autoridades nacionales encargadas de hacer cumplir la legislación europea sobre protección de los consumidores en los Estados de la UE y del EEE. Disponible en: http://ec.europa.eu/internal_market/scoreboard/performance_by_governance_tool/consumer_protection_cooperation_network/index_en.htm, visitado el día 15 de junio de 2022.

[38]   El Grupo de Expertos en blanqueo de capitales y financiación del terrorismo se reúne periódicamente para intercambiar opiniones y ayudar a la Comisión a definir la política y elaborar nueva legislación sobre el blanqueo de capitales y la financiación del terrorismo. Disponible en: http://ec.europa.eu/justice/civil/financial-crime/index_en.htm, visitado el día 15 de junio de 2022.

[39]   Eurostat es la oficina de estadística de la Unión Europea. Disponible en: http://ec.europa.eu/eurostat/about/overview, visitado el día 15 de junio de 2022.

[40]   La Red Europea de Formación Judicial (REFJ) es la principal plataforma y promotora de la formación y el intercambio de conocimientos de la judicatura europea. Desarrolla métodos de formación y planes de estudios, coordina los intercambios y programas de formación judicial, difunde los conocimientos especializados en materia de formación y promueve la cooperación entre las instituciones de formación judicial de la UE. La REFJ cuenta con unos 34 miembros que representan a los Estados de la UE, así como a organismos transnacionales de la Unión Europea. Disponible en: http://www.ejtn.eu/, visitado el día 15 de junio de 2022.

[41]   El Foro Económico Mundial (FEM) es una organización internacional para la cooperación entre los sectores público y privado cuyos miembros son empresas. Disponible en: https://es.weforum.org/, visitado el día 15 de junio de 2022.

de la justicia en cada uno de ellos. Sin embargo, aún se presentan dificultades para obtener datos de algunos aspectos concretos, lo que dificulta enormemente la valoración global de los países europeos, al no poder proporcionarlos. Esta situación ha propiciado que sea la Unión Europea la que busque fórmulas de colaboración con los Estados. Así las cosas, desde 2017 la Comisión Europea ha prestado apoyo técnico a dieciséis Estados miembros -entre los que se encuentra España-. El objetivo es precisamente alcanzar una mejora de la eficiencia del sistema judicial a través de la reforma del mapa judicial, la mejora en la organización de los tribunales, el diseño o la aplicación de programas de justicia electrónica y justicia cibernética, mejoras en los sistemas de gestión de asuntos, avances en el proceso de selección y promoción de los jueces, así como en la formación de estos y para la promoción de la resolución extrajudicial de litigios de consumo. La ausencia de datos y parámetros estadísticos impide realizar con plenitud un análisis de la justicia en Europa y específicamente de su eficiencia.

Las dificultades de ese análisis de la UE se han incrementado con el período de pandemia, dado que el Cuadro del año 2021[42] no recogía la real incidencia de la pandemia provocada por la COVID-19, ya que trabajaba con datos desde 2012 a 2019. La anómala situación, y diríamos que asistemática, de la pandemia, ha desestabilizado el estudio realizado en el periodo entre el 2020 y el 2021. Ha habido que esperar, en consecuencia, al año 2022 para poder realizar un análisis somero de la situación de la justicia española en comparación con el resto de los países miembros de la Unión Europea. No obstante, deberemos esperar al menos dos o tres años más para tener una perspectiva real de lo que ha supuesto la COVID-19 para la justicia europea.

2.1 Eficiencia

Este ítem analiza la comparativa entre países miembro en cuanto a la carga de trabajo de los principales órdenes jurisdiccionales -civil, mercantil y contencioso administrativo- y de su conjunto, en los años

---

[42]   Fuente: THE 2022 EU JUSTICE SCOREBOARD, Communication from the Commission to the European Parliament, the Council, the European Central Bank, the European Economic and Social Committee and the Committee of the Regions COM (2020) 306.

2012, 2018, 2019 y 2020. En nuestro país se atisba un aumento no muy significativo, pero si progresivo de la carga de trabajo en los ejercicios enunciados.

Cuestiones reseñables son datos como los que nos sitúan en el puesto decimoctavo de toda la Unión Europea en número de casos por cada 100 habitantes[43], lo que denota que somos uno de los países menos litigiosos de toda la Unión. Sin embargo, somos el séptimo país que más tarda en resolver los casos judiciales civiles mercantiles y administrativos, situándose el año 2020 en torno a 370 días para resolver un asunto sin diferenciar jurisdicciones[44] y el tercer país que más días tarda en resolver de media asuntos en primera, segunda instancia y casación[45]. Esta situación se ha visto agravada notablemente en el año 2021 ya que nos situamos en el quinto país con menos porcentaje de procesos resueltos sobre los totales entrantes[46], debido posiblemente a los efectos de la pandemia sobre todo en las jurisdicciones Social, Contencioso Administrativo y Civil.

Sin embargo, aún no tenemos datos de dicha comparativa que veremos en los Cuadros de indicadores de la Justicia de la Unión Europea de 2023 y 2024 que nos mostrarán los efectos reales de la pandemia respecto del número de casos y la carga de trabajo de nuestros juzgados y tribunales, una vez todo se estabilice. También podremos observar cómo ha inferido el factor de la digitalización en la agilización y eficiencia de la justicia, cuestión que tendremos que analizar con detenimiento en años futuros.

2.2 Independencia

El Cuadro de indicadores de la justicia también se centra en el nivel de independencia judicial, que veremos de manera somera, puesto que no entra dentro del ámbito que estudiamos en el presente trabajo.

No obstante, si podemos indicar como la percepción de la independencia de los tribunales y jueces entre el público en general en

---

[43]   Figura 3. 2022 EU Justice Scoreboard.
[44]   Figura 6. 2022 EU Justice Scoreboard.
[45]   Figura 8. 2022 EU Justice Scoreboard.
[46]   Figura 11. 2022 EU Justice Scoreboard.

nuestro país durante el año 2022 ha sido notablemente peor que en años anteriores, situándonos en el puesto vigésimo segundo de toda la Unión Europea[47]. Así, ha disminuido notablemente el número de personas que percibían una muy buena independencia judicial, mientras que ha aumentado significativamente el número de personas que perciben una muy poca independencia judicial. Posiblemente este particular se ha visto agravado por la falta de acuerdo para la renovación de nuestro CGPJ, motivado fundamentalmente por desavenencias políticas, unido a que este asunto ha ocupado un importante espacio en los informativos de todo el país y los ciudadanos han podido percibir mejor que nunca la inoperancia política y la falta de transparencia en la selección de estos miembros.

Entre las principales razones por las que en España existe una percepción de falta de independencia judicial se sitúa, en primer lugar, la interferencia o la presión del gobierno y de los políticos en más de un 40%, seguida de las interferencias o presiones de intereses económicos[48]. Esa percepción de politización y manipulación de la justicia desde la política ofrece una negativa visión de la misma por la ciudadanía.

Se echa a faltar en el Cuadro de indicadores de 2021 y de 2022 el ítem que, si aparece en el Cuadro de indicadores de 2020, sobre el nombramiento de jueces miembros de los Consejos del Poder Judicial, donde se evidenciaba a España como el único país de toda la Unión Europea en el que los miembros del CGPJ son nombrados en exclusividad por las Cortes Generales[49]. Esta injerencia supone un notablemente deterioro de la independencia de nuestros jueces y magistrados, así como de la percepción de esta por la ciudadanía.

2.3 Calidad

A diferencia de la eficiencia, que se puede determinar con relativa facilidad tomando en cuenta el número de litigios resueltos por un número determinado de habitantes y el tiempo en el que estos se han

---

[47] Figura 50. EU Justice Scoreboard 2022.
[48] Figura 51. EU Justice Scoreboard 2022.
[49] Figura 51 y 52. EU Justice Scoreboard 2020.

resuelto en las diferentes instancias, el concepto de la calidad en la justicia es difícilmente valorable de manera exacta a través de unos parámetros determinados. Por ello, la Unión Europea, cada año modifica los parámetros utilizados para medir esta calidad en virtud de las necesidades y competencias más relevantes en cada momento social. Así las cosas, para realizar el Cuadro de la Justicia de la Unión Europea del año 2022 se han tenido en cuenta cuatro parámetros básicos.

En primer lugar, la accesibilidad de la justicia para los ciudadanos y para las empresas, sin dejar atrás a nadie.

En segundo lugar, los recursos financieros y humanos adecuados para el desarrollo de las labores jurisdiccionales, así como la puesta en marcha de herramientas de evaluación.

Y finalmente en tercer lugar y como elemento nuevo en la valoración este año ha entrado en juego la digitalización de la justicia, instrumento angular que mejora exponencialmente la calidad de esta.

Pese a la concurrencia de estos tres parámetros, cada uno de estos, sin embargo, son evaluados individualmente.

2.3.1 Accesibilidad

Así, comenzando por la accesibilidad o el fácil acceso a la justicia, se evalúa tomando en cuenta a los grupos de población más débiles ante la vía judicial, como son los consumidores o los niños y valorando otros aspectos como la asistencia jurídica gratuita, las tasas judiciales y los gastos de defensa jurídica. Estas evaluaciones se realizan a partir del umbral de pobreza establecido por Eurostat y a partir de ahí valorar si puede o no tener derecho a este tipo de asistencias.

En cuanto a la asistencia jurídica gratuita España tiene uno de los sistemas más garantistas de toda la Unión Europea, situándonos en el segundo lugar de máxima cobertura total de los costes relacionados con el litigio, solo por detrás de Dinamarca[50]. Con ello se evidencia una diferencia respecto de aquellos otros países en los que la cobertura de los costes o esta asistencia es tan solo parcial, quedando a criterio del tribunal. Además, somos de los países en los que se pagan

---

[50] Figura 52. EU Justice Scoreboard 2022.

menos tasas judiciales en general, especialmente ante las demandas de escasa cuantía en el ámbito del consumo[51].

Uno de los elementos que deben conjugarse en este ámbito es el de los esfuerzos en la promoción del uso voluntario de métodos alternativos de resolución de conflictos a través de incentivos específicos, que pueden variar en función del ámbito jurídico. En este punto se nos sitúa a la vanguardia europea, ocupando el quinto puesto en el uso de los ADR[52]. No hemos sabido poner en valor esa situación de nuestro país en el seno de la Unión y aprovecharla precisamente para generar mayor difusión de las bondades de estos mecanismos, promocionándolos como vías de solución de conflictos más amables, pacíficas y también eficientes. Así las cosas, la citada estadística no responde exactamente a esa proyección de las ADR en nuestro país de forma efectiva, ya que nuestra ratio ha venido aumentando exponencialmente debido al uso obligatorio de la conciliación en el orden jurisdiccional Social y al Sistema Arbitral de Consumo, que, lamentablemente, pese a sus enormes bondades y beneficios, cada vez menos se desconoce más por la población.

Uno de los elementos de interés en esta evaluación es el referido a la situación española en la denominada justicia adaptada para personas con discapacidad y para niños, ya que se nos sitúa en el décimo puesto de toda la Unión para ambos grupos de población[53]. Sin embargo, como hemos venido reiterando, este Cuadro de Indicadores no ha valorado la accesibilidad a la justicia para las personas mayores, que es tan importante como la accesibilidad para los menores de edad. En muchas ocasiones vemos cómo las personas mayores se encuentran en situaciones de gran vulnerabilidad cuando deben acceder a la justicia; percepciones como miedo o ansiedad por el desconocimiento de los trámites les genera situación de desamparo y presentan una enorme vulnerabilidad. Es más, la evolución de la sociedad digital y la irrupción de las tecnologías ha acrecentado estas situaciones, provocando un aumento en la vulnerabilidad de las personas de mayor edad al

---

[51] Figura 26 y 27. EU Justice Scoreboard 2022.
[52] Figura 29 EU Justice Scoreboard 2022.
[53] Figura 30 y 32. EU Justice Scoreboard 2022.

encontrarse absolutamente desprotegidos por la incapacidad de empleabilidad de las máquinas, como cauce de acceso de la justicia.

2.3.2 Recursos

En cuanto a los recursos destinados a la justicia, nos encontramos en el puesto undécimo de toda la Unión Europea, además de tener una tendencia de crecimiento en los últimos años. Es decir, en gastos absolutos por habitante y por renta per cápita no nos encontramos en mala posición. Sin embargo, llama la atención el escasísimo número de jueces con los que contamos por cada 100.000 habitantes, quedándonos en el puesto vigésimo tercero[54]. Lo contrario ocurre con el número de abogados por cada 100.000 habitantes, donde nos situamos en el séptimo puesto de toda la Unión Europea[55]. Todo ello, hace que tengamos jueces totalmente desbordados de trabajo y que les impide impartir una justicia con la calidad y con las atenciones que merecen nuestros ciudadanos.

2.3.3 Digitalización

Finalmente, uno de los parámetros que están siendo indicador esencial en la búsqueda de la una justicia eficiente es el de la digitalización. Se considera que es un instrumento que permite medir la calidad de la justicia según los datos actualizados de 2021, siempre según el Cuadro de indicadores de la justicia en la Unión Europea publicado en 2022.

En España, aun cuando la realidad puede llevarnos a tener una opinión respecto al desarrollo y la implementación sectorial y asimétrica de la digitalización de la justicia, no se cuenta con los datos que permitan medirla. Según los datos de 2020, faltaban terminales informáticos en los juzgados con conexión a Internet a disposición del público. Sin embargo, en el cuadro del año 2021 no se ha preguntado sobre este aspecto, por lo que no sabemos si esta necesidad ha sido solventada. Si bien, los nuevos ítems preguntados nos han puesto a la

---

[54]   Figura 34 y 36. EU Justice Scoreboard 2022.
[55]   Figura 38. EU Justice Scoreboard 2022.

vanguardia europea y nos sitúa en el tercer puesto de la Unión Europea en digitalización solo por detrás de Bulgaria y Alemania[56].

Los ítems que han pasado a analizarse en esta tabla son principalmente si los sitios web institucionales ofrecen información en línea sobre el sistema judicial para personas no nativas, para víctimas con información comprensible sobre cómo acceder a los sistemas, sobre asistencia jurídica general para la población, así como información sobre las tasas judiciales, información sobre los derechos procesales de los ciudadanos o webs con formularios de contacto para consultas sobre el inicio de un proceso judicial o para ser parte de un procedimiento. E incluso se pregunta sobre la disponibilidad de información acerca de los derechos digitales para el público en general.

Mientras que España parece ser capaz de dar respuesta a las preguntas realizadas por la Unión Europea, pareciera que nuestros sistemas informáticos no están todo lo desarrollados que debiera, ya que son herramientas desconocidas para casi la totalidad de la población. En este sentido, es necesario la creación de programas y campañas que tengan como finalidad la promoción y conocimiento de estas facilidades en la accesibilidad digital a los juzgados.

Así las cosas, en 2020, aunque mejoramos respecto de las normas procesales que permitían el uso de la tecnología digital en los tribunales, nos situábamos en el puesto decimoquinto[57]. Cuestión que aparece solventada en el Cuadro de 2021, ya que pasamos a situarnos en el tercer puesto de toda la Unión Europea[58]. En este sentido aprobamos con nota en cuestiones como que las partes, los testigos, peritos o expertos pueden ser escuchados a través de la tecnología de comunicación a distancia, en la admisibilidad de las pruebas presentadas únicamente en formato digital, en nuestro caso a través de LexNET. Y solo obtenemos por primera vez la totalidad de la puntuación en cuanto a que la parte oral del procedimiento puede llevarse a cabo en su totalidad a través de la tecnología de comunicación a distancia. Y aprobamos también por primera vez en la posibilidad de que la interpretación de idiomas sea posible con el uso de la tecnología de

---

[56] Figura 41. EU Justice Scoreboard 2022 y Figura 39 EU Justice Scoreboard 2021.
[57] Figura 40. EU Justice Scoreboard 2021.
[58] Figura 42. EU Justice Scoreboard 2022.

comunicación a distancia[59]. Este año encadena un ascenso en la puntuación de digitalización ya que en 2020 mejoramos en más de dos puntos sobre diez respecto del ejercicio 2019, debido principalmente al impulso que en este campo nos dio el confinamiento y el riesgo de contagios.

Respecto de la utilización de la tecnología digital por los tribunales y las fiscalías, también denotamos un notable aumento respecto del anterior ejercicio subiendo desde el puesto decimotercero al cuarto[60]. En este sentido, aprobamos en el uso de un sistema electrónico de gestión de casos, mejoramos en este ejercicio en que tanto los jueces, fiscales, como el resto del personal de la oficina judicial pueden teletrabajar de forma segura, así como en el uso de tecnología de comunicación a distancia especialmente para las videoconferencias. Sin embargo, fallamos estrepitosamente en el uso de tecnologías de contabilidad distribuida principalmente a través de blockchain, aunque mejoramos en la asignación electrónica de casos, con una distribución automática basada en criterios objetivos y en el uso de aplicaciones de inteligencia artificial en las actividades más básicas[61].

Más allá de lo apuntado hasta el momento, también parece que se han mejorado las deficiencias puntuales en asuntos no por ello menos importantes como la comunicación electrónica segura entre la fiscalía y las autoridades investigadoras[62]. Cuestión importante es también la mejora en cuanto a sistemas digitales para iniciar y seguir procedimientos, ya que se ha mejorado el sistema de notificación electrónica a ciudadanos, al igual que se está mejorando el acceso al expediente electrónico de sus casos en curso o incluso cerrados y finalmente nos queda mejorar nuestra infraestructura para posibilitar el pago de las tasas judiciales de manera online, cuestiones que como veremos en el próximo capítulo están en marcha. Por todo ello nos ubicamos en el puesto octavo de toda la Unión Europea en sistemas digitales para iniciar y seguir los procesos, avanzando así diez puestos respecto del

---

[59] *Idem.*
[60] Figura 43. EU Justice Scoreboard 2022 y figura 41 EU Justice Scoreboard 2021.
[61] Figura 43. EU Justice Scoreboard 2022.
[62] Figura 45. EU Justice Scoreboard 2022.

ejercicio anterior[63], ítem muy necesario de mejorar en los próximos años.

No obstante, si nos encontramos en el quinto puesto en cuanto a la puesta en marcha de sistemas de producción de resoluciones judiciales legibles por máquina, a falta de que las sentencias y sus metadatos asociados puedan descargarse gratuitamente en forma de base de datos o por otros medios automatizados[64]. Pero esta cuestión no afecta tan radicalmente a la vida de los ciudadanos de a pie como la anterior.

3. JUSTICIA DIGITAL: VENTAJAS Y RIESGOS

Una vez analizadas las estadísticas más relevantes sobre la justicia en nuestro país y en su contexto europeo y planteadas las conclusiones, la hoja de ruta que se esboza por parte de las instituciones dedicadas a la justicia es clara. Todas las instituciones señalan a la vía digital como la vía más conveniente para mejorar el acceso a la justicia de los ciudadanos[65] y en esa senda comenzaremos a analizar este particular.

Sin duda el acceso a la justicia supone no solo un derecho fundamental[66], sino también un elemento central y clave para cualquier Estado de Derecho. Así mismo, garantizar la tutela judicial efectiva y el control jurisdiccional son las bases de todas las democracias avanzadas y en concreto de los Estados Miembro de la Unión Europea[67].

---

[63]   Figura 46. EU Justice Scoreboard 2022 y figura 44 del EU Justice Scoreboard 2021.

[64]   Figura 49. EU Justice Scoreboard 2022.

[65]   CONCLUSIONES DEL CONSEJO, *Acceso a la justicia: aprovechar las oportunidades de la digitalización,* (2020/C 342 I/01).

[66]   Artículo 47 de la Carta de los Derechos Fundamentales de la Unión Europea "Toda persona cuyos derechos y libertades garantizados por el Derecho de la Unión hayan sido violados tiene derecho a la tutela judicial efectiva respetando las condiciones establecidas en el presente artículo. Toda persona tiene derecho a que su causa sea oída equitativa y públicamente y dentro de un plazo razonable por un juez independiente e imparcial, establecido previamente por la ley. Toda persona podrá hacerse aconsejar, defender y representar. Se prestará asistencia jurídica gratuita a quienes no dispongan de recursos suficientes siempre y cuando dicha asistencia sea necesaria para garantizar la efectividad del acceso a la justicia".

[67]   Artículos 2 y 19 del Tratado de la Unión Europea.

Sin embargo, ahora se suscitan dudas sobre si esta transformación digital garantizará o no la aplicación plena y efectiva del derecho de acceso a la justicia. Por ello, se deben reforzar los sistemas de justicia para que los ciudadanos confíen en el Estado de Derecho que se dibuja en el horizonte digital.

Afortunadamente, la Unión Europea reafirma en diferentes documentos que el desarrollo digital en el sector de la justicia debe centrarse en el ser humano y guiarse por los principios de independencia, imparcialidad, garantía de la tutela judicial efectiva, así como el derecho a una audiencia equitativa y pública en un plazo razonable. Sin duda las tecnologías digitales se pueden utilizar para promover estos principios, garantías y derechos, pero también pueden provocar el efecto contrario en algunos usuarios más vulnerables.

Así las cosas, es necesario asegurarse de que todos los ciudadanos puedan beneficiarse de todas las posibilidades digitales que permite el acceso digital a la justicia y a los procedimientos justos en igualdad de condiciones de manera incondicional, es decir, a todos los grupos sociales sin discriminación. Por ello, se deben tener previsiones especiales para personas vulnerables, particularmente adultos vulnerables[68], personas mayores o con discapacidad, que suponen un alto porcentaje de la población de nuestro espacio único europeo. La mayor preocupación a la que nos enfrentamos desde el plano del Derecho Procesal se circunscribe al campo de las posibles mermas en las garantías procesales en los sistemas de justicia, especialmente para los ciudadanos que no tienen acceso a las mismas o aun teniendo acceso, no tengan los conocimientos suficientes como para enfrentarse a la realización de trámites judiciales y procesales de manera online.

3.1 Ventajas de la justicia digital

La Comisión publicó, el 9 de marzo de 2021, una Comunicación sobre la Brújula Digital 2030. En esta, la Comisión describe la visión, objetivos y herramientas de la Unión Europea para alcanzar un futuro

---

[68] Proyecto de Conclusiones del Consejo sobre la protección de los adultos vulnerables en el conjunto de la Unión Europea. Consejo de Europa. 8636/21 de 27 de mayo de 2021.

digital centrado en el ciudadano, de manera sostenible y más próspera para Europa. Junto a otros puntos de acción, la Comunicación propone, en el capítulo sobre "Ciudadanía digital" (sección 4), formular un conjunto de principios digitales en forma de declaración solemne interinstitucional conjunta de la Comisión Europea, el Parlamento Europeo y el Consejo, sobre la base de una propuesta de la Comisión.

En el mismo sentido, caminan otras iniciativas como la importante Estrategia 2019-2023 relativa a la Justicia en Red Europea[69] y su Plan de Acción[70]. En ellos, se trabajan diversas herramientas que permitirán el avance de la justicia electrónica, donde se plantean tres objetivos básicos:

1. En primer lugar, el acceso a la información.

2. En segundo lugar, garantizar la comunicación electrónica en el ámbito de la justicia y,

3. En tercer lugar, como pieza clave para la Unión Europea la interoperabilidad de los sistemas entre los países miembro, desarrollándolos a través de diferentes proyectos muy interesantes que expondremos más adelante.

Sin duda una mayor digitalización en los sistemas judiciales de los Estados miembros está suponiendo una mejora para seguir facilitando el acceso a la justicia de los ciudadanos de toda la Unión Europea. Por ello, la Comisión Europea incita a los Estados Miembros a incluir herramientas digitales que ayuden a estructurar mejor los procedimientos y a automatizar determinadas tareas uniformes y normalizadas para tratar de acelerar las gestiones más sencillas y así, la eficacia y eficiencia de los procedimientos judiciales, especialmente tras el notable atasco de asuntos que se produjeron como consecuencia de los confinamientos por la COVID-19[71].

---

[69] Documento (2019/C 96/04).
[70] Documento (2019/C 96/05).

[71] BUENO DE MATA, F., *Hacia un proceso civil eficiente: Transformaciones judiciales en un contexto pandémico*, Tirant Lo Blanch, Valencia, 2022, pp. 164-172.

De este modo, las soluciones digitales pueden permitir que los procedimientos judiciales sean más rápidos y seguros y, sobre todo, faciliten la cooperación a tiempo real entre los Estados miembros. Sin duda, una de las grandes ventajas que supone la justicia digital en el ámbito europeo es la interoperabilidad de los sistemas judiciales, con sistemas de traducción simultánea digital en las comunicaciones entre las diferentes administraciones de justicia. No obstante, en todo este nuevo sistema deben ser prioridades absolutas la transparencia y un alto nivel de calidad de los sistemas, ya que, de lo contrario, todo el castillo de naipes, cuidadosamente construido en torno a la justicia digital puede quedar en el olvido, por ser poco eficaz y/o poco seguro.

La justicia digital, también permite acercar este servicio público a las zonas más despobladas, rurales y remotas que se encuentren lejos o con difícil acceso al juzgado cabeza de partido judicial. Si bien, siempre que estas zonas estén dotadas de acceso a internet[72]. Unido a las facilidades de acceso a la justicia que otorga la justicia digital, nos encontramos los métodos ADR, que traducidos al ámbito digital se convierten en los métodos ODR. Estos métodos extrajudiciales y alternativos de resolución de conflictos son siempre alternativos a la tutela judicial y al derecho a un juicio justo, que seguirá disponible. Sin embargo, en determinados casos particulares sencillos, los ODR pueden contribuir a evitar largos y complicados litigios judiciales.

En todo caso, para garantizar todas estas ventajas, los Estados miembros deberán redoblar sus esfuerzos para fomentar y expandir la digitalización del sector judicial con la finalidad de ofrecer un acceso equitativo a los servicios digitales al total de la población.

3.2 Riesgos de la justicia digital

Según las previsiones del informe Ageing Report 2021 (Informe sobre el envejecimiento de 2021), publicado por la Comisión Europea

---

[72] Un 12% de las zonas rurales en España todavía no tiene acceso a internet de al menos 30 Mbps de velocidad a través de redes terrestres, según datos del informe de cobertura de banda ancha publicado por el Ministerio de Asuntos Económicos y Transformación Digital en 2020. Disponible en: https://www.lamoncloa.gob.es/serviciosdeprensa/notasprensa/asuntos-economicos/Paginas/2021/190521-banda_ancha_rural.aspx, visitado el día 23 de junio de 2021.

el 20 de noviembre de 2020[73], la población total de la UE registrará una disminución a largo plazo y su estructura de edad cambiará significativamente en las próximas décadas. Se prevé que la población de la UE disminuya de 447 millones de personas en 2019 a 424 millones en 2070, y que durante este periodo se produzca un drástico envejecimiento de la población de los Estados miembros debido a la dinámica de la fertilidad, la esperanza de vida y la migración. Y, además, se calcula que la edad media de la población aumentará hasta cinco años durante las próximas décadas.

Conjuntamente, un número significativo de adultos se enfrentará a limitaciones tanto físicas, como psíquicas. Y es que, según Eurostat se prevé que una quinta parte de la población de la Unión Europea tendrá algún tipo de discapacidad de aquí a 2050. Muchos de los actuales adultos perfectamente capacitados para la utilización de las tecnologías actuales pasarán a ser personas vulnerables. Además de los numerosos obstáculos que siguen existiendo para las personas con una discapacidad física o mental grave que podrían no estar en condiciones de proteger sus propios intereses, ante una digitalización judicial sin los apoyos necesarios.

La Unión Europea reconoce como esencial mantener los procesos judiciales tradicionales, la disponibilidad de los servicios físicos de asistencia, junto con las nuevas herramientas digitales para garantizar a los ciudadanos que no puedan participar plenamente de los avances tecnológicos una protección jurídica y de acceso a la justicia efectiva. Todo ello unido a una mejora en los canales de comunicación entre la Administración de Justicia y los justiciables a través de un lenguaje sencillo e inteligible tanto para los canales de justicia digital, como para los presenciales.

En este contexto debemos tener en cuenta además las amenazas que nos llegan a través de los ataques de ciberseguridad. Se hallan estos intrínsecamente vinculados a otros riesgos como los derivados de la privacidad o la protección de datos, donde el ciudadano medio español difícilmente sabrá cuando pueden estar espiando sus datos y la información interna de su proceso desde su ordenador o no, dado que este tipo de ataques pueden darse a través de la instalación de apli-

---

[73] Último informe publicado a mes de agosto de 2022.

caciones maliciosas en el ordenador (malware) o en cualquier dispositivo electrónico del ciudadano, que ha podido aceptar erradamente el seguimiento de determinadas actividades cotidianas o el compartir datos privados desde esa aplicación. Normalmente, cuando instalamos aplicaciones o programas en nuestros dispositivos electrónicos, sea cual sea la índole de la aplicación, cedemos a través de un simple clic muchos datos personales, de geolocalización y de información sobre nuestras búsquedas en internet. Esto no solo compromete nuestra seguridad y privacidad en Internet, sino que además esto puede ser usado por las contrapartes judiciales que compren dicha información a estas aplicaciones. Este riesgo se acentúa más en conflictos entre consumidores y empresas, que sean grandes corporaciones y que ya tengan acceso a todos los datos sobre gustos, preferencias, intereses, inquietudes o miedos que hemos ido cediendo a lo largo de nuestra vida digital de manera casi inconsciente. No obstante, los riesgos están presentes igualmente, aun cuando de consumidores individuales se trate.

Todo ello sin dejar atrás diversos problemas de compatibilidad entre las diferentes herramientas de justicia electrónica, no solo a nivel europeo[74], sino también dentro de nuestro propio país, como veremos en el siguiente capítulo. Por lo tanto, no solo será necesaria una alfabetización digital de los ciudadanos, sino que esta formación también deberá extenderse de manera aún más intensiva a los actores de los procesos, es decir desde la judicatura a la fiscalía, pasando por todo el personal de la Administración de Justicia y demás profesionales al servicio de la justicia, donde además se les deberá formar en el ámbito de la inteligencia artificial, ya aplicable en los juzgados de nuestro país, así como a la utilización de estas herramientas de manera ética[75]. La Comisión Europea apunta a la Red Europea de Formación Judi-

---

[74] Así lo señala la Comunicación de la Comisión al Parlamento Europeo, al Consejo, al Comité Económico y Social Europeo y al Comité de las Regiones: *La digitalización de la justicia en la Unión Europea. Un abanico de oportunidades.* COM/2020/710 final p. 5.

[75] Ver más en: BARONA VILAR, S., *Algoritmización del Derecho y de la Justicia, De la Inteligencia artificial a la Smart Justice, op.cit*, pp. 169-174 y METZINGER, T., *Two Principles for Robot Ethics*, Disponible en: https://www.blogs.uni-mainz.de/fb05philosophie/files/2013/04/Metzinger_RG_2013_penultimate.pdf, visitado el día 7 de diciembre de 2022.

cial (REFJ) para llevar a cabo esta tarea dentro del ámbito del poder judicial.

Otra cuestión que está a caballo entre las ventajas y los riesgos es la inclusión de la inteligencia artificial en el ámbito de la Administración de Justicia. Es obvio que esta puede ayudar en tareas como la estructuración y la preparación de información sobre el objeto del proceso, la transcripción automática de las grabaciones de las vistas orales, la traducción automática, el apoyo al análisis y la valoración de documentos jurídicos y sentencias de los órganos jurisdiccionales, la estimación de las probabilidades de éxito de un procedimiento, la anonimización automática de la jurisprudencia o la dotación de información a través de *chatbots* jurídicos como analizaremos en el siguiente capítulo; herramientas que mejoraran las sinergias y la interoperabilidad dentro de la Administración de Justicia.

Sin embargo, ante una tecnología tan desconocida también nos surgen dudas respecto a la utilización de estos datos por sistemas informáticos propiedad de terceros, dotados con inteligencia artificial, que puedan asistir con sesgos o resultados discriminatorios para determinados grupos de población[76] y por ende la consecuente vulneración de derechos fundamentales de la ciudadanía. Y como no, siempre planeará la sombra de la duda sobre si estas herramientas de inteligencia artificial han podido o podrán interferir de manera más o menos determinante en la decisión judicial y por lo tanto, el riesgo de quebrar la inteligencia y el discernimiento judicial.

De modo que, tal y como establece el Libro Blanco sobre la inteligencia artificial - un enfoque europeo orientado a la excelencia y la confianza-[77], una vez aceptada que la inteligencia artificial va a entrar a formar parte de la justicia europea, debemos evitar, como premisa máxima, la opacidad de los sistemas que operen, el llamado efecto "caja negra"[78]. Es decir, deberá ser una inteligencia artificial poco compleja, previsible y sin comportamiento autónomo. Por ello,

---

[76] *Idem.*

[77] Bruselas, 19.2.2020 COM (2020) 65 final.

[78] Ver más sobre este concepto en SIMÓ SOLER, E. y ROSSO, P., "Inteligencia artificial y derecho: entre el mito y la realidad: La destrucción algorítmica de la humanidad", *Diario La Ley*, Nº 9982, Sección Tribuna, 4 de enero de 2022, Wolters Kluwer.

la Comisión Europea solicita al legislador europeo que incluya previsiones sobre procedimientos de evaluación previa de los softwares dotados con inteligencia artificial destinados a la gestión de los procedimientos judiciales en relación con la fiabilidad, la comprensibilidad, la solidez y la seguridad del sistema. Así mismo, insiste en la necesidad de disponer de un sistema adecuado y eficaz para el seguimiento y la revisión de las aplicaciones de inteligencia artificial y sus resultados[79].

Posiblemente, este sistema de seguimiento y revisión de las aplicaciones de inteligencia artificial y los resultados de la aplicación de la misma sea el caballo de batalla más importante y a la vez más necesario para la población europea. Un sistema público e independiente que fiscalice los movimientos de los distintos entes que operen con inteligencia artificial. Y, sobre todo, que tenga la capacidad para inhabilitar los sistemas que contravengan la legislación vigente, así como para condenar y ejecutar las condenas provenientes de estas prácticas. Así las cosas, incluso deberíamos plantear la creación de una fiscalía europea y nacional, especializada en esta protección, que día a día se hace más relevante en nuestras vidas.

En definitiva, vemos como la hoja de ruta de la justicia digital está levemente marcada. Y las instituciones europeas han advertido tanto de las ventajas, como de los inconvenientes, así como de las fórmulas para salvar esos agujeros de seguridad planteados que puedan vulnerar nuestros derechos fundamentales en los procesos judiciales. Ahora solo nos queda poner en marcha todos estos planes y convertirlos en realidad, cuestión que como veremos no se plantea sencilla dentro de este escenario global, interconectado y adicto a la información.

---

[79] Conclusiones del Consejo Acceso a la justicia: aprovechar las oportunidades de la digitalización (2020/C 342 I/01).

Capítulo II
LA ADMINISTRACIÓN DE JUSTICIA EN ESPAÑA: PASADO, PRESENTE Y FUTURO

La población española no percibe a la Administración de Justicia como un servicio público más, como puede ser la sanidad o la educación, sino que sienten el peso del poder coactivo del Estado frente al ciudadano, que puede ser castigado en cualquier momento por no dar o no hacer lo debido. Asimismo, también debemos hacernos eco de la desconfianza ante los errores judiciales, ya que un alto porcentaje de nuestra población creen que estos son muy frecuentes[1]. A esto se le une un sentimiento permanente de politización de la justicia, lo que hace perder la concepción de la independencia judicial y la separación de poderes, como apuntábamos en el anterior capítulo.

De esta manera, la noción de la Justicia como una superestructura casi inaccesible para el ciudadano de a pie con pocos conflictos a lo largo de su vida es una realidad, no siendo fruto de la casualidad, sino del devenir histórico que hemos ido abonando durante siglos[2].

Por justicia con la justicia, valga la redundancia, es tarea fundamental de nuestros actuales poderes legislativo y ejecutivo el garantizar una justicia independiente, de prestigio, ágil y accesible, donde los ciudadanos puedan acercarse con la misma confianza que lo hacen a cualquier otro servicio público. Sin embargo, los últimos tiempos no son muy alentadores en este sentido, ya que ni el poder ejecutivo, ni el legislativo están dando señales para revertir esta situación. Ejemplo de ello es la eterna pugna por el reparto de sillones del Consejo General del Poder Judicial.

---

[1] Ante la pregunta: ¿Con qué frecuencia cree usted que los tribunales cometen errores que dejan libre a gente culpable? Respuesta: 0=Nunca; 10=Siempre. España con una puntuación de 5,70 se sitúa a la cabeza de los países donde los ciudadanos perciben un alto porcentaje de errores judiciales, solo detrás de Eslovenia y Bulgaria. Fuente: ESS-5 the Global Competitiveness Report (2011).

[2] Ver más en: OTUÑO MUÑOZ, P., "Comentarios al Anteproyecto de Ley de eficiencia procesal", *Diario La Ley*, nº 9875 de 21 de junio de 2021, pp. 3-4.

En los últimos años, el ejecutivo se ha dedicado a dar pasos adelante modernizando la justicia en el ámbito digital, como un componente más de una Justicia poliédrica que se halla en total periodo de mudanzas[3], periodo que requiere afianzar las estructuras, los principios y las políticas públicas en el seno de la Justicia para conseguir un modelo de tutela de la ciudadanía moderna, accesible, solidaria, eficiente y pública, todo lo que se pretende con el Plan de Justicia 2030. Alcanzar esa nueva configuración de la Justicia en los términos expuestos requiere una importante transformación del modelo de Administración de Justicia, centrándose en esencia, en la todavía no implantada de forma global en el territorio nacional oficina judicial, que ha venido sufriendo cambios legislativos vía ley u órdenes ministeriales, sin la voluntad política plena de atribuir recursos económicos para su proyección.

1. EL PASADO Y PRESENTE DE LA ADMINISTRACIÓN DE JUSTICIA

Iniciada con la reforma legislativa de la LOPJ a través de la Ley Orgánica 19/2003, de 23 de diciembre, de modificación de la Ley Orgánica 6/1985, de 1 de julio, del Poder Judicial[4], situó a nuestro país a la vanguardia, ya que se estableció un sistema novedoso para la organización de la actividad jurisdiccional. Sin embargo, requería cambios profundos en la organización, que iban desde modificaciones en las estructuras de los edificios judiciales, hasta adaptaciones de puestos de trabajo; en definitiva, era absolutamente imprescindible realizar una reestructuración de todo el sistema conocido. Y, por ende, debía estar acompañada de un gran desembolso de recursos públicos. Lamentablemente, la no atribución del presupuesto necesario para conseguir la transformación real es lo que ha llevado a que, tras casi dos décadas desde de la promulgación de esta norma, nos encontre-

---

3   BARONA VILAR, S., "Mutación de la justicia en el siglo XXI. Elementos para una mirada poliédrica de la tutela de la ciudadanía", *Justicia poliédrica en periodo de mudanza (Nuevos conceptos, nuevos sujetos, nuevos instrumentos y nueva intensidad)*, Tirant lo Blanch, Valencia, 2022, pp. 31-36.

4   BOE núm. 309, de 26 de diciembre de 2003.

mos con que este ambicioso plan no ha llegado al final de su viaje y que aún queda camino por recorrer. En esencia, sin una transformación y adaptación de los juzgados a la misma, los buenos propósitos e ideas diseñados en la norma, quedan en papel mojado.

El coste de esta transformación es grande y necesita voluntad política para ello. El cambio de la nueva oficina judicial afecta a más de 254.000 personas, entre jueces y juezas, fiscales, letrados y letradas de la Administración de Justicia (LAJs), gestores y tramitadores procesales, personal de auxilio judicial, forenses, facultativos y facultativas, técnicos especialistas, ayudantes de laboratorio, jueces y juezas de paz, funcionarios y funcionarias de la administración General del Estado y de las Comunidades Autónomas, abogados y abogadas, procuradores y procuradoras, graduados sociales, registradores y registradoras, notarios y notarias. Todo ello sin contar con el personal laboral que permite llevar a cabo los servicios de interpretación y traducción, peritación, mantenimiento y limpieza de sedes, archivo y depósito de bienes, formación, desarrollo y evolución de aplicaciones informáticas, mantenimiento de equipos, entre otros, divididos en más de 1.400 sedes judiciales[5].

Han sido numerosos los plazos que se ha interpuesto la propia Administración para la implantación total de la oficina judicial desde el inicio. En este sentido, en su origen se establecía el arranque de las experiencias piloto el último trimestre de 2006 y posteriormente cuando se proyectó la implantación en el resto de los partidos judiciales del territorio gestionado por el Ministerio de Justicia a lo largo del segundo semestre de 2012[6]. Esta era la teoría, dado que la realidad fue otra. Así, desde la definición del nuevo modelo, se ha implantado en apenas el 10% de los 431 partidos judiciales existentes en España.

---

[5]   JUSTICIA 2030, *Transformando el ecosistema del Servicio Público de Justicia*, Ministerio de Justicia. Secretaría General Técnica, p. 3.

[6]   Fuente Consejo General del Poder Judicial, ver en: https://www.poderjudicial. es/portal/site/cgpj/menuitem.65d2c4456b6ddb628e635fc1dc432ea0/?vgnextoid =98c95fdd74af3310VgnVCM1000006f48ac0aRCRD&vgnextlocale=es&perfil =2&vgnextfmt=default&lang_choosen=es&vgnextchannel=af6da65f43bbf210 VgnVCM1000006f48ac0aRCRD, visitada el día 28 de junio de 2021.

Entre las causas más determinantes para esta escasa implantación, se ha venido afirmando por parte del ejecutivo[7], por un lado, la poca o nula adaptación de los edificios judiciales, a la necesidad de grandes espacios donde albergar los servicios comunes procesales, cuestión que debía haber sido prevista antes de la entrada en vigor de la norma, ya que para legislar antes hay que tener en cuenta el escenario sobre el que legislas y los recursos que dispones o puedes disponer en un corto o medio plazo. Y, por otro lado, señala la imposibilidad de tramitar íntegramente en formato digital los expedientes judiciales; este aspecto está siendo superado día a día por los juzgados y tribunales de nuestro país, dado el proceso de digitalización cada vez mayor de los expedientes. No obstante, esto no es motivo para la falta de implantación de la nueva Oficina Judicial. Y finalmente, el ejecutivo alude una falta de correspondencia con las estructuras judiciales actuales por los cambios que, grosso modo, implicarán las nuevas reformas legislativas, cuestión que también controvertimos.

1.1 Los Tribunales de Instancia

En virtud del Proyecto de Ley Orgánica de Eficiencia Organizativa del Servicio Público de Justicia, por la que se modifica la Ley Orgánica 6/1985, de 1 de julio, del Poder Judicial, para la implantación de los Tribunales de Instancia y las Oficinas de Justicia en los municipios, se pretende eliminar los 3.627 juzgados existentes (entre Primera Instancia, Instrucción, Violencia sobre la Mujer, Penal, Social, Mercantil…) con el objetivo de convertirlos en 431 Tribunales de Instancia, es decir, uno por partido judicial. Una reforma planteada en abril de 2021, frente a un incumplimiento de reestructuración de la Oficina Judicial desde 2012. Es decir, una enésima reforma que pretendía ser puesta en marcha en octubre de 2022, a pesar de no haber realizado aún los deberes completos desde hace una década.

Esta reforma implica una importante reestructuración orgánica, en el *modus operandi* de los juzgados, indudable, todo y que debe considerarse que no interviene en el ejercicio de la función jurisdic-

---

cional, ni en las competencias de los órganos de enjuiciamiento unipersonales. Su importancia es grande, dada la alteración de movilidad que esto va a suponer de los tribunales de nuestro país, al reorganizar la ubicación, concentración y adscripción de los jueces y magistrados a los mismos.

Además, esta reestructuración afecta, indudablemente a los demás funcionarios de la Administración de Justicia, que se verán removidos de los puestos, al crear una nueva categoría en los Tribunales de Instancia como es la unidad procesal de tramitación, que realizará funciones de ordenación del procedimiento y asistirá directamente a jueces y magistrados en el ejercicio de las funciones que les son propias, es decir, de la misma manera que lo hacían los Secretarios Judiciales, posteriormente los Letrados de la Administración de Justicia y más tarde con la entrada en vigor de la nueva oficina judicial, estos mismos en las Unidades de Apoyo Directo de cada juzgado. Quedan sin grandes cambios respecto de lo legislado para la nueva oficina judicial los servicios comunes procesales que siguen manteniendo sus competencias.

De este modo, la nueva organización judicial que se plantea en torno a los Tribunales de Instancia comporta una mutación en la estructura organizativa del organigrama judicial español.

Los Tribunales de Instancia estarán sitos en cada Partido judicial que se compondrá por una Sección Única, de Civil y de Instrucción o una Sección Civil y otra Sección de Instrucción, dependiendo fundamentalmente del tamaño del Partido judicial en cuestión. Además, los Tribunales de Instancia podrían estar integrados por Secciones de Familia, de lo Mercantil, de Violencia sobre la Mujer, de Enjuiciamiento Penal, de Menores, de Vigilancia Penitenciaria, de lo Contencioso-Administrativo y de lo Social, regulándose el ámbito territorial de cada una de las Secciones al que extenderán su jurisdicción, su estructura, su composición y sus competencias. Asimismo, establecerán la especialización de cualquiera de las Secciones de los Tribunales de Instancia para el conocimiento de determinadas clases de asuntos o las ejecuciones propias del orden jurisdiccional de que se trate, de la misma manera que ocurre hasta ahora con Juzgados especializados en cláusulas suelo, cláusulas abusivas, capacidad o filiación.

El modelo de Justicia 2030 del Ministerio de Justicia que ha centrado en tres ejes las reformas procesales: organizativas, de eficiencia y digitalización, cuentan -y eso hace avizorar futuro- con los fondos Next Generation EU, es decir, con el fondo de recuperación aprobado por la Unión Europea para paliar los efectos de la COVID-19, al hallarse intrínsecamente vinculados a la necesidad de adaptar la sociedad global a los denominados ODS, a saber los Objetivos de Desarrollo Sostenible.

Debemos señalar, sin embargo, que la conformación de los Tribunales de Instancia no es una decisión nueva, sino que ya la Comisión de ocho expertos que elaboró las bases en el año 2009-2010 para la reforma de la Ley de Planta y Demarcación fijaba entre sus propuestas la creación de estos Tribunales de Instancia, para garantizar una mejor justicia. Y esa propuesta no es solo de nuestro país, dado que son diversos países de la UE los que ya cuentan con esta manera de hacer Justicia. Es más, esa propuesta inicial de la Comisión fue incorporada en una propuesta de reforma de la LOPJ en la IX legislatura de la democracia que, por cambio de gobierno en 2011, no fue aprobada, quedando, en consecuencia, sin implantación en nuestro país los tribunales de instancia. Posteriormente, hubo un nuevo intento de incorporación de Tribunales Provinciales de Instancia en 2014[8], que se incorporaban en el texto de un nuevo Anteproyecto que tampoco vio la luz. En consecuencia, la concepción organizativa colegiada de los tribunales de instancia ha venido aceptándose por los partidos políticos de uno u otro color, todo y que los vaivenes electorales han truncado su implementación.

A nuestro parecer, la incorporación de los Tribunales de Instancia es una manera organizativa que permite favorecer un mejor ejercicio de la función jurisdiccional, que convive imprescindiblemente con la actuación de la oficina judicial. Con ello se ofrece respuesta a una manera de actuar en Justicia mucho más flexible, que repercute, a la postre, en la mejora de la tutela efectiva de la ciudadanía. Cierto que la organización a través de estos Tribunales de Instancia con la oficina judicial plantea la cuestión de la movilidad en los puestos de

---

[8]   Ver más en CATENA MORENO, V., "El sorprendente anteproyecto de LOPJ", *Revista El Notario del s. XXI*, n° 57.

trabajo tanto de jueces, como de personal de las oficinas, lo que habrá que considerar siempre desde el debido respeto al artículo 117.2 de la CE. en el que se establece que los jueces y magistrados no podrán ser trasladados, sino por alguna de las causas y con las garantías previstas en la ley.

1.2 De los Juzgados de Paz a las Oficinas Judiciales Municipales

El citado Proyecto anuncia como evolución de los juzgados de paz a las modernas Oficinas de Justicia en los municipios donde hasta ahora habían servido los tradicionales juzgados de paz. Así el Proyecto define las Oficinas de Justicia en el municipio como aquellas unidades no integradas en la Oficina judicial del partido judicial que se constituyen en el ámbito de la organización de la Administración de Justicia para la prestación de servicios a los ciudadanos de los respectivos municipios con una variedad de servicios prestados muy superior a los desarrollados en la actualidad por los Juzgados de Paz.

1.2.1 Los Juzgados de Paz

Así las cosas, en este punto de la historia de la Administración de Justicia, donde lo que se persigue es una facilitación en el acceso a la justicia y un acercamiento de la justicia a la ciudadanía, se pretende un cambio cuasi radical de la concepción actual de la instancia más cercana y conocida por la ciudadanía de los núcleos de población más pequeños.

A pesar de que numerosos juristas atisban las raíces de los Juzgados de Paz en épocas anteriores[9], podemos hablar de la labor de

---

[9]   Por ejemplo, para ALMAGRO NOSETE, DE LAMO RUBIO y SAAVEDRA GALLO, sitúan los ancestros de los Juzgados de Paz en el Fuero Juzgo y en el Líber Iudiciorum, que sitúan a los adsertores pacis como los pacificadores que desempeñaban funciones conciliatorias o preventivas en SAAVEDRA GALLO, P., ALMAGRO NOSETE. J., *Sistema de Garantías Procesales*, EDICIONES JURÍDICAS DIJUSA, S.L, Madrid, 2008, pp. 299-300. COBOS GAVALA sitúa también el origen de la Justicia Municipal en la creación de los Concejos iniciados en el siglo XI en COBOS GAVALA R., *El Juez de Paz en la Ordenación*

resolución de conflictos en los pueblos a partir del artículo 282 de la Constitución de 1812, donde se establece que el alcalde de cada pueblo podría ejercer el oficio de conciliador y que, quien pretendiera demandar por negocios civiles o por injurias debería presentarse ante él con esa finalidad. Por el Reglamento Provisional para la Administración de Justicia de 26 de septiembre de 1835, en su artículo 22 se dispondría también que el alcalde y los tenientes de alcaldes ejercieran el oficio de Jueces de Paz o conciliadores.

Sin embargo, no fue hasta el Real Decreto de 22 de octubre de 1855 cuando se declaró que todos los pueblos de la monarquía en que hubiese ayuntamiento, habría jueces y juzgados de paz[10]. Solo un año más tarde, la Ley en el 1 de enero de 1856 estableció la creación y regulación de los órganos jurídicos de los Jueces de Paz. Esta tuvo como finalidad principal la creación de esta institución jurídica con el propósito de despojar a los alcaldes de las funciones judiciales que venían ejerciendo y al mismo tiempo, se cumplía el principio popular de la época de la separación de poderes[11].

A estos hitos les seguirían la Ley Orgánica del Poder Judicial de 1870, que estableció la supresión de los Juzgados de Paz y su sustitución por los Juzgados Municipales; la Ley de Justicia Municipal de 5 de agosto de 1907, que establecía que en cada término municipal hubiera un Juzgado Municipal (compuesto por un Juez, un Fiscal, un secretario y sus suplentes) y un Tribunal Municipal compuesto por un Juez y dos adjuntos[12] y finalmente la Ley de Bases para la Reforma de la Justicia Municipal de 1944.

Con la llegada de la democracia y de la Constitución española de 1978 se estableció su regulación a través de la actual Ley Orgánica 6/1985, de 1 de Julio, del Poder Judicial[13], y su correspondiente

---

Jurisdiccional Española, Secretaría General Técnica Del Ministerio De Justicia, Centro de publicaciones, Madrid, año 1989, pp. 70-71.

[10] Ver su régimen completo en: MADRIGAL GARCÍA, C., ENRIQUEZ SANCHO, R., YAGÜE GIL, PJ., *Los Juzgados de Paz*, Instituto de Estudios de la Administración Local, Madrid, 1982.

[11] COBOS GAVALA R., El Juez de Paz en la Ordenación Jurisdiccional Española, op. cit., pp. 79-83.

[12] *Ibidem.* pp. 96-101.

[13] BOE núm. 157, de 02 de julio de 1985.

Reglamento 3/1995, de 7 de junio, de los Jueces de Paz[14], que desarrolla los artículos 99 a 103 de la LOPJ[15]. Desde entonces y hasta el momento actual hemos vivido numerosos vaivenes dentro de estos juzgados. Por ejemplo, la reforma de Ley Orgánica 19/2003, de 23 de diciembre, de modificación de la Ley Orgánica 6/1985, de 1 de julio, del Poder Judicial[16] donde los miembros del Cuerpo de Secretarios de Juzgados de Paz de municipios de más de siete mil habitantes fueron declarados a extinguir y se han ido integrando progresivamente en el Cuerpo de Gestión Procesal y Administrativa si reúnen los requisitos de titulación para el acceso a dicho cuerpo. O la reforma más reciente de la Ley 20/2011, de 21 de julio, del Registro Civil[17] donde se establecen como oficinas colaboradoras del Registro Civil a todas las secretarías de juzgados de paz, las unidades procesales de apoyo directo a juzgados de paz y las oficinas de justicia en el municipio u otras del mismo tipo que se implanten en sustitución de las anteriores que colaborarán con el Registro Civil.

Sin duda las cifras de los actuales juzgados de paz marcan la relevancia de esta institución que da cobertura a más de catorce millones de habitantes de nuestro país a través de unas 7.600 oficinas. Sin embargo, en las últimas décadas se han ido vaciando de competencias, quedando hoy día relegados a tareas prácticamente de auxilio en limitados actos de comunicación en el ámbito judicial y auxilio al Registro Civil. Así, las últimas competencias residuales que tienen los actuales juzgados de paz también peligran debido a la introducción de las nuevas fórmulas de comunicaciones electrónicas que pretenden suplir la poca actividad de los juzgados de paz.

1.2.2 Las oficinas municipales de justicia

No obstante, es relevante apuntar que el 30,45% de la población española actualmente tiene que desplazarse al municipio cabeza de partido o capital de la provincia para llevar a cabo cualquier trámite

---

14   BOE núm. 166, de 13 de Julio de 1995.
15   RODRÍGUEZ JIMÉNEZ J., "La problemática de los juzgados de paz", *Revista del Poder Judicial* nº 33, marzo 1994, pp. 188-189
16   BOE núm. 309, de 26 de diciembre de 2003.
17   BOE núm. 102, de 29 de abril de 2021.

que tenga que ver con la Administración de Justicia por sencillo que sea[18]. Así, el proyecto de sustitución de los juzgados de paz, -ya cuasi vacíos de competencias jurisdiccionales- por las oficinas de justicia, es presentado por el ejecutivo como un revulsivo para acercar la nueva justicia digital a las zonas menos pobladas de nuestro país.

Entre los cometidos que pretenden llevarse a cabo en estas nuevas oficinas se encuentran: la posibilidad de facilitar información general del estado de tramitación de procesos judiciales, cuestión que hasta ahora solo se puede realizar presencialmente por motivos de protección de datos y dificultad en la identificación de la persona interesada; realizar gestiones procesales sencillas con cualquier órgano judicial a través de la intercesión de estas oficinas; facilitar estos locales como puntos de acceso al personal judicial; así como practicar actos de comunicación procesal con ciudadanos residentes en el municipio sin acceso a notificaciones electrónicas, y así contribuir con su labor de asesoramiento y facilitación de los trámites operables con el Registro Civil y finalmente se le encomienda una futura labor en el desarrollo de procedimientos de resolución alternativa de conflictos como mediación o conciliación.

Así se pretende desdibujar el halo jurisdiccional de los juzgados de paz y aprovechar las infraestructuras puestas en marcha por el Servicio Público de Justicia para prestar otros servicios de cualquier Administración pública como la emisión de certificados digitales, conocer el estado de trámites con otras Administraciones o incluso albergar a funcionarios de otras Administraciones[19]. La finalidad de ello es una vez más la eficiencia administrativa, así como la cohesión social de la que nos ocuparemos al tratar del ámbito digital.

---

[18]   Fuente: Justicia 2030, Proyecto12. OFICINAS DE JUSTICIA EN LOS MUNI-CIPIOS. Disponible en: https://www.justicia2030.es/proyectos, visitado el día 14 de enero de 2022.

[19]   Disponible en: https://www.justicia2030.es/-/oficinas-de-justicia-en-los-munici-pios, visitado el día 24 de agosto de 2022.

2. DE LA OFIMÁTICA A LEXNET

En el presente apartado trataremos de ofrecer una perspectiva acerca de la evolución y el desarrollo del ámbito electrónico en los juzgados y tribunales de nuestro país, dada la importancia que el pasado tiene para poder entender el presente y avizorar el futuro, un futuro que en materia de justicia digital se presenta cada vez más cercano.

Esta aproximación la vamos a realizar efectuando una presentación de diferentes etapas o fases en las que se han ido implementando las tecnologías de diversa generación en los tribunales de nuestro país, haciendo nuestra la división en este estudio realizada por Delgado Martín[20]. Siguiendo a este autor, en consecuencia, vamos a exponer las fases de esta evolución, que son: la ofimática, los sistemas de gestión procesal, la interoperabilidad de los sistemas, el expediente judicial electrónico y finalmente la inteligencia artificial. En cada una de estas fases han surgido numerosos cambios muy significativos para el proceso judicial y todos los agentes que trabajan en torno al mismo, desde los jueces, pasando por los funcionarios, a los peritos o los abogados.

2.1 Ofimática en los juzgados

Según la RAE la ofimática es la automatización, mediante sistemas electrónicos, de las comunicaciones y procesos administrativos en las oficinas. Este acrónimo es fruto de la unión de las palabras oficina e informática y que por lo tanto no es ni más ni menos que informatizar la oficina. Ya que la informática, según la RAE, es el conjunto de conocimientos científicos y técnicas que hacen posible el tratamiento automático de la información por medio de computadoras.

2.1.1 Primeros Pasos

El primer hito tangible de la introducción de la ofimática en la Administración de Justicia se sitúa en el proyecto INFORIUS, iniciado

---

20 DELGADO MARTÍN, J., *Judicial-Tech, el proceso digital y la transformación tecnológica de la justicia*, La Ley, Madrid, 2020, pp. 20-21.

en los años ochenta con el objetivo principal de implantar programas de tratamiento de textos y gestión de documentos, con utilización de bases de datos[21]. De este proyecto nace el SIJ, Sistema Informático de los Juzgados que se empezó a implantar en el año 1984 y que nació con un plazo de implantación progresiva pero que debido a la baja calidad del software no se pudo adaptar a los nuevos hardware e hicieron que este quedase varado[22].

Más tarde, sobre el año 1994 se inicia un segundo proyecto llamado Libra, liderado por el Consejo General del Poder Judicial y que pretendió desarrollar programas informáticos con mayor garantía de compatibilidad. Este fue apoyado con el desarrollo legislativo de la Ley Orgánica 16/1994, de 8 de noviembre, por la que se reforma la Ley Orgánica 6/1985, de 1 de julio, del Poder Judicial[23] a través de la modificación del artículo 230 de la LOPJ. Con este texto, el legislador habilitó legalmente el empleo de medios electrónicos, informáticos y telemáticos por parte de Juzgados y Tribunales y, además, estableció las primeras previsiones relativas al uso de ficheros automatizados[24].

Sin embargo, podemos calificar a ambos proyectos como el primus lapis de todo el sistema actual. Sobre todo a la vista de los datos facilitados por la Junta de Andalucía que en el año 1997 cuando esta Comunidad Autónoma recibe el traspaso de funciones y servicios de la Administración del Estado en materia de provisión de medios personales al servicio de la Administración de Justicia[25], detalla que más de dos tercios de las oficinas judiciales carecían de red informática y del tercio restante, solo un 15% disponía de equipos informáticos

---

[21] MARTÍNEZ PARDO, V.J., "Aplicaciones de las nuevas tecnologías (TIC) en la administración de justicia (e-Justicia)", *Revista de Contratación Electrónica*, Núm. 120, octubre 2012, p. 49.
[22] CASTILLO JIMÉNEZ, C., "Los Sistemas de Gestión Jurídica Automatizada", *Informática y derecho: Revista iberoamericana de derecho informático*, Nº 12-15, 1996, p. 1571.
[23] BOE núm. 268, de 9 de noviembre de 1994.
[24] BUENO DE MATA, F., *Hacia un proceso civil eficiente: Transformaciones judiciales en un contexto pandémico, op. cit.*, pp. 225-239.
[25] A través del Real Decreto 141/1997, de 31 de enero, sobre traspaso de funciones y servicios de la Administración del Estado a la Comunidad Autónoma de Andalucía en materia de provisión de medios personales al servicio de la Administración de Justicia. BOE núm. 62, de 13 de marzo de 1997.

habilitados que permitiesen un uso habitual de los mismos para la función jurisdiccional o el auxilio de esta[26]. Ante los pocos resultados que hasta el momento dieron los proyectos INFORIUS y Libra, las Comunidades Autónomas comenzaron su propia andadura individual, dotando de equipos y herramientas informáticas a sus juzgados, primando la seguridad y la accesibilidad a sus equipos.

2.1.2 Contexto internacional

Cabe destacar que, durante este contexto incipiente y precario español, los países de nuestro entorno vivían una realidad diferente, en algunos casos con interesantes aportes que permitían avizorar cambios interesantes.

En este sentido, merece destacarse, por ejemplo, el proyecto italiano *Guisticia,* dado que con él se creaba un sistema integral de gestión automatizada de los recursos, un paso importante en la Justicia italiana. Por su parte, amén de la gestión, también emergieron los denominados sistemas de bancos de datos, que permitieron los primeros pasos para la automatización de los procesos de búsqueda de jurisprudencia y doctrina. Ejemplo de ello fue en Italia el proyecto *Italiurre,* con más de dos millones de documentos en cuarenta y dos archivos de jurisprudencia, legislación y bibliografía jurídica que en 1996 ya contaba con más de un millón de consultas anuales realizadas desde los más de dos mil terminales distribuidos por la geografía italiana. Era un avance inigualable hasta el momento.

En Francia probablemente la digitalización e incluso la incorporación de los algoritmos en diversas áreas vinculadas con la Justicia se venía produciendo desde la década de los años ochenta del siglo pasado. Así, en 1984 Francia crea el Centro Nacional de Informática Jurídica como un servicio público que pretendió coordinar y financiar los proyectos de bases de datos jurídicos. Paralelamente, se trabajada

---

[26]   Edificios Judiciales en Andalucía. Obras y proyectos 1997-2003, p. 14. Disponible en: https://ws199.juntadeandalucia.es/almacen/libros/Edificios_Judiciales_en_Andalucia/files/assets/basic-html/page14.html, visitado el día 26 de agosto de 2021.

desde diversas perspectivas, algunas en el área de la justicia predictiva en lo que fueron realmente pioneros en Europa.

Otros proyectos de bancos de datos informatizados desarrollados en los años ochenta y noventa en nuestro entorno fueron Iustel y Credoc en Bélgica, Iuris en Alemania o Hermes, que grababa las sentencias en EE.UU., a pesar de que en este país las iniciativas más importantes de justicia informatizada estaban y siguen estando en el sector privado.

El entorno internacional ofrecía ya una perspectiva diversa, en la que los instrumentos tecnológicos y digitales comenzaban a ser una realidad indiscutible. Paralelamente en España, como iniciativas privadas primigenias, iban destacando las que venían siendo diseñadas por las editoriales de prestigio, ofreciendo soluciones en tareas como las expuestas. En este punto, Tirant lo Blanch fue la pionera y posteriormente la siguieron con servicios similares Aranzadi, La Ley o Colex Data[27].

2.2 Breve referencia al marco normativo actual

Como hemos visto anteriormente, el legislador español lleva décadas trabajando sobre la digitalización de la Justicia -a través de la Ley Orgánica 16/1994, la Carta de Derechos de los Ciudadanos ante la Justicia, el Plan de Transparencia Judicial o en ámbito internacional el Plan de Acción E-Justicia, entre otros-. No obstante, somos conscientes de que esta tarea nunca estará acabada, ya que los avances tecnológicos van a ir siempre por delante de la capacidad de innovación legislativa.

Sin embargo, la legislación actual aún nos da cierto margen de actividad para poder seguir implementando las medidas tecnológicas en los procesos judiciales. A pesar de este margen que a continuación explicaremos, si quedan sin la suficiente cobertura los derechos de confidencialidad, protección de datos, propia imagen de los ciudada-

---

[27] CASTILLO JIMÉNEZ, C., "Los Sistemas de Gestión Jurídica Automatizada", *Informática y derecho: Revista iberoamericana de derecho informático, op. cit.,* pp.1574-1576.

nos e incluso se pueden ver comprometidas algunas de las garantías y de los principios procesales básicos como veremos.

2.2.1 La digitalización de la Administración General del Estado

La Administración General del Estado también ha promulgado normas que han favorecido la inclusión del ámbito digital de manera transversal en toda la Administración. De modo que, es de justicia reconocer las innovaciones de la Administración central, así como explicitar los beneficios que estos avances han supuesto para nuestra Administración de Justicia.

Entre las normas que han favorecido este impulso digital tenemos la Ley 40/2015, de 1 de octubre, Régimen Jurídico del Sector Público[28], respecto a sus pronunciamientos en cuanto al impulso definitivo del funcionamiento electrónico del sector público o la Ley 39/2015, de 1 de octubre, del Procedimiento Administrativo Común de las Administraciones Públicas[29] con prerrogativas tan relevantes como el derecho y la obligación de relacionarse electrónicamente con las Administraciones Públicas, la inclusión de la práctica de las notificaciones a través de medios electrónicos o el registro electrónico y archivo electrónico único o apoderamiento[30].

Estas normas han servido de inspiración a la normativa de desarrollo por la que se digitaliza el ámbito judicial, sobre todo respecto

---

[28] BOE núm. 236, de 02 de octubre de 2015.

[29] BOE núm. 236, de 02 de octubre de 2015.

[30] Unido a los Real Decretos que previos a las dos leyes citadas que hicieron posible su desarrollo donde encontramos: el Real Decreto 806/2014, de 19 de septiembre, sobre organización e instrumentos operativos de las tecnologías de la información y las comunicaciones en la Administración General del Estado y sus Organismos Públicos, el Real Decreto 4/2010, de 8 de enero, por el que se regula el Esquema Nacional de Interoperabilidad en el ámbito de la Administración Electrónica, junto al Real Decreto 3/2010, de 8 de enero, por el que se regula el Esquema Nacional de Seguridad en el ámbito de la Administración Electrónica. Finalmente, también citar la Resolución de 27 de octubre de 2016, de la Secretaría de Estado de Administraciones Públicas, por la que se aprueba la Norma Técnica de Interoperabilidad de Política de Firma y Sello Electrónicos y de Certificados de la Administración, donde se regula la fiabilidad, la seguridad incluso el uso de algoritmos de la firma, sello y certificados electrónicos de la Administración General del Estado.

de principios y valores que alientan estas regulaciones. Esta normativa ha generado aplicaciones informáticas muy diversas, a través de las cuales la ciudadanía puede relacionarse con la Administración General del Estado. Ejemplo de ello es la desarrollada por el Ministerio del Interior que permite solicitar ayudas, indemnizaciones por daños personales o materiales y otros derechos a víctimas de actos terroristas; solicitar el acceso y consulta de documentos conservados en archivos dependientes del Ministerio del Interior o solicitar de la Administración la revisión o revocación de una resolución administrativa o de un acto de trámite, entre otras tareas[31].

Así mismo, debe citarse igualmente el desarrollo que se ha producido de la conexión digital actual entre las distintas Administraciones públicas del Estado, con un alcance prácticamente pleno. En este punto, podemos nombrar la aplicación GEISER[32], que pone de manifiesto esa buena intercomunicación entre distintos organismos públicos. Esta aplicación se presenta como una solución integral de registro, adecuada para cualquier organismo público. Ahora bien, para su uso es necesario estar a su vez conectado a internet desde la Red SARA[33], además de contar con certificado digital y escáner para digitalizar el documento que se pretenda remitir de un organismo público a otro. Las labores que proporciona esta aplicación son servicios de Registro Electrónico, Registro Presencial, Intercambio de Registros Internos y Externos -a través de la plataforma del Sistema de Interconexión de Registros en adelante, SIR-. Es importante apuntar, que esta plataforma SIR está implantada en el 98,86% de los municipios españoles, lo que significa que casi la totalidad de la ciudadanía dispone de una

---

[31] Ver todo el catálogo en: https://sede.mir.gob.es/opencms/export/sites/default/es/procedimientos-y-servicios/, visitada el día 16 de diciembre de 2021.

[32] Ver más en: https://administracionelectronica.gob.es/ctt/geiser/masmas#.Yd-6Qy1jMLow, visitada el 12 de enero de 2022.

[33] La Red SARA cuyas siglas se corresponden con Sistemas de Aplicaciones y Redes para las Administraciones, es un conjunto de infraestructuras de comunicaciones electrónicas y servicios básicos de telecomunicaciones que conecta las redes de las Administraciones Públicas Españolas e Instituciones Europeas facilitando el intercambio de información y el acceso a los servicios. Disponible en: https://rec.redsara.es/registro/action/are/acceso.do, visitada el día 12 de enero de 2022.

Oficina de Asistencia en Materia de Registro interconectada en su municipio[34].

En consecuencia, los avances en este sector de la Administración General del Estado son indiscutibles y ofrecen un punto de partida inexorable para su efecto expansivo a todas las áreas de gestión pública.

2.2.2 La digitalización de la Administración de Justicia

Pero sin duda, la Ley 18/2011, de 5 de julio, reguladora del uso de las tecnologías de la información y la comunicación en la Administración de Justicia[35] fue la que realmente marcó un antes y un después en la regulación del uso de las tecnologías de la información y la comunicación en la Administración de Justicia. Esta fue desarrollada, como posteriormente veremos, por el Real Decreto 396/2013, de 7 de junio, por el que se regula el Comité técnico estatal de la Administración judicial electrónica[36]. No obstante, debemos apuntar, desde la óptica que ofrece el recorrido observable de los hechos, que esta evolución normativa no ha ido debidamente acompañada de una auténtica transición, a saber, aquella que permitiría afirmar que desde el modelo tradicional se ha alcanzado el estadio de la era digital en la justicia, propia de la sociedad digital global en la que nos hallamos inmersos, debido fundamentalmente a la escasa disposición de medios materiales y humanos.

Las reformas legislativas se han ido sucediendo, de manera que posteriormente se aprobaron la Ley 41/2015, de 5 de octubre, de modificación de la Ley de Enjuiciamiento Criminal para la agilización de la justicia penal y el fortalecimiento de las garantías procesales[37], la Ley 42/2015, de 5 de octubre, de reforma de la Ley 1/2000, de 7 de

---

34   En virtud de los datos aparecidos en la noticia publicada el 25 de enero de 2022. Disponible en https://administracionelectronica.gob.es/pae_Home/pae_Actualidad/pae_Noticias/Anio2022/Enero/Noticia-CTT-2022-01-25-La-integracion-de-municipios-a-SIR-practicamente-se-ha-completado.html?idioma=ca, visitada el día 1 de febrero de 2022.

35   BOE núm. 160, de 06 de julio de 2011.

36   BOE núm. 146, de 19 de junio de 2013.

37   BOE núm. 239, de 06 de octubre de 2015.

enero, de Enjuiciamiento Civil[38], que analizaremos más adelante, o el importante Real Decreto 1065/2015, de 27 de noviembre, sobre comunicaciones electrónicas en la Administración de Justicia en el ámbito territorial del Ministerio de Justicia y por el que se regula el sistema LexNET[39], del que nos ocuparemos en los siguientes epígrafes.

Los objetivos legislativos que se han venido pretendiendo han sido mejorar la colaboración, cooperación y coordinación a través de los medios electrónicos entre las diferentes administraciones, así como la tan importante creación del Comité Técnico Estatal de la Administración Judicial Electrónica, centrado a priori en la mejora de la interoperabilidad que es, como veremos, un gran caballo de batalla.

No obstante, no podemos cejar en el intento de que se garantice el cumplimiento de esta Ley, una década después de su entrada en vigor. En la citada norma se garantiza la prestación de determinados servicios que no se encuentran aún en la cartera de servicios de Justicia o se prestan de manera muy deficiente. Ejemplo de ello son la asistencia y orientación en los procedimientos en los que los ciudadanos comparezcan y actúen sin asistencia letrada y sin representación procesal, bien a cargo del personal de las oficinas de información en que se ubiquen o bien por sistemas incorporados al propio medio o instrumento. De igual manera ocurre con los deficientes servicios de atención telefónica que deben contar con criterios de seguridad suficientes y las posibilidades técnicas existentes, de modo que faciliten a los ciudadanos las relaciones con la Administración de Justicia. Por el contrario, la mayoría de las autonomías si cumple con la existencia de puntos de acceso a sedes judiciales electrónicas creadas y gestionadas por las distintas Administraciones competentes en materia de justicia y disponibles para los ciudadanos, a través de redes de comunicación, para sus relaciones con la Administración de Justicia o los puntos de información electrónicos, ubicados en los edificios judiciales, a excepción de algunos partidos judiciales más modestos de la España vaciada.

La transgresora Ley 18/2011 innovó en muchísimas cuestiones hacia el avance de la justicia digital. En ella, además de darle catego-

---

[38]   *Idem.*
[39]   BOE núm. 287, de 01de diciembre de 2015.

ría de Ley a los derechos de los ciudadanos en sus relaciones con la Administración de Justicia por medios electrónicos y derechos a los profesionales que se relacionan con la Administración de Justicia digital, también impone obligaciones a estos profesionales. Sin embargo, posiblemente el impacto más importante fue la utilización obligatoria de los medios electrónicos en la tramitación de los procedimientos electrónicos judiciales, que como veremos en los siguientes apartados ha modificado el panorama actual de la tramitación judicial.

Es indudable que la consecuencia más palmaria de esta norma fue la consagración en nuestro país de la sede judicial electrónica[40], aunque todavía necesita algunas implementaciones, todo y que se realizó un interesante impulso debido al periodo de pandemia sanitaria a causa del COVID-19.

Otra realidad de la Ley 18/2011 es el punto de acceso general de la Administración de Justicia[41] que facilita el acceso a los servicios, procedimientos e informaciones accesibles correspondientes a la Administración de Justicia, al Consejo General del Poder Judicial, a la Fiscalía General del Estado y a los organismos públicos vinculados o dependientes. Todas las aplicaciones se han desarrollado con suficiente seguridad en su uso, debido a las formas de identificación y autenticación a través de la firma electrónica. Esta firma electrónica puede adoptar diferentes formatos dentro de la oficina judicial como sello electrónico de la oficina judicial, como código seguro de verificación vinculado a cada oficina judicial o los certificados electrónicos de cada funcionario. De esta manera, se han asegurado la confidencialidad, disponibilidad e integridad de las informaciones que manejan sobre los procesos judiciales en curso, así como sobre los documentos aportados a través de medios electrónicos.

Y junto a la sede judicial electrónica, también se ha digitalizado el sistema de subastas judiciales. Un procedimiento que, anteriormente, se tachaba de oscuro, en el que solo unos pocos tenían conocimiento de los bienes subastados, dando lugar a confabulaciones con la finali-

---

[40] Disponible en: https://sedejudicial.justicia.es/, visitado el día 13 de enero de 2022.

[41] Disponible en: https://www.administraciondejusticia.gob.es/, visitado el día 13 de enero de 2022.

dad de alterar el precio final -ya que solo se publicaban generalmente en el tablón de anuncios de los juzgados-. Estos procedimientos han pasado a ser trámites totalmente transparentes, con publicidad absoluta y 100% online, ampliando así la presencia de postores en las subastas. De modo que, se puede acceder a la información general de todas las subastas judiciales activas en todo el territorio nacional[42]. Y además solo con la autenticación de la identidad, a través del certificado digital, se puede acceder de manera online a la información más específica de cada subasta, fechas, valoración, cargas, documentación catastral, fotografías y planos. Igualmente, se puede seguir de manera online el desarrollo de las subastas, realizar pujas de cualquier punto del territorio nacional, tras la inscripción en la plataforma[43]. De la misma manera, la tecnología ha supuesto un gran avance para las notificaciones edictales tras la creación del tablón edictal único, disponible online y donde se publican todas las notificaciones edictales de todo el territorio nacional, adaptándose a las nuevas realidades y los nuevos tiempos[44].

Otra de las grandes revoluciones en los últimos años de la oficina judicial que también fue obra de la Ley 18/2011 es el expediente judicial electrónico, que, como veremos más detalladamente en los siguientes epígrafes, se define como el conjunto de datos, documentos, trámites y actuaciones electrónicas, así como de grabaciones audiovisuales correspondientes a un procedimiento judicial, cualquiera que sea el tipo de información que contenga y el formato en el que se hayan generado. Y junto con el expediente judicial electrónico también se regularon los registros de escritos, de las comunicaciones y de las notificaciones electrónicas.

En cuanto a la tramitación electrónica que también recogió la citada Ley y que posteriormente se materializó con la herramienta LexNET, que permitió tanto la iniciación del procedimiento, como su tramitación, la presentación de escritos y documentos. Sin embargo, todavía el traslado de copias a las partes por vía telemática no es factible, sobre todo en la iniciación del proceso, donde se deben seguir

---

[42]   Disponible en: https://subastas.boe.es/, visitado el día 2 de febrero de 2022.
[43]   DELGADO MARTÍN, J., *Judicial-Tech, el proceso digital y la transformación tecnológica de la justicia, op. cit.*, pp. 26-263.
[44]   Ver en: https://www.boe.es/notificaciones, visitado el día 2 de febrero de 2022.

remitiendo al juzgado copias en papel de cuantos emplazamientos de demandados o querellados haya en la causa. Si se permite, por contra, la acreditación procesal electrónica apud acta o el acceso de las partes a la información sobre el estado de tramitación de un proceso concreto, en el que por supuesto se acredite interés legítimo. Sin embargo, una de las cuestiones que más quebraderos de cabeza ha dado en el ámbito de la justicia electrónica, como veremos, han sido los problemas de interoperabilidad, que ya previó esta Ley y que finalmente se han podido solventar en su mayoría en los últimos tiempos.

Pero posiblemente una de las innovaciones más impactantes fue la inclusión en la Ley 18/2011 de la actuación judicial automatizada. Esta se define como la actuación judicial producida por un sistema de información adecuadamente programado, sin necesidad de intervención de una persona física en cada caso singular, incluyendo también la producción de actos de trámite o resolutorios de procedimientos, así como de meros actos de comunicación. Para la realización de este tipo de actos, la Ley establece como garante al Comité técnico estatal de la Administración judicial electrónica. Este será el encargado de la definición de las especificaciones, programación, mantenimiento, supervisión y control de calidad y en su caso la auditoría del sistema de información y de su código fuente. Esta fase de la actuación judicial automatizada no se ha puesto en marcha y la labor del Comité técnico estatal de la Administración judicial electrónica tiene actualmente una actividad muy reducida. En comparación con la que deberá tener cuando este tipo de actuaciones se pongan en marcha, tal y como veremos en el epígrafe dedicado a este particular, donde se analizará el futuro de la Administración de justicia digital más inmediata o los pasos más próximos.

Por lo tanto, a pesar de que ha pasado más de una década desde la promulgación de la Ley 18/2011, todavía hay margen para la expansión de esta, todo y que se han cumplido con la mayoría de las aplicaciones y funciones que se previeron para la misma. No obstante, el camino es largo y habrá que continuar en ese sendero que lleva a la implementación de más funciones y aplicaciones para su mejora.

2.3 Sistemas de Gestión Procesal

De este modo, las Comunidades Autónomas, al entender que la Administración de Justicia formaba parte de las competencias transferidas, tuvieron consciencia de que también eran ellas las encargadas de confeccionar sus propios sistemas electrónicos de gestión procesal. Era lógico que, al ser las responsables, por un lado, de los medios materiales de la Administración de Justicia -desde edificios judiciales, mobiliario, archivos, equipos informáticos, etc.-, y, por otro lado, las encargadas de gestionar los medios personales como el pago de nóminas a todos los funcionarios y contratados laborales -salvo Jueces, Fiscales y Letrados de la Administración de Justicia-, así como de las tareas de gestión diaria del personal, donde incluimos la concesión de licencias o permisos, el control de horario o los expedientes personales, estas acometiesen, cuanto antes, la tarea de iniciar y crear sistemas de gestión procesal propios.

Desde esta perspectiva descrita se suscita la cuestión esencial de cómo coordinar en el seno de esta construcción digital las diversas Administraciones, con competencias muchas veces compartidas, dado que, en ciertos casos, se observan dificultades de adopción ágil de decisiones útiles. La conformación del estado de autonomías español es ejemplo de cuanto decimos. Las Comunidades Autónomas no supieron entender la importancia de concebir un proyecto integral y de conjunto en cuanto al desarrollo de herramientas informáticas coordinadas y armonizadas. Cada una comenzó una andadura diferente, a diferentes velocidades. Sin embargo, el objetivo era idéntico, la creación e implantación de sistemas de gestión procesal que permitiesen la tramitación automatizada del procedimiento, a través de esquemas de tramitación procesal y documentos. Todo esto arrastraba un problema esencial, cual es el gasto público, los dispendios derivados de la poca rentabilidad de las aplicaciones, además de las incompatibilidades informáticas de los sistemas que impedirían la transferencia de la información a través de los sistemas informáticos, conocidas desde el inicio de su implantación[45]. Este absurdo llevó a que se fueren pro-

---

[45] Tal y como marcaba ya en los años noventa CASTILLO JIMÉNEZ, C., "Los Sistemas de Gestión Jurídica Automatizada", *Informática y derecho: Revista iberoamericana de derecho informático, op. cit.*, 1574. Y como se sigue reivindi-

poniendo sistemas distintos para cada Comunidad Autónoma, con aplicaciones y recursos internos diferentes, lo que provocó una Torre de Babel digital en la Administración de Justicia española.

Por ello, contamos con distintas aplicaciones de gestión procesal en cada Administración con competencias en la Administración de Justicia. Así, contamos con la aplicación del Ministerio de Justicia, Minerva; la aplicación del Ministerio Fiscal, Fortuny. Sin dejar atrás a las aplicaciones de las Comunidades Autónomas con competencias en medios materiales y personales de la Administración de Justicia donde podemos citar la aplicación de Adriano en Andalucía una de las más avanzadas, Atlante en Canarias, Cicerone en Valencia que ha trabajado duramente para mejorar su interoperabilidad, Justizia.eus en el País Vasco, Libra en Madrid, e-justícia.cat en Cataluña tras su renovación por la precedente Themis, Avantius en Navarra, Vereda en Cantabria o Minerva en Asturias y Galicia, entre otras. Como indicábamos anteriormente, algunas son muy parecidas, pero otras son muy diferentes entre sí, lo que pone de manifiesto problemáticas internas diversas respecto a la compatibilidad con otras aplicaciones, las necesidades de desarrollo e incluso las incompatibilidades respecto de los procedimientos que permiten el trabajo interno. Todo ello, da lugar a un crisol de adversidades a las que se enfrenta la Administración de Justicia, que arranca desde los primeros pasos de estas aplicaciones, hace casi dos décadas y se perpetua hasta nuestros tiempos.

A pesar de las numerosas críticas por los defectos en interoperabilidad que iba a despertar en el futuro inmediato, las Comunidades Autónomas prosiguieron con sus proyectos de aplicaciones de gestión procesal autonómicas[46]. Y esto fue el germen de la siguiente fase de la justicia digital en nuestro sistema judicial.

---

cando en los últimos tiempos por parte de las más altas instancias judiciales. Ver noticia en: https://www.lanzadigital.com/provincia/ciudad-real/rouco-reconoce-las-deficiencias-del-expediente-digital-reclama-unico-sistema-gestion-procesal/, visitado el día 26 de agosto de 2021.

[46] PEREA GONZÁLEZ, A., "Una crónica breve y un debate necesario: por un (re)planteamiento de la Administración de Justicia", *Diario La Ley*, Nº 9294, Sección Tribuna, 8 de noviembre de 2018, Wolters Kluwer, pp. 5-6.

2.4 La interoperabilidad

Con las coordenadas expuestas, las Administraciones se pusieron en marcha para solventar los graves problemas de incompatibilidades entre los diferentes softwares que gestionaban los juzgados de cada Comunidad Autónoma. Por ello, uno de los grandes retos que se plantearon fue el de intentar conseguir la comunicación e intercambio de información entre los diferentes sistemas de gestión procesal y las diferentes aplicaciones informáticas utilizadas en los Juzgados y Tribunales.

A priori, se le planteaban dos posibles escenarios: por un lado, un primer escenario donde se podría crear una única aplicación más novedosa, rescatando todas las virtudes de las experiencias con las aplicaciones autonómicas y donde todos cooperasen para crear la herramienta más adecuada a las necesidades de los juzgados. Sin embargo, para su puesta en marcha las Comunidades Autónomas deberían renunciar a los sistemas de gestión procesal informáticos existentes y propios para volver a empezar de cero con la nueva aplicación. Lo que significaba volver a desandar el camino recorrido. Por ello, esta propuesta despertó recelo entre las diferentes Comunidades y el gobierno central. De modo que se optó por el segundo escenario, que consistía en crear aplicaciones raíz que permitiesen la compatibilidad entre las aplicaciones, ya en marcha.

Las incompatibilidades se extendían más allá de las surgidas entre los juzgados de las diferentes Comunidades Autónomas, de manera que también existían problemas de compatibilidad para el intercambio de información con otras Administraciones, como pueden ser la Agencia Estatal de Administración Tributaria, la Seguridad Social y otras entidades de suma importancia dentro del ámbito de la Administración de Justicia, como son los diferentes Registros Centrales. En este sentido es necesario apuntar que a través del Real Decreto 95/2009, de 6 de febrero, por el que se regula el Sistema de registros administrativos de apoyo a la Administración de Justicia[47] se comienza el camino hacia la integración de determinados registros importantes para la Administración de Justicia con el objetivo de evitar la

---

[47]   BOE núm. 33, de 07 de febrero de 2009.

necesidad de consultar registro por registro para acceder a toda la información sobre un determinado individuo. Este sistema, conocido con el acrónimo de SIRAJ (Sistema de Registros Administrativos de apoyo a la Administración de Justicia), relaciona de una sola vez los Registros de Penados, los de Protección de las Víctimas de la Violencia Doméstica, los de Medidas Cautelares, los de Requisitorias y Sentencias No Firmes, los de Rebeldes Civiles, los de Sentencias de Responsabilidad Penal de los Menores y los de Delincuentes Sexuales.

Para mejorar la interoperabilidad, entre los sistemas de gestión procesal de cada comunidad autónoma y los registros oficiales apuntados, el Comité técnico estatal de la Administración de justicia digital creó un Protocolo General para el desarrollo de las nuevas tecnologías de la información y transmisión de datos, desde las aplicaciones de gestión procesal al Sistema Integrado de Registros Administrativos de Apoyo a la Administración de Justicia. Sin embargo, no se encuentra disponible en abierto, por lo que tampoco podemos conocer el grado de especialización del mismo, ni su estadio de implantación. Asimismo, también existían, y siguen existiendo, problemas de interoperabilidad con las instituciones de la Unión Europea, cuyas aplicaciones propias creadas dentro del Espacio judicial único europeo no son interoperables con los sistemas de gestión procesal autonómica, como analizaremos en este trabajo.

El objetivo parece sencillo, ya que no es más que los distintos sistemas puedan comunicarse entre sí la información necesaria y que a la vez sean capaces de remitir los expedientes y documentos judiciales electrónicos de un sistema a otro. Sin embargo, no debemos quedarnos en la superficie de lo que supone esta interoperabilidad, que no debe ceñirse a la estricta comunicación entre juzgados, sino también como comentábamos supra, con otras administraciones y aplicaciones que colaboran con la Administración de Justicia e incluso que el propio ciudadano pueda comunicarse con la Administración de Justicia. De este modo, podemos referenciar, dentro la interoperabilidad tres esferas diferentes:

1. Por un lado, la esfera organizativa, en cuanto a la capacidad para colaborar entre entidades o entre procesos para lograr una mayor eficiencia en la prestación de sus servicios.

2. Por otro lado, la esfera informativa, donde lo importante es la calidad de la información intercambiada, para mejorar la labor de investigación dentro del proceso.

3. Y finalmente, la esfera estrictamente técnica, que se ciñe a la relación entre los sistemas en lo relativo a interfaces, la interconexión, la integración de datos y servicios, la presentación de la información, la accesibilidad y la seguridad, u otros de naturaleza análoga.

Todas estas relaciones están expresamente previstas en el artículo 51 de la Ley 18/2011, de 5 de julio, reguladora del uso de las tecnologías de la información y la comunicación en la Administración de Justicia, citada previamente. Esta norma es la que más ha permitido la interoperabilidad, junto con el Convenio de Colaboración entre el Ministerio de Justicia, el Consejo General del Poder Judicial y la Fiscalía General del Estado, para el establecimiento del Esquema judicial de interoperabilidad y seguridad en el ámbito de la Administración de Justicia, ratificado el 30 de septiembre de 2009[48]. En el citado Convenio cobra un valor predominante el Esquema Judicial de Interoperabilidad y Seguridad (en adelante, EJIS) que supone la priorización de la definición de las actuaciones dirigidas a la consideración de la brecha digital y tecnológica entre las diferentes Administraciones. Este esquema fue previsto junto con el Esquema Nacional de Interoperabilidad[49] que se trazaron en la ya derogada Ley 11/2007, de 22 de junio, de acceso electrónico de los ciudadanos a los Servicios Públicos[50].

---

[48]   Disponible en: https://www.fiscal.es/documents/20142/119628/Convenio+de+c olaboraci%C3%B3n+entre+el+Ministerio+de+Justicia%2C+el+Consejo+Gener al+del+Poder+Judicial+y+la+Fiscal%C3%ADa+General+del+Estado+para+el+- establecimiento+del+esquema+judicial+de+interoperabilidad+y+seguridad+en+ el+%C3%A1mbito+de+la+Administraci%C3%B3n+de+Justici.pdf/7a22834b- 0ce5-1d79-d5ad-e82ca50baf0d?version=1.1&t=1531723196818, visitado el día 29 de agosto de 2022.

[49]   La Administración General del Estado se rige por el Esquema Nacional de Interoperabilidad que establece los principios y directrices de interoperabilidad en el intercambio y conservación de la información electrónica por parte de Administraciones Públicas. Ver más en: https://administracionelectronica.gob.es/ctt/eni#. YSycvdMzbow, visitado el día 30 de agosto de 2021.

[50]   BOE núm. 150, de 23 de junio de 2007.

Enmarcado dentro del objetivo de la interoperabilidad se acordó autorizar la constitución del "Punto Neutro Judicial" en el Pleno del Consejo General del Poder Judicial, en su sesión de 20 de febrero de 2002. Así las cosas, a través de este Punto Neutro Judicial es posible ofrecer a los órganos judiciales los datos necesarios para la tramitación judicial, mediante accesos directos a aplicaciones y bases de datos del propio Consejo, de organismos de la Administración General del Estado y de otras instituciones como la Dirección General de Policía, la Dirección General de Tráfico, el Catastro e incluso entidades bancarias[51]. Todo ello, con el objeto de facilitar y reducir los tiempos en la tramitación de los procesos, de aumentar la seguridad en el intercambio de datos y en definitiva de mejorar el servicio de Justicia al ciudadano[52]. Si debemos puntualizar que los últimos datos disponibles del Punto Neutro Judicial, en cuanto a estadísticas sobre su uso finalizan en el año 2012, donde se aprecia un claro ascenso desde el año 2008.

En este mismo contexto, comienza el proyecto LexNET que se inició con la entrada en vigor del Real Decreto 84/2007, de 26 de enero, sobre implantación en la Administración de Justicia del sistema informático de telecomunicaciones LexNET para la presentación de escritos y documentos, el traslado de copias y la realización de actos de comunicación procesal por medios telemáticos[53], actualmente derogado. Incorporó grandes cambios para todos los agentes que trabajan con la Administración de Justicia, como que el proceso se pueda estar tramitando durante las 24 horas del día y todos los días del año, la presentación de los documentos por vía telemática en formato digital o que los actos de comunicación se realizasen desde ese momento, a través de medios electrónicos. LexNET se consolidó con la entrada en vigor del Real Decreto 1065/2015, de 27 de noviembre, sobre comunicaciones electrónicas en la Administración de Justicia en el ámbito territorial del Ministerio de Justicia y por el que se regula el

---

51   Ver catálogo de aplicaciones y servicios en: https://www.poderjudicial.es/cgpj/es/Temas/e-Justicia/Servicios-informaticos/Punto-Neutro-Judicial/, visitado el día 30 de agosto de 2021.

52   ABEL LLUCH, X., "La prueba en los procesos de familia", La Ley, Madrid, 2019, Cap. V visto en la versión electrónica LA LEY 2571/2019.

53   BOE núm. 38, de 13 de febrero de 2007.

sistema LexNET. No todo fue fácil, empero, dado que se produjo la total incorporación y empleo obligatorio para todos a partir del 1 de enero de 2016, fruto de la implementación de la política de papel cero impulsada por el Ministerio de Justicia de aquel momento[54].

Existen otros proyectos interesantes que igualmente han incidido en la informatización jurídica, como el Proyecto INFOREG, una aplicación informática diseñada en el ámbito del proyecto de informatización de los Registros Civiles, iniciado en el año 1999, prevista para la ejecución de las disposiciones establecidas en la Orden del Ministerio de Justicia de 19 de julio de 1999, sobre informatización de los Registros Civiles. Esta aplicación informática fue aprobada por Orden del Ministerio de Justicia, de 1 de junio de 2001, sobre libros y modelos de los Registros Civiles Informatizados y cuenta ya con numerosas actualizaciones hasta nuestros días, aunque aún no se ha culminado el proyecto de informatización de los Registros Civiles como veremos. O el Convenio suscrito entre el Consejo General del Poder Judicial y la Fábrica Nacional de Moneda y Timbre-Real Casa de la Moneda del 9 de diciembre de 2003, para dotar a todos los jueces y magistrados de firma electrónica para las relaciones electrónicas directas entre los miembros de la carrera judicial y el CGPJ[55].

Sin embargo, pese a todo lo que hasta el momento se ha venido realizando y a las múltiples herramientas informáticas que se han ido incorporando en sede judicial, somos conocedores de que aún persisten problemas de interoperabilidad, tanto entre los diferentes sistemas de gestión procesal de las diferentes comunidades autónomas, como en estos sistemas de gestión internamente con las aplicaciones informáticas utilizadas en los juzgados. A modo de ejemplo, podemos señalar problemas en este sentido entre los sistemas de gestión procesal y las aplicaciones LexNET, NAUTIUS y ARCONTE. Por ello, es necesario conjugar las competencias de las Comunidades Autónomas y las competencias nacionales. Ha habido acuerdos, ciertamente, si bien en

---

[54]   Ver más sobre este particular en: CÁTALAN CHAMORRO, M.J., "Problemática circundante a la entrada en vigor de LexNET", *Revista Boliviana de Derecho*, nº 22, julio 2016.

[55]   GÓMEZ DE LIAÑO DIEGO, R., "LexNET y otros medios informáticos en la nueva organización de la administración de justicia", *Diario La Ley*, Nº 7039, Sección Doctrina, 22 de octubre de 2008, LA LEY 40115/2008

muchos casos se trata de cuestiones mínimas, como es la unificación en los códigos de errores informáticos en el ámbito de la Administración de Justicia. Sin embargo, creemos que no son suficientes y se debe hacer un esfuerzo con el fin de preferenciar la interoperatibilidad de las aplicaciones electrónicas respecto de aspiraciones políticas nacionalistas de las comunidades autónomas.

En todo cuanto venimos exponiendo concurre un componente que no es ajeno a la eficiencia y operatividad de estos sistemas y es precisamente el factor humano, a saber, la preocupación intensa de los funcionarios de la Administración de Justicia que manejan estos sistemas y que observan con enorme preocupación la interoperabilidad de sus sistemas de gestión procesal, especialmente en relación con la aplicación NAUTIUS. Esta aplicación está diseñada a modo de sistema de mensajería y permite que la totalidad de los asuntos, exhortos y recursos sean enviados entre órganos judiciales de la propia comunidad de forma telemática[56]. Igualmente es importante la integración de las distintas aplicaciones de gestión procesal con el sistema LexNET, por su importancia en el envío de notificaciones y la recepción de los correspondientes acuses de recibo de manera más ágil a como lo tienen que realizar los funcionarios en la actualidad. Y finalmente, también es transcendental la integración entre los órganos judiciales y el sistema ARCONTE[57], ya que esta aplicación permite la incorporación de los datos de los asuntos en un sistema de grabación de vistas y la consecuente integración de las actas generadas en el sistema[58] que, en

---

[56]   Ver más sobre su funcionamiento en Justicia Digital en Andalucía, Iteraciones Adriano Manual Básico de Usuario (V 1.0.0) de 4 de febrero de 2019. Disponible en: https://www.juntadeandalucia.es/justicia/portal/adriano/.content/recursosexternos/Itineraciones_Adriano_1.0.0.pdf, visitado el día 3 de noviembre de 2021.

[57]   Ver más sobre ARCONTE en las CC.AA. donde se aplica en: https://www.administraciondejusticia.gob.es/paj/publico/pagaj/servicios/!ut/p/c5/04_SB8K8xLLM9MSSzPy8xBz9CP0os3hjL0MjCydDRwN3k0AzA8c-gI0sTRwsnI4NAE6B8pFm8n4ErVD7M2dDA0ckoxC_E0MTIwMCcGN-0GOICjAQHd4SDX4rcdJI_HfD-P_NxU_YLc0AiDLBNFAKhgDLw!/dl3/d3/L2dJQSEvUUt3QS9ZQnZ3LzZfM0oxMjhCMUEwRzRRNjBBUjI5NEE4QjI_wUTQ!/?carpetaAlfresco=799ba089-ba66-42f4-8f51-f8f9818d73ff visitado el día 3 de noviembre de 2021.

[58]   GIRÁLDEZ BLANCO, J. y RAMIS GIMENO, M.J., *Borrador de informe Sistemas de gestión procesal de la Administración de Justicia*, Fòrum de debat

los próximos tiempos como veremos a lo largo de este trabajo, será mejorada con la inclusión de la inteligencia artificial.

En la actualidad el Comité técnico estatal de la administración de justicia electrónica trabaja en más de once proyectos de interoperabilidad, siendo, a este respecto, el proyecto prioritario el de la interoperabilidad con las instancias superiores. A pesar de que un expediente judicial esté completamente digitalizado, en caso de que este precise de una revisión por otro tribunal superior jerárquico, este expediente deberá ser impreso en su totalidad y posteriormente remitido por correo postal al órgano competente para el recurso. Esta situación se agrava con expedientes insulares procedentes de Canarias, Ceuta o Melilla. La conexión de interoperabilidad que actualmente se sitúa con máxima prioridad es la de los Tribunales Superiores de Justicia con el Tribunal Supremo, por el volumen de expedientes que se mueven entre estos órganos, ya que hasta hace muy poco tiempo se debían de imprimir los expedientes de los Tribunales Superiores de Justicia y enviarlos por correo postal para posteriormente volver a digitalizarlos en el Tribunal Supremo.

Por todo ello, debemos apuntar que la interoperabilidad no es una fase finalizada, al igual que tampoco lo es la ofimática, ya que conforme avanza la digitalización del mundo jurídico y se amplían las comunicaciones que pasan a ser digitalizadas continúan surgiendo problemas y nuevas necesidades de adaptación. Así, mientras que la esfera privada ya trabaja con inteligencia artificial aplicada al Derecho, la esfera pública aún trabaja con interfaces del siglo pasado y con programas informáticos bastante rudimentarios. Por ello, una de las actuales prioridades de la Unión Europea es la modernización de los sistemas judiciales comunitarios y lidera proyectos de financiación a los países miembro para acelerar la digitalización de los sistemas judiciales e impulsar la formación de los profesionales de la justicia[59].

Justícia a la Comunitat Valenciana, Observatori l'entorn de la justicia, 2016, p. 13. Disponible en: https://cjusticia.gva.es/documents/19317797/0/3_sistema s+gesti%C3%B3n+procesal+e+interoperabilidad_Ramis+y+Gir%C3%A1ldez. pdf/4e445e0a-54f4-4963-b290-a46557967682, visitado el día 3 de noviembre de 2021.

[59] Ver mas en: *Study on the use of innovative technologies in the justice field. Final Report*, Publications Office of the European Union, 2020. Disponible en: https://

2.5 El Expediente Judicial Electrónico

Desde una de las primeras reformas de la LOPJ, a través de la Ley 16/1994, de 8 de noviembre[60], se introduce la idea de que el soporte para la tramitación del procedimiento puede producirse a través de medios técnicos, electrónicos e informáticos. Siempre que estos ayuden dentro del desarrollo de la actividad y el ejercicio de las funciones de juzgados y tribunales. Más tarde veríamos como esta idea se reforzó en los textos analizados en el capítulo anterior como la Carta de Derechos de los Ciudadanos Ante la Justicia o el Plan de Transparencia Judicial y por supuesto con la Ley 18/2011, de 5 de julio, reguladora del uso de las tecnologías de la información y la comunicación en la Administración de Justicia, que supuso el empuje definitivo hacia el expediente electrónico, que analizaremos en profundidad en el siguiente epígrafe.

2.5.1 Definición y puesta en marcha

La puesta en marcha del expediente judicial electrónico se inició con la Disposición final duodécima de la Ley 42/2015, de 5 de octubre, de reforma de la Ley 1/2000, de 7 de enero, de Enjuiciamiento Civil, que estableció una fecha límite, en concreto el 1 de enero de 2016, para poner fin a la voluntariedad, y dar comienzo a la obligatoriedad en el uso de medios telemáticos y electrónicos en el proceso. Así, se establece el uso preceptivo por todos los profesionales de la justicia de órganos, oficinas judiciales y fiscales, que aún no lo hicieran, de emplear los sistemas telemáticos existentes en la Administración de Justicia para la presentación de escritos y documentos y la realización de actos de comunicación procesal. Estas medidas eran la manifestación de la política del papel cero en la Administración de Justicia.

Aun cuando la premisa era más que evidente, se prevé igualmente que, por motivos de seguridad jurídica, sean impresas en papel las resoluciones que ponen fin al proceso, a pesar de estar firmadas digitalmente a través del portafirmas habilitado. Asimismo, se incorporan

---

op.europa.eu/en/publication-detail/-/publication/4fb8e194-f634-11ea-991b-01aa75ed71a1/language-en, visitado el día 5 de noviembre de 2021.

60   BOE núm. 268, de 9 de noviembre de 1994.

físicamente al expediente en papel a pesar de seguir manteniendo la versión digital en el expediente digital de los procesos. El principal motivo que se alega circunda en torno a la dilatación en el tiempo de las ejecuciones, manteniendo así una llamada doble vía para garantizar el aseguramiento de sentencias condenatorias definitivas y ejecutables[61]. La cautela y el temor que anidan en estos sentimientos impiden la disrupción total, manteniendo una suerte de vidas paralelas pero simultáneas del papel y de lo digital.

En todo caso, un paso adelante indiscutible se produce con la aparición del expediente judicial electrónico, que puede definirse como el conjunto de información, en este caso recibida a través de medios telemáticos, que se genera durante la tramitación de un expediente judicial. Entre toda esta información se incluyen la emitida desde la propia oficina judicial, la aportada por las partes durante todo el proceso e incluso la derivada de informes periciales o de cualquier otro profesional[62]. Así las cosas, este podrá contar con expedientes o subexpedientes relacionados por ser piezas separadas del original. De este modo, cada asunto se identifica con una referencia única, denominada Número de Identificador General (en adelante, NIG) del que disponen todos los expedientes relacionados con una misma causa, sea cual sea la oficina judicial que los tramite en todo el territorio nacional[63].

Como comentábamos supra, ha sido en la segunda década del XXI cuando la Administración de justicia ha puesto un mayor empeño en el desarrollo de este expediente electrónico, lo que se puede traducir en una tramitación electrónica integral. O, dicho en otras palabras, que desde el inicio hasta la conclusión del proceso se opere de manera digital, limitando el papel a situaciones in extremis donde los sistemas informáticos no funcionen o se deban utilizar de manera supletoria[64].

---

[61]   GONZÁLEZ ROMERO, M.M., "El expediente judicial electrónico", *Práctica de Tribunales*, Nº 131, marzo-Abril 2018, Wolters Kluwer, p. 9.

[62]   *Ibidem.*, p.8.

[63]   GIRÁLDEZ BLANCO, J. y RAMIS GIMENO, M.J., *Borrador de informe Sistemas de gestión procesal de la Administración de Justicia, op. cit.*, p. 13., visitado el día 3 de noviembre de 2021.

[64]   DELGADO MARTÍN, J., *Judicial-Tech, el proceso digital y la transformación tecnológica de la justicia, op. cit.*, p. 21

Ciertamente, en el año 2020 se publicitaron avances y desarrollo en el campo de la algoritmización de la justicia y la inteligencia artificial en el seno de la Administración de Justicia. Sin embargo, estos avances quedaron algo limitados en un primer momento por la pandemia, y posteriormente, por la necesidad de garantizar una continuidad presupuestaria. Si bien, las previsiones comunicadas por el Ministerio de Justicia a la Comisión Europea fueron más rápidas de lo que posteriormente los hechos nos han demostrado. En el citado informe, nuestro país comunicó en el año 2020 que ya contaba con diversas herramientas informáticas dotadas con inteligencia artificial, como la textualización de medios audiovisuales que preveía estar desarrollada entre diciembre de 2018 y diciembre del 2020, la clasificación automatizada de documentos que debería estar en marcha desde diciembre 2021, así como la biometría para personas prevista para la misma fecha[65]. O las previsiones remitidas por el Centro de Documentación Judicial (en adelante, CENDOJ) que estarían listas entre los años 2018 a 2022 y que versan sobre utilidades como la clasificación automatizada de sentencias, creación de datos estructurados o sentencias automatizadas con pseudonimización, entre otras[66]. Tal y como veremos en el capítulo tercero, estas tareas aún están en fase de implantación, si bien, esta fase avanza a buen ritmo.

Los años esenciales en la última década no fueron, en esencia, tan florecientes como pareciera, máxime debido a la comparativa con algunos países de la UE en este punto. Hasta aproximadamente el año 2016 los expedientes judiciales han estado formados por un conjunto de papeles, que durante la tramitación del proceso debían trasladarse físicamente de un sitio a otro para la tramitación de la pretensión ejercitada, hasta la finalización del proceso en todas sus instancias[67]. Esto no es sino la consecuencia de que hasta la aprobación de la Ley 42/2015 el hábitat digital en la Justicia era un desierto. Con esta Ley, como indicábamos supra, se obligó a partir del 1 de enero de 2016 a que todas las comunicaciones, que los diferentes operadores jurídicos

---

65 *Study on the use of innovative technologies in the justice field. Final Report, op. cit.*, p. 134.
66 *Ibidem*, p. 134-135.
67 GONZÁLEZ ROMERO, M.M., "El expediente judicial electrónico", *Práctica de Tribunales, op. cit.*, Wolters Kluwer, pp. 2-3.

estableciesen con el juzgado -abogados, procuradores, graduados sociales, administraciones públicas, ayuntamientos, Guardia Civil, Policía Nacional y local, centros de salud y hospitales, así como cualquier otro colectivo que interactúe con la Administración de Justicia- debían presentar sus documentos mediante LexNET. De modo que, el inicio de cualquier asunto, de cualquier orden jurisdiccional debe ser únicamente de manera telemática y de lo contrario, este asunto no existirá para el mundo de los procesos judiciales. Esta máxima está solamente interrumpida por la salvedad de los pocos procesos a los que los ciudadanos pueden acceder sin la preceptiva obligación de contar con abogado y procurador. No obstante, en estos casos será el Servicio Común General de cada juzgado el encargado de escanear estos documentos para su incorporación como documento al expediente digital antes de su reparto y posterior remisión al juzgado competente. Una solución mixta poco operativa pero que ofrece respuestas ante situaciones especiales. Ahora bien, el Ministerio de Justicia abrirá próximamente la posibilidad a que los ciudadanos presenten este tipo de demandas también telemáticamente a través de la sede electrónica de justicia, si bien, esperamos que no se convierta en la única vía para la presentación y que esto suponga un motivo más para el aumento de la brecha digital ya existente.

El expediente judicial electrónico tiene una vocación interesante y ofrece *a priori* una buena mejora de partida de la Administración de Justicia de manera sustantiva. Entre sus ventajas podemos citar la amplia seguridad jurídica que tanto los operadores del Derecho como la propia Administración de Justicia tienen en cuanto a la hora, día de presentación de los escritos o evidencias. Así como del reparto de los asuntos de manera automática a través de la remisión telemática, eliminando problemáticas como la pérdida sobrevenida de expedientes que debían viajar de un juzgado a otro distanciados geográficamente. Otra de las ventajas es la rapidez con la que el operador puede conocer la decisión judicial de aceptación del proceso, de citaciones, diligencias de ordenación o de los autos, así como la decisión que ponga fin al proceso, ya sea por auto o sentencia. Además, el expediente judicial electrónico no solamente ha afectado a todos los procesos judiciales iniciados tras su puesta en marcha, sino que también ha supuesto digitalizar millones de documentos anteriores a la norma. De todas estas tareas se encarga el Servicio Común de Registro, Reparto,

Digitalización y Archivo de documentos que debe estar implantado en cada juzgado y tribunal de la nueva oficina judicial.

Insistimos, *a priori*, nos hallamos ante un buen instrumento que puede servir y favorecer la tarea de los tribunales de justicia, la gestión de y por los operadores jurídicos y un más sencillo y eficaz acceso a la Justicia de un buen número de justiciables, lo que hace pensar que su incorporación es un eje esencial y positivo de la digitalización de las instituciones públicas y, en concreto, de la Justicia.

2.5.2 Composición del Expediente Judicial Electrónico

Si nos centramos en los componentes informáticos o de software del expediente judicial electrónico podemos distinguir cuatro grandes bloques:

1. En primer lugar, los ya comentados sistemas de gestión procesal en los que se tramitarán electrónicamente los procedimientos. Actualmente los sistemas de gestión autonómicos procesales que hemos analizado se encuentran relativamente integrados e interoperables. Estos sistemas son el software base donde los funcionarios de la administración de justicia van incluyendo los datos sobre cada proceso, tramitación y acciones a realizar. De esta manera, se puede conocer el *iter* del proceso, su estado y sus próximas acciones minuto, a minuto.

2. En segundo lugar, tenemos el sistema LexNET, que analizaremos en el próximo epígrafe -ya que temporalmente a pesar de que se ha desarrollado a la vez que el expediente judicial electrónico, fue puesto en marcha posteriormente a este-. Esta plataforma se une al expediente judicial electrónico para proporcionar un intercambio seguro de información entre los órganos judiciales y los operadores jurídicos. Es el módulo de conexión con el exterior, a través del cual los órganos judiciales se comunican tanto con abogados y procuradores, como con fuerzas y cuerpos de seguridad del Estado, hospitales, Agencia Tributaria, Seguridad Social u otras administraciones públicas a las que tenga que notificarle o comunicarle alguna información sobre un proceso judicial iniciado y viceversa de estos organismos a los juzgados y tribunales de todo el país, de cualquier orden jurisdiccional o partido judicial.

Amén de LexNET coexisten un interesante número de aplicaciones de utilidad, tales como el cargador de expedientes administrativos electrónicos que permite el intercambio electrónico de los expedientes administrativos desde las administraciones públicas, a la de Justicia. A través de integración efectiva del sistema Cargador con el sistema INSIDE se permite a cualquier Administración una vía de remisión de expedientes administrativos electrónicos a la Administración de Justicia cumpliendo con todas las garantías legales. Tarea de integración que se ha culminado con la plataforma GEISER (Gestión Integrada de Servicios de Registro), de forma que cualquier Sistema de Gestión Procesal conectado al sistema LexNET dispone inmediatamente de la posibilidad de utilizar el servicio de remisión de oficios administrativos[68].

3. Como tercer pilar del expediente judicial electrónico tenemos el visor documental *Horus*, que facilita la consulta de los procedimientos y de la documentación asociada a los mismos en formato electrónico, incluso permite la visualización de los vídeos de las grabaciones de las salas de vistas en todas las sedes donde se encuentra implantado este sistema. Esta grabación también es incorporada al expediente judicial electrónico de cada proceso. El sistema *Horus* genera un archivo que ordena cronológicamente los acontecimientos procesales y lo acompaña de un índice. Cuando el profesional o juez interesado accede a la descarga puede seleccionar la totalidad del expediente o actos concretos de los que requiera su re-visualización. Esta descarga se realizará a través de un archivo comprimido en formato Zip[69].

4. Y finalmente la aplicación *Portafirmas*[70], que permite tanto a los Letrados de la Administración de Justicia como a los Jueces firmar

---

[68]   Presentado el 27 de febrero de 2019, en el marco del IX Congreso Nacional de Innovación y Servicios Públicos, el Ministerio de Justicia. Disponible en: https:// LexNETjusticia.gob.es/blog/-/blogs/el-ministerio-de-justicia-premiado-por-la-remision-electronica-de-expedientes-administrativos-en-cnis-2019 visitado el día 14 de enero de 2022.

[69]   Comunicación del Secretario de Gobierno sobre Puesta en Marcha de la Plataforma Acceda-Justicia, Secretaría de Gobierno, Tribunal Superior de Justicia del Principado de Asturias.

[70]   MARTÍNEZ DE SANTOS, A., "La importancia de la figura del letrado de la Administración de Justicia en el nuevo expediente judicial", *Práctica de Tribunales*, Nº 131, Marzo-Abril 2018, Wolters Kluwer, LA LEY 2174/2018.

las resoluciones que dictan de una manera segura de validar dichas firmas y la integridad de los documentos firmados, aunque posteriormente deban ser impresas en papel para su archivo según el protocolo actual de los juzgados[71].

Entre otras aplicaciones de interés pueden igualmente citarse, la referida al Registro Electrónico de Apoderamientos Judiciales (REAJ), que permite otorgar un apoderamiento apud acta mediante comparecencia electrónica[72], sin necesidad de la presencia física del poderdante ante el LAJ. Así como la aplicación que gestiona la cuenta de consignaciones del banco de Santander que incluye un sistema de avisos y localización, como medida de agilización de la tramitación de los pagos pendientes en los procesos[73]. Es también muy importante el sistema de registro y de reparto de procedimientos digitalizados, gestionado por el Servicio Común de Registro de reparto y digitalización y archivo del juzgado o Tribunal. Este sistema se dedica a la recepción, registro, digitalización y catalogación en un gestor documental de los documentos que entran al juzgado a través de LexNET, diferenciando si estos documentos son iniciadores de procedimientos (demandas, querellas, atestados o denuncias) o si por el contrario son escritos interlocutorios de un proceso en curso. Así las cosas, una vez registrado y numerado el documento se reparte según las normas de reparto de cada partido judicial, se tendrá que dar de alta a todos los intervinientes de cada expediente, donde se incluirán también los datos personales de las partes.

---

[71]   GONZÁLEZ ROMERO, M.M., "El expediente judicial electrónico", *Práctica de Tribunales, op. cit.*, Wolters Kluwer, pp. 13-14.

[72]   En el año 2018 se registraron más de 92.000 accesos a REAJ. HERNANDEZ CARRIÓN, J.L., "Interoperabilidad de los diferentes sistemas informáticos de las Administraciones de Justicia", XIII *Jornadas Nacionales de Comisiones de relaciones con la Administración de Justicia*, p.19. Disponible en: https://www.abogacia.es/wp-content/uploads/2018/07/1030H-1200H-jose_luis_hernandez_carrion.pdf, visitado el día 26 de noviembre de 2021.

[73]   Es importante advertir el gran volumen de transacciones que actualmente lleva a cabo esta cuenta de depósitos y consignaciones que mueve un volumen de 1.300 millones de euros al mes y que cuenta con más de 4.000 millones de euros bloqueados a la espera de decisiones judiciales según fuentes del Ministerio de Justicia. Por ello, sería muy interesante dotar a este sistema de mayor agilidad con la inclusión de tecnologías disruptivas.

De este modo, todos los intervinientes autorizados pueden, desde ese momento, acceder a través de su ordenador personal al expediente judicial electrónico para su gestión y tramitación. Así mismo, se pueden remitir los escritos de trámite que se vayan produciendo en el seno del proceso y que se incorporan telemáticamente de forma automática a su expediente de destino, donde se puede consultar el orden secuencial correspondiente al cronológico de los acontecimientos realizados[74].

2.5.3 El iter procesal en el expediente judicial electrónico

El servicio común de ordenación del procedimiento recibirá a través de LexNET el documento por el cual tenga que iniciarse un proceso judicial. Este servicio común de ordenación del procedimiento iniciará un legajo del expediente judicial donde constará la hoja de reparto y registro. Posteriormente, el servicio común de ordenación del proceso pone a disposición de la unidad procesal de apoyo directo, que dirija el juez que por turno tenga que resolver la cuestión, el expediente telemático. Así, a la unidad de apoyo directo se le indicarán en tareas pendientes de manera indexada y cronológicamente ordenada todos los procedimientos puestos a disposición de ese órgano y pendientes de la actuación judicial.

Con todo, sin embargo, deberán ser los funcionarios los que cambien el estado de cada procedimiento conforme vaya avanzando la tramitación, lo que ha repercutido en ocasiones en errores que han dejado expedientes extraviados o bloqueados en el pasado por no haber modificado las diligencias o acontecimientos procesales. A todo ello debe añadirse, igualmente, que cada gestor procesal autonómico cuenta con sus propios códigos en los estados de los procesos, lo que da lugar a una necesaria y exhaustiva revisión de la tramitación digital por parte no solo de los funcionarios, sino de todos los operadores jurídicos que participan del proceso.

Así, informáticamente se ha realizado un software con distintos itinerarios y fases procedimentales que se irá implementando cada vez

---

[74]   GONZÁLEZ ROMERO, M.M., "El expediente judicial electrónico", *Práctica de Tribunales, op. cit.*, Wolters Kluwer, pp. 9-10.

más. Donde ya se encuentran plantillas para realizar oficios e incluso sentencias y sobre el que existen proyectos que permitirán la inclusión de la inteligencia artificial para guiar aún más a los cuerpos judiciales. Los pasos que se han dado son ineludiblemente importantes, si se echa la vista atrás desde comienzos del siglo XXI, todo y que no se puede caer en la fascinación de la tecnología, del solucionismo tecnológico[75] con una pasión por la digitalización y la algoritmización que nos lleve a pensar en una Justicia perfecta, lo que Barona Vilar denomina la Smart Justice, con sistemas algorítmicos instrumentales y funcionales, con inteligencias artificiales de primera generación y las de última también, entre las que se encuentran las posibles manifestaciones del juez-robot[76]. El camino es largo y la mente humana sigue siendo por el momento la mente inteligente, frente a la artificialidad de las máquinas.

2.5.4 Los retos actuales del Expediente Judicial Electrónico

Aún existen múltiples reivindicaciones por parte de los funcionarios de los juzgados respecto de la ya comentada falta de interconexión entre las aplicaciones de gestión procesal, no solo con otras aplicaciones de gestión procesal autonómicas, sino entre las propias de un juzgado. Una de las grandes falencias que se muestran en la actualidad en este mundo digital de la justicia es precisamente que no exista un programa único que sea capaz de conectar las distintas aplicaciones con las que operan diariamente. Así mismo, se reivindica la creación de un mismo entorno digital que permita realizar todas las tareas sin tener que entrar y salir de las aplicaciones continuamente, con la consecuente inclusión de usuario y contraseña propios de cada aplicación. De ese modo, se permitiría navegar entre el sistema de registro, el sistema de reparto de procedimientos digitalizado con la

---

[75] BARONA VILAR, S., *Algoritmización del Derecho y de la Justicia, De la Inteligencia artificial a la Smart Justice, op.cit*, pp. 246-248 y BARONA VILAR, S., "Una justicia "digital" y "algorítmica" para una sociedad en estado de mudanza", *Justicia algorítmica y neuroderecho Una mirada multidisciplinar,* Tirant Lo Blanch, Valencia, 2021, pp. 23-25.

[76] SOLAR CAYÓN, J.I., "Retos de la deontología de la abogacía en la era de la inteligencia artificial jurídica", *Teoria Jurídica Contemporânea,* Vol. 6, 2021, pp. 14-21.

plataforma de portafirmas digital e incluso con el visor documental o con la aplicación de acceso a la cuenta de consignaciones judiciales del banco de Santander, lo que haría el trabajo de nuestros funcionarios más eficiente y eficaz, eliminando tiempos muertos de nuestro funcionariado tratando de acceder a cada aplicativo[77]. Otra de las reivindicaciones concierne a la lentitud e incidencias repetitivas de las citadas aplicaciones, cuestión que solo puede ser solventada con una mejoría en los recursos económicos invertidos en servicios informáticos que permitan obtener aplicaciones con un mayor potencial de procesamiento.

Debemos, como colofón, hacer referencia, sin embargo, a una de las inquietudes que de forma constante se han venido planteando desde la Administración de Justicia, considerada una de las reivindicaciones históricas, la posibilidad de realizar el trabajo desde el domicilio, lo que se ha venido a consagrar como teletrabajo, que se ha satisfecho durante el periodo de confinamiento, así como durante la época postpandemia, a pesar de que todavía existen muchas reticencias por parte de la Administración pública en general para la aceptación del teletrabajo como modo usual para el desempeño de las funciones propias de los trabajadores públicos. Estas reticencias están posiblemente fundamentadas en la falta de control sobre la disponibilidad de estos trabajadores y en cuanto a garantizar la atención a ciudadanos y profesionales[78]. Sin embargo, nuevamente, mejorar la calidad en el servicio que se presta a los ciudadanos queda fuera de la agenda de los intereses más básicos sobre los que actuar.

2.6 LexNET

En enero de 2007 entró en vigor el Real Decreto 84/2007, de 26 de enero, sobre implantación en la Administración de Justicia del sistema informático de telecomunicaciones LexNET para la presentación de

---

[77]   GONZÁLEZ ROMERO, M.M., "El expediente judicial electrónico", *Práctica de Tribunales, op. cit.*, p.10.

[78]   ESCUDERO MORATALLA, J.F. y FERRER ADROHER, M., "Breves consideraciones sobre el teletrabajo en la Administración de Justicia", *Diario La Ley*, Nº 9917, Sección Tribuna, 21 de septiembre de 2021, Wolters Kluwer, LA LEY 8981/2021, pp. 6-7.

escritos y documentos, el traslado de copias y la realización de actos de comunicación procesal por medios telemáticos[79]. Así las cosas, la aplicación LexNET comienzó a formar parte del día a día jurídico. Sin embargo, este Real Decreto reguló de modo escueto esta nueva aplicación y solo estableció su utilización obligatoria para los LAJ y para los funcionarios de los Cuerpos al servicio de la Administración de Justicia y Colegios de Procuradores que contasen con los medios técnicos necesarios. Además, se previó su aplicación gradual en el territorio nacional, en función de las posibilidades técnicas y presupuestarias del Ministerio de Justicia y respecto de aquellas oficinas judiciales y tipos de procedimientos incluidos en cada fase del proceso de despliegue.

Posteriormente, la ya comentada Ley 18/2011, que definió un marco general del uso de medios informáticos en la Administración de Justicia, dedicó parte de su articulado a regular el registro de escritos, las comunicaciones y las notificaciones electrónicas con la Administración de Justicia[80]. Posteriormente, para el desarrollo normativo de estas previsiones vio la luz el Real Decreto 1065/2015, de 27 de noviembre, sobre comunicaciones electrónicas en la Administración de Justicia en el ámbito territorial del Ministerio de Justicia y por el que se regula el sistema LexNET. En ese momento, el cambio de escenario fue radical debido a la obligatoriedad para los profesionales de la justicia, los órganos y oficinas judiciales y fiscales del uso de los sistemas electrónicos existentes en la Administración de Justicia. Es decir, desde aquel momento, se convertía en obligatorio el uso de LexNET para la presentación de escritos y documentos y para la recepción de actos de comunicación de los juzgados y tribunales, naciendo junto con esta obligación un variado catálogo de problemas técnicos en su uso. Además, no solo entraba en juego este software para los operadores jurídicos, sino que también comenzaba a operar la sede electrónica

---

[79]   BOE núm. 38, de 13 de febrero de 2007.

[80]   Junto con el impulso de la Ley 19/2015, de 13 de julio, de medidas de reforma administrativa en el ámbito de la Administración de Justicia y del Registro Civil y la Ley 42/2015, de 5 de octubre, de reforma de la Ley 1/2000, de 7 de enero, de Enjuiciamiento Civil, en las que ambas, en sus respectivos textos, contienen disposiciones que abordan aspectos relativos a las comunicaciones telemáticas y electrónicas.

para los ciudadanos que optasen por relacionarse con la Administración de Justicia por medios electrónicos.

Como hemos venido reiterando, el problema inicial que emergió fue el de la compatibilidad de los diversos sistemas operativos, lo que propulsaba una falta de capacidad del software para el envío de la documentación de una causa al juzgado[81], así como problemas con la firma digital que se eternizaba en las firmas o en las que solo algunos funcionarios del juzgado estaban habilitados para realizarlas. Todo ello, unido a los conocidos y frecuentes colapsos, averías y caídas del sistema que se vinieron produciendo desde su implantación, aun cuando estas cuestiones fueron poco a poco paliándose y generándose con menor asiduidad en el quehacer cotidiano. En suma, la pretendida política de papel cero generó enormes dificultades en sus inicios tanto al Ministerio de Justicia como a los demás operadores jurídicos que debían utilizar LexNET -abogados, procuradores, trabajadores sociales, fuerzas y cuerpos de seguridad del Estado u hospitales-[82].

Poco a poco estas problemáticas se fueron solventando y en la actualidad podemos decir que existe un momento de normalidad en el uso de la aplicación LexNET para la remisión y envío de documentos y comunicaciones de los juzgados y tribunales con los operadores jurídicos autorizados. La falta inicial de capacidad del programa para adjuntar toda la documentación pertinente en los procesos con un mayor volumen se ha intentado solventar con la enésima aplicación que deben manejar los operadores jurídicos, llamada ACCEDA. Esta

---

[81]   El sistema LexNET tenía un máximo de capacidad de 10 Mb de envío, actualmente goza de 30 Mb desde 2019. Así en virtud del artículo 18 del RD. se establece que cuando por el exceso del volumen de los archivos adjuntos, por el formato de éstos o por la insuficiencia de capacidad del sistema LexNET, el sistema no permita su inclusión, impidiendo el envío en forma conjunta con el escrito principal, se remitirá únicamente el escrito a través del sistema electrónico y el resto de documentación, junto con el formulario normalizado o el índice con el número, clase y descripción de los documentos y el acuse de recibo de dicho envío emitido por el sistema, se presentará en soporte digital o en cualquier otro tipo de medio electrónico que sea accesible para los órganos y oficinas judiciales y fiscales, ese día o el día hábil inmediatamente posterior a la fecha de realización del envío principal, en el órgano u oficina judicial o fiscal correspondiente.

[82]   Ver más sobre estas incompatibilidades iniciales en: CATALÁN CHAMORRO, M.J., "Problemática circundante a la entrada en vigor de LexNET", *Revista Boliviana de Derecho, op. cit.* pp. 303-310.

aplicación, disponible a través del portal de Servicios Digitales[83], permite adjuntar al escrito, atestado o parte hospitalario toda la documentación sin el límite actual de 30MB[84]. De la misma manera se ha ampliado la posibilidad de configurar la lengua de la aplicación LexNET, y cumpliendo a su vez con la normativa vigente, ya es posible utilizar la aplicación no solo en castellano, sino también en euskera, catalán, gallego y valenciano.

No obstante, no son pocas las voces que apuntan a fallos de seguridad importantes en esta aplicación. En este sentido, puede propiciar desprotección y vulneración de datos de carácter personal muy íntimos de la ciudadanía[85], tal como sucedió en 2017. Fue una falla del sistema que llevó a que cualquier usuario de la plataforma pudiera entrar en los perfiles de otros abogados y cuentas registradas y, por lo tanto, acceder a todos sus documentos. Este fallo se achacó en el comunicado del Ministerio de Justicia a un defecto en el control de accesos al sistema ocasionado por un error en la programación del código, comunicado en el que se ratifica que LexNET cuenta con un sistema de seguridad robusto y contrastado[86]. Por ello, será necesario que en los años venideros sigamos muy de cerca el desarrollo y la actualización de este canal de comunicaciones tan esencial y que requiere de una protección especial por la información tan sensible con la que desarrolla su actividad.

Según los primeros datos del año 2022, tan solo en el primer mes del citado año se remitieron más de dos millones de documentos a través de LexNET y donde podemos observar cómo claramente el año 2022 promete ser un año con un gran volumen de trabajo telemático

---

[83]   Según datos del Secretario General de Justicia en el Foro de Transformación Digital de la Justicia contaba con más de 87.000 accesos a 8 de abril de 2022.

[84]   Disponible en: https://acceda.justicia.es/, visitado el día 2 de febrero de 2022.

[85]   Ver más en: MARTÍNEZ DE SANTOS, A., "Operatividad práctica en el funcionamiento de LEXNET como sistema de comunicación. Ventajas y problemas detectados en su funcionamiento", *Práctica de Tribunales*, Nº 127, julio-agosto 2017, LA LEY 9326/2017.

[86]   Información disponible en: https://www.abogacia.es/actualidad/noticias/el-ministerio-de-justicia-confirma-que-no-se-ha-producido-ningun-acceso-indebido-a-traves-de-lexnet-a-los-buzones-de-colegiados/, visitada el día 16 de enero de 2022.

para esta aplicación[87]. Junto a estos datos podemos comentar otros que nos llaman poderosamente la atención, como que Galicia es la comunidad autónoma que mayor número de mensajes emite a través de esta aplicación, seguida de Asturias y Castilla y León con gran diferencia de otras comunidades autónomas mucho más pobladas o con un mayor número de procedimientos abiertos por habitante[88]. Habrá, por ello, que estar atentos a esa profusa irrupción del empleo de este sistema y de la operatividad que comporta, generando más bondades que falencias, todo y que no es perfecto y, por ende, deberá seguir un continuo control a través de los sistemas de auditoría pública para consolidar o, en su caso, mejorar su funcionamiento.

2.7 El Comité Técnico Estatal de la Administración Judicial Electrónica: CTEAJE

Aludido en más de una ocasión desde el inicio de este trabajo, el Comité Técnico Estatal de la Administración Judicial Electrónica, (en adelante, CTEAJE) precisa de un apartado propio que detalle su naturaleza, situación y retos de futuro. Este Comité fue introducido por la Ley 18/2011 como una necesidad de creación de un órgano que fijase las pautas necesarias para asegurar la interoperabilidad de los sistemas y aplicaciones de la Administración de Justicia y la cooperación entre las distintas administraciones, además de fijar los criterios sobre los que debe asentarse la necesaria colaboración.

El Real Decreto 396/2013 reguló el Comité técnico estatal de la Administración judicial electrónica. Entre las funciones que se le atribuyen se establece mejorar la compatibilidad y asegurar la de los sistemas y aplicaciones empleados por la Administración de Justicia, realizar planes y programas conjuntos de actuación para impulsar el desarrollo de la Administración Judicial Electrónica, así como promover la cooperación de otras Administraciones Públicas con la Administración de Justicia y fijar las bases para el desarrollo del Esquema Judicial de Interoperabilidad y Seguridad. En definitiva, al Comité

---

[87] Datos disponibles en: https://lexnetjusticia.gob.es/estadisticas, visitado el día 4 de febrero de 2022.
[88] Idem.

se le asigna como tarea fundamental el cumplimiento del Esquema judicial de interoperabilidad y seguridad, hasta ese momento bastante afectado como veíamos en los apartados precedentes y de manera subsidiaria el impulso del desarrollo de la Administración judicial electrónica.

2.7.1 Composición y funcionamiento

En el CTEAJE están representados el Consejo General del Poder Judicial, el Ministerio de Justicia, la Fiscalía General del Estado y las Comunidades Autónomas con competencias en materia de Administración de Justicia a través de los miembros que estos designen para esta tarea. Sin embargo, debido a la falta de transparencia de este organismo no podemos conocer el nombre, ni la trayectoria de las personas que lo componen.

El Real Decreto 396/2013 regula la organización del mismo, en pleno o en comisión permanente y cuenta con una presidencia, una Secretaría General y un subcomité de impacto normativo. La citada normativa también les da libertad para la organización interna, permitiéndole apoyarse en órganos, oficinas o grupos de trabajo que el Pleno considere oportuno constituir en su seno y a los que le pueda atribuir funciones de asesoría, consultoría y/o soporte. A través de esta prerrogativa se constituyeron numerosos grupos de trabajo, entre los que señalamos los grupos de trabajo de estadística judicial (EJ), gestión archivística (GA), gestión procesal electrónica (GPE), hitos y documentos (HDOC), portales de la administración de justicia (PAJ), procuradores (PROC), bases de interoperabilidad y seguridad (BIS), transferencia tecnológica (TT), SIRAJ (SI), foro de encuentro de asistencia jurídica gratuita (AJG) y salas de vista (SV). De cada uno de ellos, podemos observar cierta actividad a través de la web oficial del CTEAJE, pero no se especifican sus resultados en ningún grupo de trabajo. Así mismo, tampoco constan ni las actas, ni los acuerdos, ni la composición de estos grupos que parecen no haber tenido actividad más allá de 2017 en el mejor de los casos, ya que en la mayoría de los grupos de trabajo ni siquiera aparece ninguna referencia temporal. Tan solo constan en la web oficial breves extractos resúmenes de las reuniones de pleno y de la comisión permanente, no actualizados desde octubre de 2018. A pesar de ello, debido a su actividad permanente en la red social Twitter si tenemos conocimiento de algunas de sus iniciativas limitadamente.

Si es relevante la creación y publicación de guías para la interoperabilidad y seguridad de los sistemas. Entre ellas, encontramos la guía de interoperabilidad y seguridad (en adelante, GIS) en autenticación, certificados y firma electrónica. Esta guía pretende servir de preceptora en lo relativo a la gestión de firmas electrónicas en el ámbito de la justicia y aclarar conceptos conexos de autenticidad de documentos electrónicos y uso de certificados, en el marco de la identificación y autenticación de intervinientes cuando no se precise el uso de firma electrónica.

Por otro lado, la GIS sobre el documento judicial electrónico, pretende marcar los componentes de los documentos judiciales electrónicos, así como del resto de los documentos electrónicos susceptibles de formar parte del expediente judicial electrónico, su estructura y formato técnicos. Todo ello, con la finalidad de garantizar su intercambio entre los diferentes sistemas de gestión procesal.

Por otro lado, debe diferenciarse entre la GIS del expediente judicial electrónico, que pretende establecer la estructura y formato técnicos del expediente judicial electrónico, así como las especificaciones de los servicios de remisión y puesta a disposición, frente a la GIS en digitalización certificada de documentos, que pretende implantar los requisitos a cumplir en la digitalización de documentos en soporte papel o en otro soporte no electrónico susceptible de digitalización a través de medios fotoeléctricos. De este modo se pretende garantizar su autenticidad.

Y finalmente, la primigenia y básica GIS sobre copiado auténtico y conversión, que establece las reglas técnicas de la generación de copias electrónicas y copias papel de documentos judiciales electrónicos, en ambos casos con carácter de copia auténtica, y para la conversión de formato de documentos judiciales electrónicos y todas ellas en los términos regulados por la Ley 18/2011 para su generación, obtención y conversión.

Si bien, estas guías son fundamentalmente dirigidas al personal técnico de los juzgados y fundamentalmente a los servicios informáticos encargados de programar los sistemas y aplicaciones electrónicas de la Administración de Justicia.

2.7.2 Críticas al CTEAJE

Sin embargo, al CTEAJE también se le asignaron paralelamente otras funciones, más futuribles de las que poco se ha ocupado hasta nuestros días. No parece haber servido para impulsar más el desarrollo de la justicia digital, manteniendo un cierto grado inoperancia ante la necesidad de consolidar las garantías y principios que debe respetar esta justicia digital y sobre la que la doctrina se pronuncia. Entre las tareas del CTEAJE están la de establecer la definición de las especificaciones, programación, mantenimiento, supervisión y control de calidad de la actuación judicial automatizada.

Considero, sin embargo, que a mi parecer el legislador debería haber sido más generoso, dándole más competencias a este órgano que agota su operatividad en la importante, pero ya casi superada, interoperabilidad de los juzgados y tribunales.

Otra de las grandes carencias de este organismo es la falta de transparencia. Ni la función consultiva atribuida, ni la elaboración de informes, guías y resoluciones cumplen este principio básico y garantista de transparencia; de hecho, desde el año 2018 no son actualizadas. Por lo tanto, un órgano consultivo, con la misión de remitir informes que pongan en cuestión la necesidad de innovaciones tecnológicas y mejoras en la Administración de Justicia que se encuentra prácticamente parado si atendemos a los informes publicados. Es absurdo que se conozca más la actividad de este organismo gracias a la red social Twitter, a través de la cual da cuenta en unos pocos caracteres de su actividad, que a través de los cauces ordinarios. El empleo de las redes sociales no agota esa necesidad de dar cumplimiento a esta misión, por lo que considero es insuficiente para un Comité como aquí se plantea.

No obstante, también debemos remarcar la situación económica con la que se crea el CTEAJE, ya que tal y como se estableció en el texto legislativo, "estas previsiones no supondrán en ningún caso incremento del gasto público ni de dotaciones de personal, ni de retribuciones ni de créditos". Por lo tanto, podemos hablar de un Comité donde no se ha invertido económicamente presupuesto alguno a pesar de la importancia que a priori le da el ejecutivo a esta temática con la creación de la Dirección General de Transformación Digital de la Administración de Justicia.

En definitiva, un Comité aparentemente muy bien estructurado y legislado pero carente de personalidad jurídica y de capacidad para obligar a las administraciones públicas a cumplir con sus guías o normas[89]. El CTEAJE en sus inicios aparentemente trabajó duramente, pero que ha quedado prácticamente vacío de contenido tras cumplir su tarea básica de la interoperabilidad. Insistimos, no basta con dar cumplimiento a esta misión, sino que debe mantenerse la seguridad de los sistemas actualizándose día a día sin cejar en el intento de blindar nuestros sistemas de juzgados digitales. Todo ello, sin perder de vista la nula actuación para los supuestos de la actuación judicial automatizada, competencia que fue atribuida a este CTEAJE por la Ley 18/2011 y que posteriormente se incluyó dentro de las competencias de este órgano en su RD. 396/2013. Sin embargo, no hay rastro alguno en la actividad publicada en su web oficial, cuestión que analizaremos en el siguiente apartado del trabajo.

2.8 Herramientas comunitarias de justicia digital

La creación del Espacio Europeo de Libertad, Seguridad y Justicia que consolidó el Tratado de Lisboa figura como uno de los hitos más importantes dentro del gran proyecto de integración que conforma la Unión Europea y dentro de este gran proyecto, la cooperación judicial ha sido uno de los pilares más importantes. En un primer momento, la cooperación judicial estuvo centrada en el ámbito policial y jurisdiccional penal, donde se establecía como materia de vital importancia facilitar la seguridad interior y la lucha contra la delincuencia transfronteriza[90]. Ello, se ha materializado con proyectos tan importantes y conocidos como el de Europol, Eurojust, la Oficina Europea de Lucha contra el Fraude (OLAF) o la reciente la Fiscalía Europea, así como con herramientas tan útiles como la Orden Europea de Detención y Entrega o la Orden Europea de Protección. De esta manera, se consolida también una coordinación judicial significativa, sobre todo en

---

[89]   GARCÍA-VARELA IGLESIAS, R., "A propósito de la interoperabilidad en la Administración de Justicia", *Diario La Ley*, Nº 9845, Sección Plan de Choque de la Justicia / Tribuna, 7 de mayo de 2021, Wolters Kluwer, pp. 5-6.

[90]   Ver más en: GONZÁLEZ CANO, M.I., "Introducción", *Cooperación Judicial Penal en la Unión Europea*, Tirant Lo Blanch, Valencia, 2016, pp. 4-5.

el ámbito procesal civil, del que ya contábamos con el proceso monitorio europeo o el proceso europeo de escasa cuantía, entre otros. Sin embargo, la Unión Europea es consciente de que el desarrollo de estas herramientas jurídicas, en ocasiones se encuentran lastradas por la inoperatividad de los sistemas y los problemas de coordinación entre los diferentes cuerpos judiciales de los diferentes Estados miembro.

Así las cosas, la Comisión Europea consciente de que una de las grandes fallas para la agilización y la integración de estos elementos pasa por la digitalización de estos procedimientos. Esta lleva años trabajando e invirtiendo fondos en pro de la cooperación para mejorar la interoperabilidad digital entre las diferentes Administraciones de Justicia de los Estados Miembro[91] con el objetivo de hacerlos más accesibles y eficaces[92]. De este modo, se establecerá el canal de comunicación digital como el preferente para la tramitación de asuntos judiciales transfronterizos. En concreto, se pretende mejorar la digitalización de los servicios judiciales públicos a través de la promoción del uso de tecnologías de comunicación a distancia, fundamentalmente a través de videoconferencia, seguras y de alta calidad, con la facilitación de la interconexión de las bases de datos y los registros nacionales, así como, con el fomento del uso de canales de transmisión electrónica seguros entre autoridades competentes[93].

2.8.1 Situación actual y herramientas puestas en marcha

Los intentos de coordinación entre los diferentes Estados miembro no es algo novedoso, sino que ya desde abril de 2012 se intercambian información de los registros de antecedentes penales[94], a través del software Sistema Europeo de Información de Antecedentes Penales -conocido por su acrónimo en inglés, ECRIS-. Este sistema ha sido

---

[91]   Comunicación De La Comisión Al Parlamento Europeo, Al Consejo, Al Comité Económico Y Social Europeo Y Al Comité De Las Regiones, *La digitalización de la justicia en la UE Un abanico de oportunidades*, COM/2020/710 final.

[92]   MARCHAL ESCALONA, N., "Hacia la digitalización de la cooperación judicial en los asuntos transfronterizos civiles, mercantiles y penales en la UE", *Legaltoday*.

[93]   *Ibidem*. pp. 2-3.

[94]   En base a la Decisión Marco 2009/315/JAI del Consejo (DO L 93 de 7.4.2009, p. 23) y la Decisión 2009/316/JAI del Consejo (DO L 93 de 7.4.2009, p. 33).

recientemente renovado por el ECRIS-TCN , que permite obtener información sobre los antecedentes penales de un nacional de un país no perteneciente a la Unión Europea. Con el fin de obtener posteriormente información sobre las condenas anteriores de una persona a través del ECRIS[95]. Todo ello, siempre y cuando sea necesario a los efectos de los procesos penales contra esa persona o para realizar determinadas comprobaciones como los antecedentes penales de una persona, a petición de esta.

Estos certificados son solicitados por la persona interesada para la habilitación de seguridad; la obtención de una licencia o permiso; investigaciones a efectos laborales; investigaciones para actividades de voluntariado que impliquen contactos directos y regulares con niños o personas vulnerables; procedimientos de visado, de adquisición de la ciudadanía, de migración y de asilo, así como para realizar comprobaciones en relación con contratos y concursos públicos; entre otros[96].

Del cumplimiento de todas las garantías y del mantenimiento de un alto nivel de protección de los datos, de conformidad con la Ley de protección de datos de la Unión Europea, se encarga la Agencia Europea para la gestión operativa de sistemas informáticos de gran magnitud en el espacio de libertad, seguridad y justicia, que se corresponde con su acrónimo en inglés, eu-LISA[97].

---

[95]   España fue el primer país de la UE en conseguir el 100% de conectividad con los veintisiete Estados miembro en 2018. A través de esta aplicación la DGT ha conseguido enviar automáticamente a otros países miembros penas y medidas de privación del permiso de conducir, en delitos en contra de la seguridad vial, así como remitir al Ministerio del Interior notificaciones extranjeras con huellas dactilares en formato digital recibidas de otros países para su cotejo, para una correcta identificación del investigado.

[96]   Sustentado legalmente por el Reglamento (UE) 2019/816 del Parlamento Europeo y del Consejo, de 17 de abril de 2019, por el que se establece un sistema centralizado para la identificación de los Estados miembros que poseen información sobre condenas de nacionales de terceros países y apátridas (ECRIS-TCN) a fin de complementar el Sistema Europeo de Información de Antecedentes Penales, y por el que se modifica el Reglamento (UE) 2018/1726 (DO L 135 de 22.5.2019, pp. 1-26).

[97]   Regulada a través del Reglamento (UE) nº 2018/1726 relativo a la Agencia de la Unión Europea para la Gestión Operativa de Sistemas Informáticos de Gran Magnitud en el Espacio de Libertad, Seguridad y Justicia (eu-LISA). Y modi-

En estos momentos son ya plurales las herramientas que se están implementando para mejorar la cooperación judicial a través de los registros oficiales. Vamos a citar algunas de ellas a continuación.

La aplicación BRIS -Business Registers Interconnection System-, que es una iniciativa de la Comisión Europea junto con los Estados miembros, permite la comunicación electrónica entre los Registros Mercantiles de los diferentes países de la Unión Europea. Actualmente está habilitada para el acceso a más de veinte millones de sociedades de responsabilidad limitada en la Unión Europea.

La aplicación IRIs -Insolvency Registers Interconnection search-[98] es un registro electrónico de acceso público que facilita el acceso, a los acreedores y a los órganos jurisdiccionales domiciliados o situados en otros Estados miembros, a la información sobre los deudores, contando además con la interconexión de dichos registros de insolvencia, a través del Portal Europeo de e-Justicia[99].

La aplicación LRI MS Connection, que ya va por su segunda versión, más avanzada -Land Registers Interconnection Member States Connection 2-. El citado proyecto tiene como objetivo la interconexión entre los Registros de la Propiedad de los países miembros de la Unión Europea, así como la posibilidad de analizar los requisitos técnicos y jurídicos para lograr esta interconexión. Si bien es cierto que en la primera fase del proyecto solo participaron Austria y Estonia, y en esta segunda fase nos hemos unido Hungría, Letonia, Portugal y España. Esta tarea se realiza fundamentalmente a través de un documento único en modelo normalizado, con información armonizada de los seis países participantes, lo que permite la comparación de los sistemas y la identificación de los problemas que surjan de la interconexión con el fin de solucionarlos[100].

---

ficada a través del Reglamento (UE) 2022/850 del Parlamento Europeo y del Consejo, de 30 de mayo de 2022 relativo a un sistema informatizado para el intercambio electrónico transfronterizo de datos en el ámbito de la cooperación judicial en materia civil y penal.

[98]   Regulado a través del Reglamento (UE) 2015/848 del Parlamento Europeo y del Consejo de 20 de mayo de 2015, sobre procedimientos de insolvencia.

[99]   Disponible   en: https://e-justice.europa.eu/iri/integrated//index. html?error=searchExpired, visitado el día 18 de enero de 2022.

[100]   GIMENO, F.J., PERNAS, P. Y NAVARRO, S., "El proyecto LRI MS Connection 2 Interconexión entre los Registros de la Propiedad de la Unión Europea",

Y finalmente, el reciente registro de titularidad real BORIS -Beneficial Ownership Registers Interconnection System- que podrá buscar sociedades, otras entidades jurídicas, fideicomisos o instrumentos análogos utilizando el número de registro nacional y el número de registro de la sociedad, si ambos no coinciden[101]. De esta manera se pretende para rastrear a los beneficiarios reales de empresas u otras personas jurídicas en toda la UE, con el fin de prevenir el uso del sistema financiero para fines de blanqueo de capitales o financiación del terrorismo. Este registro interconectará los registros nacionales de beneficiarios reales de los Estados miembros y el Portal Europeo de e-Justicia, a través de la Plataforma Central Europea y que estará interconectado con el registro BRIS.

También se ha creado un identificador normalizado europeo para la jurisprudencia que seguro hemos leído en más de una ocasión sin prestarle atención a sus siglas ECLI - European Case Law Identifie-. Este tiene como finalidad el establecimiento de un código reconocible para todos los Estados miembros y órganos jurisdiccionales de la Unión Europea que se ha desarrollado para facilitar el uso de referencias precisas a las sentencias judiciales[102].

Paralelamente la utilísima plataforma EUR-Lex[103] permite acceder al Derecho de la Unión Europea, la jurisprudencia del Tribunal de Justicia de la Unión Europea y otros documentos públicos oficiales de

---

Revista Registradores de España, disponible en: https://revistaregistradores.es/el-proyecto-lri-ms-connection-2/, visitada el 18 de enero de 2022.

[101] El Reglamento de Ejecución (UE) 2021/369 de la Comisión de 1 de marzo de 2021 por el que se establecen las especificaciones técnicas y los procedimientos necesarios para el sistema de interconexión de registros centrales a que se refiere la Directiva (UE) 2015/849 del Parlamento Europeo y del Consejo, establece las especificaciones técnicas y los procedimientos requeridos por la Directiva de la UE 2015/849 para la puesta en marcha del Sistema de Interconexión de Registros de Beneficiarios Efectivos (BORIS).

[102] Se compone de cinco elementos obligatorios:1. ECLI: sigla del identificador europeo de jurisprudencia; 2. el código de país; 3. el código del órgano jurisdiccional que dictó la resolución judicial; 4. el año en que se dictó la resolución judicial y 5. un número ordinal, de hasta 25 caracteres alfanuméricos, en el formato que determine cada uno de los Estados miembros. El ordinal podrá contener puntos, pero no otros signos de puntuación. Ver más en: https://e-justice.europa.eu/175/ES/european_case_law_identifier_ecli, visitada el día 18 de enero de 2022.

[103] Disponible en: https://eur-lex.europa.eu/, visitada el día 18 de enero de 2022.

la Unión Europea como Tratados, actos jurídicos, documentos preparatorios de legislaciones, acuerdos internacionales, etc.

Sin embargo, uno de los proyectos más ambiciosos de la Unión Europea para mejorar la cooperación y la interoperabilidad de los sistemas es el proyecto e-CODEX -e-Justice, Communication via On-line Data Exchange-[104]. Este proyecto se define como la herramienta de comunicación para la Justicia en red y lo que persigue es el intercambio en línea de información judicial y policial entre los países de la Unión Europea. De esta manera, pretende presentarse como la principal herramienta para establecer una comunicación segura en los procedimientos transfronterizos civiles y penales, aunque debe seguir fomentándose su uso ya que en la actualidad es muy residual. La finalidad de la herramienta e-CODEX es que cualquier ciudadano o profesional del Derecho en la Unión Europea pueda comunicarse electrónicamente con cualquier autoridad legal, incluida la comunicación de las autoridades legales entre sí[105]. No obstante, tal y como podemos ver en la web oficial de este proyecto, su instalación y utilización no resulta sencilla, por lo que estamos a la espera de que esta herramienta se simplifique hasta llegar a un perfil de usuario con conocimientos informáticos medio-bajo[106]. La infraestructura técnica consta de un conector y una pasarela. La instalación de la pasarela garantiza una conexión segura con una pasarela en otro Estado miembro. El conector realiza las adaptaciones necesarias para la recepción de datos cifrados por parte del correspondiente proveedor de servicios en otro Estado miembro, tras el reconocimiento de la firma electrónica o certificado emitido en su país de origen. Actualmente existen varios proyectos de nuevas aplicaciones que trabajan con e-CODEX como son:

---

[104] Este proyecto ha obtenido su regulación definitiva a través del Reglamento (UE) 2022/850 del Parlamento Europeo y del Consejo, de 30 de mayo de 2022 relativo a un sistema informatizado para el intercambio electrónico transfronterizo de datos en el ámbito de la cooperación judicial en materia civil y penal (sistema e-CODEX), y por el que se modifica el Reglamento (UE) 2018/1726. Publicado en el DOUE núm. 150, de 1 de junio de 2022.

[105] Ver más en la web oficial: https://www.e-codex.eu/faq-e-codex, visitada el día 24 de junio de 2021.

[106] Esto se puede conseguir con la cooperación en esta tarea de la agencia eu-LISA prevista para 2023.

- e-CODEX Plus que tiene como objetivo ayudar a los Estados miembros a implementar e-CODEX para el intercambio seguro de datos en procedimientos civiles transfronterizos;

- EVIDENCE2e-CODEX es una fusión de los antiguos proyectos EVIDENCE y e-CODEX[107]; de la que ha surgido el sistema digital de intercambio de pruebas electrónicas eEDES -e-Evidence Exchange System-. Esta es una herramienta informática a través de la cual las autoridades de los Estados miembros pueden intercambiar, en formato digital y de forma segura, órdenes europeas de investigación, solicitudes de asistencia judicial mutua y sus correspondientes pruebas. Y debería estar a pleno rendimiento en 2024[108], pero nos faltan datos actualizados de la situación actual. En este sentido la Comisión Europea remarca que eEDES está diseñada para mejorar de forma directa la eficiencia y la velocidad de los procedimientos de cooperación existentes, además de garantizar la seguridad de los intercambios y de permitir la verificación de la autenticidad y la integridad de los documentos enviados. Por ello, se subraya la necesidad de que todos los Estados miembros se conecten y cooperen con eEDES a fin de generar un verdadero valor añadido a la prueba electrónica europea.

- EXEC -Electronic Xchange of e-Evidences- creado para el intercambio electrónico de pruebas electrónicas. Este proyecto proporciona una red en funcionamiento para el intercambio completamente electrónico de órdenes de investigación europeas y pruebas electrónicas relacionadas entre los Estados miembros. Cada Estado miembro participante utiliza e-CODEX para establecer un punto de acceso a esta red e interconectarse con otros Estados miembros para el intercambio de pruebas electrónicas.

---

[107] Hasta ahora, e-CODEX se ha aplicado para la comunicación en los procedimientos de asistencia legal mutua para el uso e intercambio de evidencias electrónicas. Disponible en: https://evidence2e-codex.eu/a/matching-evidence-to-ecodex, visitado el día 18 de enero de 2022.

[108] En virtud del proyecto presentado por BEN MILOUD, D., MILIEKAITE, T., NICOLAU, C., e-Evidence Digital Exchange System (eEDES), disponible en: https://evidence2e-codex.eu/p/j/o/jointmergingworkshop-florence-2019-09-04-eedesintroduction-578.pdf, visitado el día 19 de enero de 2022.

Es importante remarcar que en este proyecto piloto si ha tenido su participación nuestro país.

- Find a Bailiff, ofrece a los ciudadanos y profesionales de la justicia de un país miembro un motor de búsqueda para encontrar un agente judicial en otro país miembro de la Unión Europea[109].

- Y de la misma manera funciona Find a Lawyer; aplicación que se encuentra ya en su tercera versión y se presenta como un directorio avanzado de abogados de la Unión Europea. Esta aplicación permite dar efectividad y confiabilidad a los ciudadanos que precisen un abogado para enfrentarse a procedimientos electrónicos con un elemento transfronterizo. También se establece como uno de sus objetivos el de prestar una mejor administración de justicia, simplificando el acceso de los ciudadanos a un abogado, introduciendo herramientas electrónicas para reemplazar los trámites burocráticos transfronterizos y centralizando las consultas de los abogados a través de los registros de los colegios de abogados[110].

- Y finalmente el ya comentado IRI de Interconexión de Registros de Insolvencia para interconectar la información de los registros de insolvencia nacionales.

Es importante apuntar que la Presidencia del Consejo y el Parlamento Europeo alcanzó a finales de 2021 un acuerdo provisional en torno a la elaboración de una propuesta de Reglamento e-CODEX[111], que se ha hecho realidad a través del Reglamento (UE) 2022/850 que refuerza la presencia de esta aplicación y la regula debido a la gran trascendencia de esta. Entre sus objetivos de interoperabilidad se en-

---

[109] Disponible en: https://eubailiff.eu/fab-2-project/, visitado el día 18 de enero de 2022.

[110] Herramienta insertada también en el portal e-justice. Disponible en: https://e-justice.europa.eu/content_find_a_lawyer-334-en.do, visitado el día 18 de enero de 2022.

[111] Digitalización de la justicia: la Presidencia del Consejo y el Parlamento Europeo alcanzan un acuerdo provisional sobre el proyecto e-CODEX, noticia de 8 de diciembre de 2021. Disponible en: https://www.consilium.europa.eu/es/press/press-releases/2021/12/08/digitalisation-of-justice-council-presidency-and-european-parliament-reach-provisional-agreement-on-e-codex/, visitada el 18 de enero de 2022.

cuentra posibilitar el intercambio de Órdenes Europeas de Investigación entre la Oficina de Cooperación Internacional de Fiscalía, a través de los Sistemas de Gestión Procesal, con Órganos Judiciales y sus homólogos europeos a través del Conector Nacional de e-CODEX y de LexNET.

2.8.2 Propuestas de futuro

Como vemos, el panorama europeo de coordinación e interoperabilidad en el ámbito de la justicia digital es apasionante y más si le sumamos la gran apuesta tanto legislativa como económica que la Comisión Europea hace para impulsar todos estos proyectos[112] a través del Reglamento (UE) 2021/694 del Parlamento Europeo y del Consejo de 29 de abril de 2021, por el que se establece el Programa Europa Digital. En el horizonte queda el desarrollo y puesta en marcha a pleno rendimiento de las herramientas que hemos analizado en el apartado anterior y por qué no recuperar proyectos que han podido quedar varados en otros momentos pero que sus ideas siguen siendo igualmente valiosas como por ejemplo es el caso de NETDNA-MATCH -National Network for Exchange & Management of Post-DNA Match Information-[113].

Sin embargo, no debemos olvidar la necesidad de mejorar las instituciones ya creadas y desarrollar entre otros el sistema de gestión de casos de Eurojust. Este sistema precisará de una gran cantidad de recursos económicos, así como implementar las interconexiones entre Eurojust, Europol y la Fiscalía Europea de modo que puedan cooperar y contrastar los datos que cada una de ellas poseen en pro de la defensa internacional. Solamente de esta manera, seremos no

---

[112]   Para el proyecto Europa digital 2021-2027 se ha presupuestado un total de 7.610,1 millones de euros.

[113]   Proyecto que desea desarrollar una red para mejorar el poder de discriminación de los perfiles de ADN y la gestión de las coincidencias de ADN obtenidas en las bases de datos que se inició entre 2012-2014. Este proyecto pretendía automatizar el proceso de comunicación y gestión de coincidencias de ADN obtenidas en el sistema CODIS mediante la importación y exportación de archivos e informes estandarizados entre CODIS y LIMS (sistema de gestión de la información en los laboratorios) y entre los sistemas LIMS y el de las instituciones implicadas en el proyecto utilizando una red de alta seguridad.

solo más fuertes a nivel económico sino también a nivel de seguridad, minimizando materias tan importantes como el terrorismo o la delincuencia organizada de tráfico de armas, drogas o personas.

Otra de las propuestas, que podrían ser asumibles a corto plazo por la Unión Europea es la creación de un espacio personal de cada ciudadano de la Unión Europea llamado *Mi justicia electrónica o punto de acceso electrónico europeo*, donde, a modo de carpeta virtual, consten todos los expedientes y documentos a los que pueda tener acceso únicamente la persona titular o su representante legal autorizado para obtener o consultar estos documentos. Sería la traslación de nuestra sede judicial electrónica y nuestra carpeta ciudadana, pero albergada también en el portal e-justicia[114]. Lo que, en el caso de España, tan solo supondría ampliar los servicios de la Carpeta Justicia ya existentes, para también alojar los documentos derivados de los procesos judiciales transfronterizos instados. Sin embargo, esta sede judicial electrónica de la que gozamos en nuestro país no es algo habitual en el resto de los países miembros. A pesar, de que la situación de nuestra sede judicial electrónica no sea todavía de implantación total y de funcionamiento a pleno rendimiento, ya que como vimos en el apartado dedicado a la misma, aún quedan algunas aplicaciones por ampliar, nuestra sede es de las más innovadoras de toda la Unión Europea.

No obstante, la Unión Europea tiene actualmente dos grandes proyectos de propuestas de reglamentos que pueden cambiar y modificar el escenario de la justicia digital. El primero que mencionaremos, contiene una menor carga en la incidencia de la digitalización en el ámbito de la Administración de Justicia. Sin embargo, sí que condicionará sin duda aspectos como la utilización de datos para alimentar algoritmos que puedan ser utilizados en sede judicial con la finalidad de probar determinados aspectos. Mientras que el segundo de los proyectos va directo al corazón de la Administración de Justicia digital.

---

[114]   Esta herramienta está ampliamente definida en la propuesta de Reglamento del Parlamento Europeo y del Consejo sobre la digitalización de la cooperación judicial y del acceso a la justicia en los asuntos transfronterizos civiles, mercantiles y penales, que se analiza en las siguientes páginas.

2.8.2.1 La gobernanza de los Datos

En primer lugar, se presenta la Propuesta de Reglamento del Parlamento Europeo y del Consejo relativo a la gobernanza europea de datos[115], cuya trascendencia es infinitamente más amplia de la que podemos explicar en el presente apartado.

El objetivo de este texto es la ampliación de la legislación respecto a la disponibilidad de datos, en relación con la utilización de estos. Sobre todo, poniendo en la diana a los servicios intermediarios de datos y reforzando los mecanismos para el intercambio de datos en el conjunto de la Unión Europea. De este modo, se pretende legislar sobre la posibilidad de la cesión de datos del sector público para su reutilización, en los casos en que esos datos estén sujetos a derechos de terceros. Esta cuestión deberá ser debatida respecto del posible Estado policial al que podríamos quedar sometidos, condicionándonos nuestros datos previos con la Administración para el resto de nuestras vidas y no solo en nuestro país sino también en el resto de los países de la Unión Europea. Datos como los correspondientes a una sanción por exceso de velocidad o por la posesión de sustancias estupefacientes para consumo propio, podrían convertirse en datos que puedan condicionar futuros procesos contra la Administración pública en cualquier otro ámbito diferente de los precedentes ocurridos.

Esta propuesta también se centra en el intercambio de datos entre empresas a cambio de algún tipo de remuneración. Este particular deberá ser profundamente regulado, también para el ámbito de las empresas dedicadas al *legaltech* que realicen predicciones en base a algoritmos alimentados con datos personales de las partes y que podrían ser utilizados como materia probatoria en los procesos judiciales, así como con los jueces e incluso de los abogados, como veremos en los siguientes capítulos.

El texto pretende además regular la cesión de datos personales con ayuda de industrias que se presentan como intermediarios de datos personales, cuya labor pretende ser la de ayudar a los particulares a ejercer los derechos que les confiere el Reglamento General de Pro-

---

[115] Ley de Gobernanza de Datos, 2020/0340 (COD).

tección de Datos[116]. Y finalmente, regula la cesión de datos con fines altruistas. De este modo, los datos que hayan sido generados con cargo a los presupuestos públicos podrían beneficiar a la sociedad. Sin embargo, para ello será necesario identificar a organismos del sector público y a las personas físicas o jurídicas sin ánimo de lucro a las que se le conceda el derecho a reutilizar datos. Además, los proveedores de servicios de intercambio de datos y las entidades inscritas en el registro de organizaciones reconocidas de gestión de datos con fines altruistas deberán adoptar todas las medidas razonables para impedir el acceso a los sistemas en los que se almacenen los datos no personales, tales como el cifrado de datos o políticas corporativas. Lo que, sin duda, crea un campo muy rico de datos, con un escenario interesantísimo en la gestión de datos públicos, de carácter altruista, en sus riesgos y retos.

Esta descripción que realizamos es tremendamente somera, de un texto prelegislativo que cuenta con numerosas particularidades que se alejan en buena medida de lo pretendido en el presente trabajo, pero no queríamos dejarlo fuera del mismo, por los múltiples usos y repercusiones que tiene el dato en la era digital de la justicia como veremos a lo largo de la obra.

2.8.2.2 Digitalización de la cooperación judicial y del acceso a la justicia en asuntos transfronterizos

El segundo gran proyecto que la Unión Europea está preparando con una mayor implicación y repercusión en nuestro trabajo es la Propuesta de Reglamento del Parlamento Europeo y del Consejo sobre la digitalización de la cooperación judicial y del acceso a la justicia en los asuntos transfronterizos civiles, mercantiles y penales, y por el que se modifican determinados actos legislativos en el ámbito de la cooperación judicial[117].

---

[116]   Reglamento (UE) 2016/679 del Parlamento Europeo y del Consejo de 27 de abril de 2016, relativo a la protección de las personas físicas en lo que respecta al tratamiento de datos personales y a la libre circulación de estos datos y por el que se deroga la Directiva 95/46/CE. DOUE L 119/1, de 4 de mayo de 2016.

[117]   2021/0394 (COD).

Tras lo dispuesto en el apartado precedente, donde veíamos como la Unión Europea marcaba el camino hacia la implantación de un refuerzo para mejorar la cooperación judicial y el acceso a la justicia. Ahora la UE se centra en la creación de un marco jurídico estable que garantice la comunicación electrónica en el contexto de los procedimientos transfronterizos de cooperación judicial en materia civil, mercantil y penal, así como propiciar un mejor acceso a la justicia en materia civil y mercantil con repercusiones transfronterizas Todo ello se hará realidad fundamentalmente a través de una mejora en la comunicación entre las autoridades competentes, incluyendo a los órganos y organismos de la Unión, entre las autoridades competentes y a las personas físicas y jurídicas, mediante la implementación de los medios digitales.

Entre sus objetivos se plantean los de mejorar la eficacia y la rapidez de los procesos judiciales, así como facilitar el acceso a la justicia a través de la digitalización de los canales de comunicación ya existentes. Con la finalidad de ahorrar en tiempo y dinero, además de permitir la reducción de la carga administrativa y una mayor resiliencia, ante circunstancias de fuerza mayor para todas las autoridades que participan en la cooperación judicial transfronteriza. El uso de canales digitales de comunicación entre las autoridades competentes debe reducir los retrasos en la tramitación de los casos judiciales transfronterizos y mejorar la lucha contra la delincuencia organizada que actúe en el ámbito europeo. A la par, será necesario también reforzar la seguridad de estos sistemas para conseguir la máxima protección a la intimidad y los datos personales tratados, basados en el sistema e-CODEX.

Otro aspecto que también regula la propuesta de Reglamento, para mejorar la cooperación judicial es la de facilitar las audiencias orales en los procesos civiles, mercantiles y penales con repercusiones transfronterizas. De esta manera, a través de la videoconferencia u otras tecnologías de comunicación a distancia se permitirá la participación de las partes en dichas audiencias. Si bien, se establece que este derecho se regirá por la legislación del Estado miembro que organice la videoconferencia. Si bien, el hecho de carecer de dicha legislación nacional no obsta para denegar la realización de una audiencia por videoconferencia.

Para completar la armonización se prevé la aplicación de los servicios de confianza eIDAS[118] a efectos de la comunicación digital. Así mismo, se pretenden establecer métodos de pago ampliamente disponibles en toda la Unión, como son tarjetas de crédito y débito, monederos electrónicos y transferencias bancarias para facilitar el pago en línea de las tasas, en los asuntos con repercusiones transfronterizas, que entren en el ámbito de aplicación de los actos jurídicos de la Unión en materia civil y mercantil.

Los Estados Miembros deberán designar al menos un órgano jurisdiccional o autoridad competente a efectos de establecer una muestra de seguimiento de este Reglamento. A esta autoridad le corresponderá extraer y tratar los datos derivados de los procesos llevados a cabo a través de las aplicaciones informáticas nacionales. Posteriormente tendrá que remitir estos datos a la Comisión Europea para la evaluación del desarrollo de las previsiones normativas del texto. Si bien, el tratamiento de estos datos deberá ser previamente aceptado por los usuarios de las plataformas y se le exigirá respetar la intimidad de los ciudadanos en sus procesos ante la justicia, al ser datos considerados altamente sensibles. No obstante, este texto prelegislativo garantiza también el acceso de las personas a las comunicaciones a través de otros medios alternativos al electrónico. Así se impide que esta ola de digitalización deje fuera a los colectivos más vulnerables como los discapacitados o las personas de edad avanzada, en caso de que estos carezcan de competencias digitales o los medios técnicos necesarios para acceder a los servicios digitales de justicia.

Sin embargo, no todo lo que reviste este Reglamento es bueno, ya que muchas previsiones de los considerandos dejan entrever algo muy habitual en la normativa europea, a saber, que serán los Estados los encargados de la creación, desarrollo y mantenimiento de los porta-

---

[118] Regulado a través del Reglamento (UE) n ° 910/2014 del Parlamento Europeo y del Consejo, de 23 de julio de 2014 , relativo a la identificación electrónica y los servicios de confianza para las transacciones electrónicas en el mercado interior y por la que se deroga la Directiva 1999/93/CE, es el sistema que permite el reconocimiento mutuo de identidades electrónicas en Europa a través del uso del DNI electrónico en servicios de Administración Electrónica de otras administraciones europeas, así como la identificación de ciudadanos europeos en servicios públicos españoles utilizando un medio de identificación de su país de origen.

les electrónicos nacionales, que como indicábamos supra añadirán un acceso directo desde el portal e-justicia de la Unión Europea. De este modo, volveremos a ver una Unión Europea a dos velocidades: por un lado, países que contarán con estos portales, que serán accesibles y que permitirán a los ciudadanos y a las personas jurídicas sitas en el territorio europeo el seguimiento de sus casos tanto nacionales, como transnacionales dentro de una ventanilla única.; y, por otro lado, países donde esta herramienta ni esté, ni se la espere, convirtiendo así en ciudadanos de primera y de segunda a los europeos dependiendo del país en el que residan y de la apuesta que su ejecutivo nacional haga por la cooperación judicial y el acceso a la justicia transnacional, a través de las comunicaciones electrónicas.

Otra desventaja que podemos apuntar sobre esta propuesta de Reglamento se encuentra en la lentitud legislativa de la Unión Europea. A pesar de que nos encontramos ante la armonización comunitaria de tecnologías básicas de comunicación entre la ciudadanía y las autoridades competentes, además de la interoperabilidad de estas con el resto de los países miembro muy necesaria y con fácil implantación, este texto legislativo aún tardará varios meses en hacerse realidad. Y ya no tan preocupante es la publicación de este Reglamento, sino la entrada en vigor de este, dado que se establece que entra en vigor, de forma escalonada, entre tres, cinco y hasta seis años después de la entrada en vigor del texto legislativo para determinados actos jurídicos. Mientras esto ocurre, la iniciativa privada ya trabaja con sistemas de inteligencia artificial, algo que, obviamente, no se contempla en el texto legislativo. Por ello, la sensación del colectivo académico es que tanto las administraciones nacionales como las europeas pareciera que llegarán demasiado tarde para proteger y facilitar la vida a los ciudadanos europeos a través de las vías electrónicas de acceso a la justicia y tramitación de procesos judiciales y administrativos.

3. EL PUNTO DE INFLEXIÓN: JUSTICIA DIGITAL AUTOMATIZADA

La primera vez que se introdujo en nuestra legislación el concepto de actuación judicial automatizada, el legislador no sé si podría hacerse cargo de la inmensidad de este concepto. Introducido por la ya comentada Ley 18/2011, en ese momento se incluye este concepto en lo relativo a los sistemas de firma electrónica. De este modo, los denominados sistemas de firma electrónica para la actuación judicial automatizada no eran más que la provisión por parte de la Administración, a cada una de las oficinas judiciales, de sistemas de firma electrónica a través de un sello electrónico de la oficina judicial. Este está basado en un certificado electrónico y en un código seguro de verificación, vinculado a cada oficina judicial. Así, se puede comprobar la integridad y veracidad del documento remitido por la oficina judicial mediante el acceso a la sede judicial electrónica correspondiente. Esta idea es reforzada en la citada Ley 18/2011 cuando se establece al sello electrónico como garante automatizado de la autenticidad, integridad y la conservación de los documentos o copias electrónicas de las que se deje constancia.

Sin embargo, el legislador quiso ir más allá de la simple automatización de la fe pública procesal, y en el artículo 42 de la Ley se refiriere a la actuación judicial automatizada. Si bien, nos llama la atención que se deje bajo la determinación del CTEAJE, de manera previa a su puesta en marcha, la definición de las especificaciones, programación, mantenimiento, supervisión y control de calidad, además de la auditoría del sistema de información y de su código fuente. Ya que son materias de alta complejidad que a nuestro juicio deberían ser detalladas legislativamente debido al poder que podría emanar de esta actuación judicial automatizada en un futuro.

Del mismo modo, los sistemas deben incluir indicadores de gestión, que se establezcan por la Comisión Nacional de Estadística Judicial y el Comité técnico estatal de la Administración judicial electrónica en el ámbito de sus competencias. Incluso, la Ley quiso definir esta actuación judicial automatizada en su Anexo como la "actuación judicial producida por un sistema de información adecuadamente programado sin necesidad de intervención de una persona física en cada caso singular. Esto incluye la producción de actos de trámite o resolutorios de procedimientos, así como de meros actos de comunicación". De esta manera, de forma sigilosa pero imparable se observa que legislativamente hablando se va aceptando la incorporación de algoritmos e inteligencia artificial en nuestra Administración de Justicia, si bien sin que efectivamente se desarrolle una regulación específica que ofrezca la cobertura legal adecuada para ello. Es más, esta viabilidad de nuevos instrumentos algorítmicos y de IA no solo lo es para la realización de actos de trámite o de mera comunicación, que pueden entenderse perfectamente asumibles en estos momentos, sino también para actos resolutorios de procedimientos. Esto supone un cambio radical en la justicia española, tal y como la conocemos, y sin parangón en países de nuestro entorno.

Esta realidad expuesta comienza a encontrar aceptación e interés en su desarrollo por parte de la doctrina procesal, implicando un avance tecnológico avanzado en el modelo de justicia que tenemos consagrado. Pese a todo, esa introducción de medios tecnológicos y digitales en nuestra justicia no es una realidad extensible a todos los tribunales del territorio español, sino que lo es de aquellas capitales donde el poder presupuestario así se lo permite, quedando relegados a un ínfimo grado de digitalización partidos judiciales pequeños o de localidades más apartadas. De ahí que no sea posible efectuar una declaración general aplicable a todas las sedes judiciales en España de la situación y grado de digitalización, dado que este es asimétrico. De momento, esta situación no es preocupante, ya que esta digitalización a distintas velocidades no está produciendo grandes perjuicios a los ciudadanos dependiendo de la comunidad autónoma en la que residen, fundamentalmente porque estos no son conscientes de las posibilidades que la Administración de Justicia digital les ofrece. Si bien, con el avance de los años esta situación se tornará mucho más compleja y las brechas entre comunidades autónomas se harán más patentes.

En definitiva, nuestro país presenta enormes transformaciones producidas en los últimos años; transformaciones que han propulsado una suerte de innovación social, que lleva a cuestionar incluso el mismo modelo de contrato social que permitió diseñar el ya viejo paradigma decimonónico de Justicia. Como expone en diversas ocasiones Barona las estructuras, los principios, los valores y los protagonistas han mutado y en todo ello el elemento de la digitalización cobra un lugar preferente. Se dice, incluso, que nos hallamos ante un nuevo contrato social que se nuclea en torno a la digitalización, que es la que mueve el mundo. En ese contrato social hay mucho que incluir y mucho por hacer[119].

Posiblemente, lo que más necesitamos en este momento de la historia de nuestro país es una sociedad civilmente responsable, despierta y preocupada por los cambios que acontecen a su alrededor. Esta tarea parece cada vez más una utopía, ya que la sociedad parece vivir en una anestesia profunda que le hace no solo estar despreocupada por la administración y la gestión de la Justicia de su país, sino del resto de materias esenciales para el futuro democrático del mismo. Una de las causas de ese retrato social es la profusa expansión de una política de miedo, de riesgos, de peligros, que ha favorecido la mal llamada Justicia predictiva (*Predictive Policing* o *PredPol*), que ofrece mucho a una sociedad que busca respuestas frente a ellos. Nos sentimos vulnerables, nos sentimos débiles y preferirnos regalar o ceder nuestro tesoro, la libertad, a cambio de control, que es lo que nos hace percibirnos protegidos[120]. Obviamente, esas premisas de miedo, control y seguridad están presentes en la elaboración de nuestros proyectos legislativos bajo la premisa de la prevención y la seguridad, seguida de la intervención producida en el ámbito previo a la comisión del delito, penando la sospecha del hecho y por ende produciéndose adelantamientos a la punibilidad en el derecho material[121]. Por ello, debemos reflexionar profundamente como sociedad y ser capaces de distinguir los riesgos y porque no, asumirlos como lo hemos hecho a lo largo de nuestra historia. Hemos luchado mucho por la libertad, sin embargo, actualmente vivimos inmersos en una falsa libertad, una libertad pretendida entre miles de datos sobre cada uno de nosotros que nos atan a predicciones sobre nuestro actuar presente y futuro y que nos marcan como si se tratase de una segregación entre buenos

---

[119]   BARONA VILAR, S., "Prólogo", *Justicia poliédrica en periodo de mudanza (Nuevos conceptos, nuevos sujetos, nuevos instrumentos y nueva intensidad)*, Tirant lo Blanch, Valencia, 2022, pp. 23-28 y BARONA VILAR, S., "Claves vertebradoras del modelo de justicia en el Siglo XXI", *Revista Boliviana de Derecho*, *op. cit.*, pp. 31-33.

[120]   BARONA VILAR, S., *Algoritmización del Derecho y de la Justicia, de la Inteligencia Artificial a las Smart Justice, op. cit,* pp. 424-426.

[121]   *Ibidem.* p. 427.

y malos, fiables y no fiables o lo que es peor culpables o inocentes en términos probabilísticos.

La tecnología y la digitalización de la sociedad no solo han convertido estas percepciones en altavoz mundial, sino que se ofrecen como los medios más adecuados para paliar estas sensaciones de abandono y miedo. Sin embargo, es el momento de reflexionar, de tener miras más allá de este miedo, más allá de pensar que la probabilidad siempre va a fallar a nuestro favor debido a que nuestro actuar diario es correcto, en virtud de una serie de parámetros marcados socialmente, fundamentalmente porque esto no es libertad.

Capítulo III
JUDICIAL-TECH UN NUEVO PARADIGMA DE JUSTICIA

La irrupción de la tecnología en la justicia ha ido permitiendo avanzar paso a paso, ciertamente de forma asimétrica y generando diferencias y desigualdades entre unos juzgados y otros, pero es indudable que los diferentes grados de incorporación en el sistema de Justicia han transformado el viejo paradigma de Justicia. Primero fue el uso de las herramientas de comunicación a través de Internet y la incorporación de los documentos electrónicos, muy especialmente como hemos visto, la automatización de los procedimientos y de los medios que permitían cuestionar los viejos instrumentos a través de los cuales se podían realizar algunas actuaciones procesales.

Posteriormente, la digitalización, con mayor o menor grado de profundización de estos modelos digitales y de su incorporación al quehacer cotidiano de la Justicia a través de aplicaciones útiles para todos los operadores jurídicos que actúan en el mundo del Derecho, mejorando la administración de los procesos y abriendo una nueva ventana al Derecho Procesal digital. Y, por último veremos como el uso de algoritmos para estas automatizaciones vinculadas a la inteligencia artificial adoptan diferentes formas y resultados que van poco a poco entrando hasta lo más profundo de nuestro sistema judicial y que actualmente están empezando a formar parte de la Justicia española de manera muy decidida.

Todo lo expuesto no solo afecta a los medios, instrumentos o maneras de actuar, sino que incide en conceptos, en principios y en garantías y derechos. Es muy importante que el modelo de sistemas algorítmicos se construya sin olvidar el núcleo esencial de la democracia, la Justicia, la ciudadanía, sus garantías y sus derechos. Por tanto, no se trata de incorporar fragmentariamente componentes digitales y algorítmicos, sino que éstos se introduzcan en ese nuevo modelo de justicia digital que pretendemos instituir, donde sus prismas son infinitos. Por ejemplo, debemos repensar si nuestro modelo debe seguir las bases de una política 100% pública, donde las aplicaciones sean realizadas por los propios trabajadores de la Administración, minimizando las posibilidades de inclusión de algoritmos o de trasvase de datos al ámbito privado. O si por el contrario preferimos aplicaciones realizadas por la industria privada con una tecnología más avanzada, pero de la que no tendremos el control de todos los parámetros y datos alojados, que serán compradas por la Administración pública. Todo ello, obviamente, sin olvidar la posible e interesante colaboración público-privada. Esta colaboración público-privada, por un lado, es necesaria, ya que la propia Administración no cuenta con los recursos suficientes, ni con medios personales tan formados, como para adentrarse en el diseño y desarrollo a corto-medio plazo de este tipo de aplicaciones. Pero, por otro lado, no hay una previsión a medio-largo plazo para que sea la propia Administración, la que pueda formar a sus propios trabajadores y que se encarguen de la creación, desarrollo y mantenimiento de las aplicaciones informáticas que manejan los datos más sensibles de nuestra población.

Esta cuestión, entre otras, así como los incipientes pasos que la Administración del Estado está realizando con los proyectos que pretenden implantar algunas aplicaciones dotadas de inteligencia artificial, para la gestión de nuestros juzgados y tribunales, serán las que se debatan durante el presente capítulo.

1. TECNOLOGÍA APLICADA A LA JUSTICIA: UN PUNTO DE PARTIDA

Más allá de las aplicaciones informáticas que se vienen empleando desde hace ya un largo periodo, lo que importa en este momento es adentrarnos en lo que sería una nueva Justicia digital, que permitirá realizar actuaciones de forma diversa, por sujetos diversos y bajo condiciones diversas, así como ir paulatinamente introduciendo sistemas de inteligencia artificial en la Justicia.

Obviamente, en el lado inverso de los avances en eficiencia y rapidez se hallan quienes consideran que este tsunami tecnológico está dejando relegados otros recursos, a saber, recursos materiales y personales necesitados de renovación, donde se señalan principalmente los recursos y edificios que tienen determinados partidos judiciales, no sitos en las capitales de las provincias y en cuanto a recursos personales, la dificultad en la cobertura de las bajas del personal o la hiper-especialización de determinados servicios, que hacen a los funcionarios difícilmente movibles ante picos de trabajo en otros puestos del mismo juzgado[1].

Sin embargo, cada vez contamos con sistemas informáticos más complejos, que ya son utilizados con cierta asiduidad por los despachos de abogados para el planteamiento de demandas, querellas o contestaciones a las mismas. Estas aplicaciones se basan en inteligencia artificial, lo que se ha venido a denominar *legaltech*. Si bien, queremos poner el acento en que estas técnicas no pueden dejar de ser utilizadas por nuestros jueces y magistrados por más tiempo, ya que, hasta el momento los miembros de la carrera judicial no gozan del uso de estos.

Podríamos entrar en la consideración de la infracción del principio de igualdad de armas, pero en este caso, no entre las partes, ya que ambas pueden contratar a priori despachos de abogados que utilicen esta jurimetría, sino desigualdad de armas entre las partes y el órgano juzgador. Esta situación podría dar lugar a mermas en las resoluciones judiciales que cuenten con una información más limitada, que la manejada por las partes enriquecida con la inteligencia artificial[2]. Sin embargo, el equilibrio de esta situación permitiría ofrecer un servicio público de justicia que iría más allá con tecnologías predictivas, asistenciales e incluso decisorias como veremos.

1.1 La cuestionada cuarta revolución industrial

Podemos sentar que cada revolución industrial vivida ha sido, por un lado, marcada por creaciones o invenciones extraordinarias que han revolucionado el día a día de la sociedad y que, a la par, han con-

---

[1] Ver más en PEREA GONZÁLEZ, A., PASQUAL DEL RIQUELME HERRERO, M.A., DEL BARCO MARTÍNEZ, M. J., DE LOS REYES DELGADO, A., SIERRA SÁNCHEZ, Z., ARMIJO PLIEGO, A., "Diálogos para el futuro judicial XXXVIII. La gran reforma pendiente: los medios personales y materiales en la Administración de Justicia", *Diario La Ley*, Nº 10001, Sección Plan de Choque de la Justicia / Encuesta, 2 de Febrero de 2022, Wolters Kluwer.

[2] MARTÍNEZ GUTIÉRREZ, R., "Inteligencia artificial, algoritmos y automatización en la Justicia. Propuestas para su efectiva implantación", *Práctica de Tribunales*, Nº 149, Sección Estudios, Marzo-Abril 2021, Wolters Kluwer. LA LEY 4577/2021.

llevado irremediablemente cambios sociales, donde las personas han luchado por la mejora de sus condiciones vitales, hasta ese momento. Y es que si la primera revolución industrial -fechada desde finales del Siglo XVIII hasta comienzos del Siglo XIX- estuvo marcada por la invención de la máquina de vapor y la producción industrial, también trajo consigo cambios en la economía, en el mundo laboral y en la sociedad, con trascendentes transformaciones sociales y sociológicas. Basta pensar, a título de ejemplo, en los primeros pasos del movimiento obrero y de la lucha de clases, la sublevación de colonias británicas y como no la Revolución francesa, que marcaron hitos absolutamente trascendentes en la historia de la humanidad.

A la segunda revolución industrial -datada desde aproximadamente 1860, hasta la Primera Guerra Mundial en 1914- se le unió el desarrollo industrial de los ferrocarriles, la máquina de vapor, la invención del telégrafo, el teléfono y la proyección visual de imágenes, así como la producción de electricidad, petróleo y acero que fueron el catalizador del desarrollo industrial. Así aparecieron simultáneamente o como consecuencia de este segundo movimiento la organización de los trabajadores y las maquinarias a través del Taylorismo y posteriormente el fordismo. Todo ello desencadenó una sociedad que por fin aspiraba a gozar de una calidad de vida inimaginable hasta ese momento, con un exponencial aumento de la natalidad y disminución de la mortandad. Finalmente, la tercera revolución industrial fue testigo de la expansión de la automatización, de la digitalización, máquinas computacionales con la creación de ordenadores, la gran revolución de Internet y como no la carrera espacial. Esta tercera revolución industrial ha llegado hasta el contenido que hemos visto en el capítulo II de nuestro trabajo, abarcando también el inicio de la e-justice, donde encontramos los expedientes judiciales y administrativos electrónicos, la consolidación instrumental de internet y el hardware jurídico. En palabras de Barona, una tecnología que nos facilita y favorece la celeridad y eficiencia de los sistemas jurídicos[3]. Pero a esta aún le queda un camino para recorrer en nuestro futuro, hacía unos sistemas in-

---

[3]   BARONA VILAR, S., *Algoritmización del Derecho y de la Justicia, de la Inteligencia Artificial a las Smart Justice*, *op. cit*, pp. 43-59.

formáticos que hacen algo más allá de la simple sistematización del trabajo o digitalización del mismo.

Por ello, en la actualidad, asistimos a lo que se ha venido a denominar cuarta revolución industrial o revolución informática. Esta revolución viene marcada por el *big data*, el internet de las cosas (IoT), la inteligencia artificial y la interconexión de máquinas inteligentes. Una revolución que podemos tildar de erigida socialmente por la globalización y la sociedad de consumo y de masas. Toda esta ola ha sido amparada por las políticas neoliberales[4], que aumentan ese consumo excesivo, donde lo que prima es la estética, aunque sea virtual, creando los metaversos como escenarios virtuales donde todos son lo que quieren ser. Y en este contexto de la cuarta revolución industrial, el Derecho, y en concreto la Justicia y sus tribunales deben avanzar con pie firme para abrirse paso con las mismas armas que sus adversarios. Adversarios, que en ocasiones serán delincuentes digitales y en otras pueden ser grandes lobbies o despachos de abogados que cuenten con toda la tecnología a su favor y puedan llegar a manipular materias probatorias incriminatorias de su contraparte.

1.2 Breve introducción a la inteligencia artificial

Sin embargo, antes de adentrarnos en el ámbito de la inteligencia artificial aplicada al Derecho, es necesario aproximarnos a este concepto conociendo sus antecedentes, es decir, cómo hemos llegado hasta aquí y sus riesgos, a qué debemos atenernos ante esta nueva revolución.

1.2.1 Devenir histórico de la inteligencia artificial

Desde los anales de la introducción del término inteligencia artificial, centenares de autores han dado una definición distinta de esta en función de las tareas o de los resultados que se han ido produciendo. Así, en esta amalgama no solo tecnológica, diversas ramas de conocimiento han tenido y han querido aportar sus diferentes prismas desde donde la inteligencia artificial tiene distintos significados. La

---

4   *Ibidem.* pp. 60-61.

inteligencia artificial es diferente y a la vez lo mismo para ramas tan dispares como son las matemáticas, la física, la ética, la psicología, el derecho o el arte, entre otras.

Situándonos en el plano más purista podemos datar el inicio de la inteligencia artificial en 1943 con la publicación del artículo "*A logical calculus of ideas immanent in nervous activity*"[5] sobre la creación de un modelo matemático capaz de iniciar una red neuronal. Tan solo unos pocos años más tarde, en el 1950 MARVIN MINSKY y DEAN EDMONDS, ambos alumnos de Harvard crean el primer ordenador neuronal al que denominan Snarc y justo en este mismo año, ALAN TURING publicó el *Test de Turing*[6], que todavía es utilizado para conocer la similitud entre la mente humana y la respuesta de la inteligencia artificial. Siguiendo con estas investigaciones dos años más tarde ARTHUR SAMUEL creó el primer software capaz de aprender a jugar al ajedrez de forma autónoma y en 1959 acuñó el término *machine learning* que hoy tanto utilizamos.

Sin embargo, el que se considera como padre del término inteligencia artificial es JOHN MCCARTHY quien en 1956 lo utilizó en la conferencia "*Dartmouth Summer Research Project on Artificial Intelligence*" y se sitúa esta fecha como el inicio de la inteligencia artificial tal y como la concebimos hoy. Este científico y matemático también fundó junto con MARVIN MINSKY el *MIT Artificial Intelligence Project* y el *AI Lab* en la Universidad de Stanford[7]. Podemos decir que las décadas de los 50 y 60 fueron las más brillantes y gloriosas de la inteligencia artificial, ya que deberíamos esperar varias décadas hasta que surgiese un nuevo despertar, tras pasar por dos denominados inviernos en el desarrollo de la inteligencia artificial. El primero propiciado por las críticas de otras ramas y la falta de financiación. Este invierno que tuvo su primavera durante la década de los ochenta con la creación de R1 (XCON) por parte de Digital Equipment Corporations, un sistema comercial diseñado para configurar los pedidos de nuevos sistemas informáticos, unido este a otros avances como

---

5   MCCULLOUGH W y PITTS W., "A logical calculus of the ideas immanent in nervous activity", *Bulletin of Mathematical Biophysics* 5, (1943), pp. 115–133 .

6   TURING A. M., "Computing machinery and intelligence", *Mind*, 1950.

7   BUCHANAN, B. G., "A (Very) Brief History of Artificial Intelligence", *AI Magazine*, 26(4), 2005, pp. 53-60.

la red de HOPFIELD que podía aprender y procesar información de una forma novedosa o el método de entrenamiento popularizado por HINTON y RUMELHART que provocaron nuevamente un auge de las inversiones en inteligencia artificial.

De nuevo a finales de la década de los ochenta, la fascinación empresarial por la inteligencia artificial volvió a seguir el patrón clásico de la burbuja económica y colapsó debido a la percepción de la inteligencia artificial por parte de los inversores y agencias gubernamentales. Ello, junto con el éxito de Apple e IBM con sus ordenadores personales más baratos produjo el desplome de las máquinas Lisp, llevándonos así al denominado segundo invierno de la inteligencia artificial[8].

Y desde finales de los noventa hasta nuestros días, hemos tenido otros momentos en los que la inteligencia artificial ha triunfado con innovaciones como la producida por Deep Blue de IBM que consiguió ganar al campeón mundial de ajedrez en 1997. Pero podemos datar el despegue definitivo pasada la primera década del milenio cuando Google hizo avances en el reconocimiento de voz e implantó estas funciones para los smartphones, junto con la red neuronal de YouTube con 10 millones de videos alimentados con la tecnología *deep learning*.

Desde el primitivo *machine learning* de ARTHUR SAMUEL y los primeros ensayos del *deep learning* que veíamos hace tan solo una década hasta la actualidad, la inteligencia artificial nos sorprende día a día con sus nuevas aplicaciones en diferentes campos tan esenciales para el futuro del ser humano como la medicina, la agricultura o la predicción atmosférica. Sin embargo, ahora el gran reto de la inteligencia artificial es el lenguaje natural (*natural language processing*)[9], es decir, que las máquinas sean capaces de comunicarse con los humanos a través de un lenguaje perfectamente natural.

---

8   TEIGENS, V., SKALFIST, P., MIKELSTEN, D., *Inteligencia artificial: la cuarta revolución industrial*, Cambridge Stanford Books, Cambridge, 2000, sección 5.

9   HANEY, B.S., "Applied Natural Language Processing for Law Practice", *Intellectual Property & Technology Forum at Boston College Law School* , Febrero, 2020, pp. 40-42.

En definitiva, la labor de la inteligencia artificial ha sido y será intentar imitar diversas capacidades del cerebro humano realizando comportamientos inteligentes automatizando tareas intelectuales por medio de ordenes secuenciales provenientes de una fórmula matemática denominada algoritmo y a través de la cual la máquina ejecuta las acciones dictadas para dar solución a una cuestión previamente determinada[10]. Si bien, como veremos a lo largo de este capítulo este ideal pasa por muchos ítems susceptibles de errores, como es la determinación de la pregunta que se le hace a la máquina, el algoritmo utilizado, a pesar de que la ejecución si es perfecta pero las premisas y el camino trazado resultan los grandes retos actuales. Por lo tanto, a esta cuarta revolución industrial aún le queda un largo camino por recorrer para culminar con este ideal que ya estableció TURING.

1.2.2 Riesgos de la inteligencia artificial

Si por algo se caracteriza esta cuarta revolución industrial es por el hecho, de que la información es poder. Poder, que hoy estamos regalando a una infinidad de aplicaciones informáticas, que van desde aplicaciones instaladas en nuestros móviles o páginas web con *cookies* a las que libremente aceptamos ceder casi hasta nuestra alma. Todo ello sin contar con los datos registrados a través de *gadgets* inteligentes como altavoces, pulseras, televisiones, coches, lavadoras e incluso frigoríficos, a los que se le apellida con la denominación inteligentes o *Smart* y que trabajan con la tecnología del Internet de las Cosas[11]. Todo ello, con unos consentimientos informados que acep-

---

[10] PÉREZ ESTRADA, M.J., *Fundamentos jurídicos para el uso de la inteligencia artificial en los órganos judiciales*, Tirant Lo Blanch, Valencia 2022, pp. 29-30 y NAVAS NAVARRO, Susana, "Derecho e inteligencia artificial desde el diseño. Aproximaciones", *Inteligencia artificial*, Tirant lo Blanch, Valencia, 2017, pp. 24 y 25.

[11] Esto es lo que se ha denominado Internet of things -IoT- o Internet de las cosas. Referido a la interconexión digital de objetos cotidianos con Internet. Estos objetos a su vez intercambian agregan y procesan información sobre su entorno físico, a priori, para proporcionar servicios de mayor calidad a los usuarios finales, sin embargo, poco se sabe del tratamiento de los datos que estos sensores y dispositivos remiten a sus creadores y que generalmente se encuentran en China o en EE.UU. Para un mayor estudio de la materia ver: BARRIO ANDRÉS, M., *Internet de las cosas*, 2ª Ed., Reus, 2020, Madrid, pp. 21-25.

tamos con un solo clic, de los que permítanme dudar que realmente han sido racionalmente aceptados. Pues bien, todos estos datos son oro para las empresas encargadas de la nueva economía de minería de datos. Esta industria, se dedica a descubrir patrones a través de grandes volúmenes de conjuntos de datos, utilizando la estadística y las ciencias de la computación[12].

Sin duda, esta industria no es la única que trabaja con nuestros datos, ni se nutre únicamente de datos brutos, sino que esta se alimenta también de los datos proporcionados por las redes sociales y las nubes. Todos estos datos en bruto es lo que llamamos *big data*, macrodatos, o datos masivos, que hacen referencia al conjunto de datos de gran magnitud que precisan de un procesamiento informático. Así, el procesamiento de estos datos a través de algoritmos matemáticos, con la finalidad de darles una utilidad, es la denominada inteligencia artificial, de la que existen multitud de subcampos y expresiones.

Pues bien, unos de los subcampos de esta inteligencia artificial es el trabajo a través de *machine learning*, es decir, máquinas capaces de aprender un patrón de comportamiento, a través de millones de ejemplos. Y un paso más allá de las *machine learning* -que utilizan algoritmos para analizar datos y aprenden de ellos aplicando lo aprendido para tomar decisiones replicadas o similares a las aprendidas-, se encuentra el *deep learning* o aprendizaje profundo. Este aprendizaje profundo evoluciona y utiliza una red neuronal, a través de la cual un algoritmo determina por sí mismo, si una predicción es acertada o no valiéndose de su propio método de computación. Una técnica con la que parece que tiene un cerebro propio, es decir, es la base de una inteligencia artificial, más parecida a la mente humana.

Hasta aquí prácticamente no nos podemos hacer una idea de la incidencia y aplicativos que esta inteligencia artificial y estas tecnologías disruptivas tienen dentro de la labor jurisdiccional y, sobre todo, como el ejecutivo ya ha puesto en marcha aplicaciones con una incidencia tan importante en nuestros procesos judiciales y en la labor diaria jurisdiccional del juez como veremos en el presente capítulo. Ya

---

12 Ver más en: INSELBERG, A., "Visualization and Data Mining for High Dimensional Datasets" *Data Mining and Knowledge Discovery Handbook,* Ed. MAIMON, O. y ROKACH, L., Springer, 2010, New York, pp. 297-319

que, hasta ahora, tan solo se habían utilizado sistemas automatizados limitados a la pura gestión de los juzgados y tribunales de nuestro país. Sistemas automatizados, pero sin la inclusión de algoritmos que permiten la actuación autónoma de los softwares, a pesar de que son susceptibles de la inserción de estos en los próximos años. Si bien es necesario tener una consciencia clara de qué es la inteligencia artificial, cómo es el uso de estos algoritmos en el ámbito de la justicia y los riesgos que a priori ello nos comporta, para de esta manera elegir con criterio nuestro futuro más inmediato.

1.3 Inteligencia artificial Asistencial o Decisoria

Cuando nos adentramos en la inteligencia artificial aplicada a las decisiones judiciales, es lo que se ha venido denominando por la doctrina anglosajona *judicial-tech*, encontramos dos tipos diferenciados de tecnologías aplicables o dos estadios de menor o mayor implicación de los algoritmos automatizados en la labor jurisdiccional.

Como veremos con más profundidad en los siguientes apartados por un lado la inteligencia artificial asistencial actualmente facilita, ayuda o aconseja al juez en su labor diaria, es decir, una especie de Pepito Grillo digital que nos contestará a determinadas dudas durante la labor decisional y que colaborará con los jueces para asistirle a través de determinadas aplicaciones limitadas como veremos a un fin muy concreto. Si bien esta inteligencia artificial asistencial actuará solamente a instancia del interesado, en este caso del juez, es decir, siempre que el juez acuda a la aplicación para solventar su duda y no actuará cuando el juez no se lo solicite.

Y, por otro lado, encontramos la inteligencia artificial decisoria, que como veremos aún no está plenamente desarrollada, falla constantemente e incluso existen dudas razonables de que pueda estar perfeccionada en los próximos años. Esta inteligencia artificial decisoria se plantea con una mayor intrusión en la decisión judicial, pudiendo incluso sustituir la voluntad del propio juzgador si este así lo tiene por conveniente o si el propio Estado le asigna esta potestad a la máquina como ocurre en China[13], a través de un sistema aparentemente en pruebas[14].

Por ello, en este momento clave de la historia de la justicia en la que se debate el avance hacia una inteligencia artificial más decisional que asistencial debemos reflexionar sobre determinados conceptos y situaciones previas. Así las cosas, no nos cabe ninguna duda, de que existen datos de cada uno de nosotros en estos lagos de datos, que alimentan perfiles y nos encasillan o nos clasifican, en categorías relacionadas con unos determinados parámetros de interés para el sector propietario de estos datos. Sin embargo, estas tecnologías también fallan[15], se equivocan. Y es en este punto donde debemos de poner en tela de juicio la aplicación de estas tecnologías, tanto si son aplicadas sin supervisión humana, como la forma de conocer cómo debe ser esa supervisión en caso de existir, ya que la vulneración de derechos fundamentales de la ciudadanía puede ser irreparable[16].

Ejemplo de ello fue el paradigmático caso ocurrido en Estados Unidos, donde el software COMPAS dotado de un sistema de inteli-

---

[13] También advierte de este peligro NIEVA FENOLL, J. "Un Cambio Generacional en el Proceso Judicial: la Inteligencia Artificial", *El Derecho En La Encrucijada Tecnológica Estudios Sobre Derechos Fundamentales, Nuevas Tecnologías E Inteligencia Artificial*, Ed. VILLEGAS DELGADO, C. y MARTÍN RÍOS, P., Tirant Lo Blanch, Valencia, 2022, p. 101.

[14] Ver mas sobre este particular en: PAPAGIANNEAS, S., "Towards Smarter and Fairer Justice? A Review of the Chinese Scholarship on Building Smart Courts and Automating Justice", *Journal of Current Chinese Affairs* 51(2), pp. 328-342.

[15] Así por ejemplo se utilizan este tipo de predicciones en el ámbito del deporte para determinar si un jugador tiene más o menos posibilidades de ganar un determinado partido. Es reseñable la previsión de una empresa de Big Data que a través de un algoritmo le otorgaban a Rafa Nadal para conseguir su título 21 de Grand Slam solo un 36% de posibilidades de ganar antes de comenzar el partido frente al ruso Medvédev. Y eso no es todo, ya que, tras perder los dos primeros sets, la estadística avanzada le otorgaba tan solo un 4% de posibilidades de victoria, a pesar de que finalmente acabó ganando el partido y por lo tanto dando también un gran revés a la inteligencia artificial. Ver noticia en: https://www.antena3.com/noticias/deportes/nadal-tambien-logro-tumbar-inteligencia-artificial-rafa-nadal-hay-nada-imposible_2022020161f8f886334ddc00011c5b ed.html, visitado el día 6 de febrero de 2022.

[16] ORTIZ HERNÁNDEZ S., GARRÓS FONT, I., ROMERA SANTIAGO, M.N., "Hacia la implantación de la inteligencia artificial en nuestro sistema judicial", *Revista Aranzadi Doctrinal,* núm. 3/2020 parte Estudios.

gencia artificial y comercializado por la empresa privada Northpointe Inc, emitió un informe sobre la posible reincidencia de un individuo. Según el informe de conclusiones finales del fiscal y en base al que el juez dictó sentencia, este software indicó que el presunto culpable contaba con un alto riesgo de violencia y un alto riesgo de reinciden- cia. Por esto Loomis fue condenado a seis años de prisión y cinco años de libertad vigilada[17]. Finalmente, esta sentencia fue revocada por la instancia superior, debido a que además de probar que estas herramientas incluyen sesgos de género, raciales e incluso por clase social. También se advirtió a los jueces en apelación, de su deber de excluir las evaluaciones de riesgos tecnológicas, en las que su meto- dología permanezca en secreto o en las que no se pueda controlar su querencia. De esta manera, se limitó su uso hasta que haya más estudios disponibles y se conozca como podrían contrarrestar las des- ventajas de estas evaluaciones[18]. Por ello, ahora que nos adentramos en una justicia que va a utilizar de manera irremediable la inteligencia artificial para su funcionamiento diario, debemos plantearnos, dentro del nuevo modelo de justicia, qué tipo de inteligencia artificial, de las comentadas en este apartado queremos utilizar.

Además, debemos tener en cuenta que generalmente no se suelen conocer las especificaciones técnicas de los algoritmos de las aplica- ciones que analizaremos en el presente capítulo y que el gobierno está anunciando su uso piloto en el ámbito de la Administración de Justicia. Esta cuestión puede ser tremendamente peligrosa en cuanto a la transparencia de las propias aplicaciones y sobre todo en cuanto a los posibles sesgos que puedan originarse dentro de las mismas[19].

Por ello, creemos necesario estudiar bien las opciones antes de ini- ciar estos proyectos piloto, con los que ya se está juzgando a personas

---

[17] El 13 de julio de 2016 el Tribunal Supremo del Estado de Wisconsin dictó sentencia en el caso State v. Loomis. Ver más en: MARTÍNEZ GARAY, L., "Peli- grosidad, algoritmos y due process: el caso Sate v Loomis", *Revista De Derecho Penal Y Criminología*, n.º 20 (julio de 2018), pp. 485-502.

[18] Criminal Law, Sentencing Guidelines, Wisconsin Supreme Court Requires Warn- ing Before Use of Algorithmic Risk Assessments in Sentencing, State v. Loomis, 881 N.W.2d 749 (Wis. 2016), *Harvard Law Review*, Vol. 130, 2017, pp. 1530- 1537.

[19] GUZMÁN FLUJA, V., "Proceso penal y justicia automatizada", *Revista General de Derecho Procesal*, Nº. 53, 2021, pp. 3-4.

con la asistencia de softwares alimentados de inteligencia artificial -por muy inocuos o sencillos que estos sean-. Es de imperiosa necesidad establecer unas bases sólidas de protección de todos estos datos, incluso crear un régimen especial para el ataque a estos. Porque, como analizaremos más adelante, estos datos no están tan lejos de acabar en la llamada *Dark* o *Deep Web*[20] y, por lo tanto, de que nuestros datos puedan ser utilizados para actividades ilícitas.

2. INTELIGENCIA ARTIFICIAL ASISTENCIAL

La inteligencia artificial que se está instaurando en estos últimos tiempos recientes en la Justicia no solo española sino también en la europea es una inteligencia artificial asistencial. Esta, como su denominación indica asistirá y facilitará a los operadores del Derecho, de un modo eventual o desempeñando tareas específicas. De este modo, vestidos a través de un apoyo decisorio a jueces y a la investigación judicial y fiscal, incluso a los abogados de las partes, los sistemas asistenciales también entrañan algunas cuestiones que deben ser profundamente analizadas y discutidas, ya que el adjetivo asistencial, no es inocuo para el sistema[21].

La llamada inteligencia artificial asistencial es señalada como la primera generación de tecnologías ALI -*Artificial Legal Intelligence*-. Estas han comenzado a ser utilizadas en primer lugar por los abogados. Los despachos de abogados se han digitalizado, a través del uso de diferentes herramientas que van desde la asistencia en plantillas inteligentes que ayudan en la redacción de demandas, querellas o cualquier otro escrito, incluyendo sugerencias de jurisprudencia a programas organizadores virtuales de agenda o recursos humanos y materiales del despacho, esto en cuanto al ámbito *ad intra*. Pero también están empezando a utilizar tecnologías *ad extra*, para atender a

---

20   Es el conjunto oculto de sitios de Internet a los que solo se puede acceder mediante un navegador web especializado. Se utiliza para mantener la actividad de Internet privada y en el anonimato, lo que puede ser útil tanto en aplicaciones legales como ilegales.

21   En BARONA VILAR, S., *Algoritmización del Derecho y de la Justicia, de la Inteligencia Artificial a las Smart Justice, op. cit*, pp. 354-359.

sus clientes como los famosos *chatbots*, que permiten a través de palabras clave identificar preguntas frecuentes que han sido previamente precargadas en el sistema por el despacho, evitando de esta manera, tener que atender visitas por cuestiones que fácilmente pueden encontrar en el sitio web habilitado por el propio despacho.

En España comienza a trabajarse con la inteligencia artificial asistencial. Esta permitirá tanto a jueces, como al resto de funcionarios de la Oficina judicial, contar con una tecnología que les asista y les guíe hacia las soluciones más "eficientes" a sus tareas. Repárese en que hasta ahora se han venido incorporando sistemas de gestión procesal que proporcionan un entorno más o menos amigable e intuitivo a los funcionarios de los juzgados, además de los denominados expedientes judiciales electrónicos que, con un simple clic, permiten conocer el estado de un proceso concreto. Nadie puede cuestionar la agilidad en el trabajo que esto comporta, dado que, si bien, antes se debían revisar carpetas interminables, en la actualidad la tecnología permite solventar esta situación en unos pocos instantes. En el mismo sentido, LexNET también de manera electrónica, permite a los operadores jurídicos conocer el estado de la tramitación de un proceso, así como conocer sus notificaciones y actualizaciones. Como hemos visto, estos procedimientos electrónicos precisan únicamente de una conexión a internet y no conllevan la inclusión de algoritmos, ni se alimentan de datos de usuarios anteriores para dar respuestas a los funcionarios de justicia.

El siguiente avance en el marco de la materia que nos ocupa ha sido prever la posible inclusión de modelos de inteligencia artificial asistencial en los sistemas de gestión procesal y en el expediente judicial electrónico. Esto supondrá una nueva manera de funcionar en los juzgados, ya que se incluirán nuevas aplicaciones que, asistirán sobre todo a la labor juzgadora y de asistencia al ciudadano.

Es siempre compleja la tarea de alcanzar el equilibrio entre lo conveniente y útil y lo más justo y adecuado. En este sentido, es indudable que la incorporación de estos sistemas asistenciales ofrece enormes ventajas para el órgano decisor, le facilitan la tarea indudablemente, si bien pueden implicar a su vez una merma en su capacidad de discernir por el acomodamiento a estas sugerencias o por apoyarse demasiado en las asistencias que se le van a ir proporcionando. Todo esto podría tener una repercusión en el elemento más vulnerable, los justiciables, que pueden ver afectados sus derechos e intereses. Si bien, la probabilidad de que estas herramientas asistenciales afecten a derechos y garantías de justiciables es muy limitada, ya que este apoyo tecnológico viene a limitar las posibilidades de errores humanos en operaciones sencillas para la máquina.

Esta inteligencia artificial asistencial emitirá sugerencias o consejos durante la redacción de la sentencia al juez, con base en los datos previos almacenados en su sistema y combinando algoritmos, sobre cuestiones sumamente sencillas principalmente basadas en cálculos y automatismos.

Si bien, se deberá tener en cuenta que los datos y algoritmos que alimentan el sistema sean lo suficientemente representativos y fiables como muestra para repetir estas respuestas. Ya que de lo contrario nos podrían llevar al punto en el un cálculo o acción algorítmica errónea dentro del sistema que alimenta a este tipo de softwares daría lugar a multiplicar ese error en infinidad de veces, dado que este tipo de sistemas asistenciales no tiene capacidad alguna para discernir entre el error y el acierto, sino que solo aprende por repetición. Por ello, antes del lanzamiento de una herramienta para la totalidad de los juzgados y tribunales de todo el país, esta pasa por un exhaustivo periodo de pruebas que en ocasiones se dilata durante años y además se suele aplicar limitadamente a determinados juzgados o partidos judiciales establecidos como piloto antes de su extensión al resto del territorio español.

En el ámbito de la inteligencia artificial asistencial podemos sentar que, salvo contadas situaciones como veremos con el programa Vio-Gen, la capacidad de estas para afectar negativamente a los usuarios por una querencia de estos algoritmos a sesgos dañinos para la decisión final es limitada.

Estas situaciones de sesgos, en la actualidad se encuentran infinitamente más acusadas en otras aplicaciones, utilizadas no por un juez, sino por la totalidad de la población y cuyo objetivo principal si es dirigir nuestra voluntad y pensamientos, sobre todo en el ámbito del marketing y las compras impulsivas. Esto no obsta para que protejamos de una manera más especial el campo del que ahora tratamos, ya que concierne directamente a nuestros derechos más fundamentales, pudiendo situarnos en el ámbito de la probabilidad como culpables o inocentes.

2.1 Aplicaciones actuales de la inteligencia artificial asistencial

En la actualidad, ya contamos con herramientas asistenciales a través de sistemas que combinan operaciones algorítmicas. Todas ellas han entrado a formar parte de nuestra actividad diaria en juzgados y tribunales sin que hayan sido cuestionadas ni ética, ni legislativamente, a pesar de que la legislación actual se nos está quedando pequeña para dar cabida a estas aplicaciones con tantas implicaciones para los justiciables. Por ello, la futura Ley de Medidas de Eficiencia Digital del Servicio Público de Justicia, aún en proyecto, vendrá a poner remedio a esta situación tan *sui generis* y *cuasi* anárquica en el ámbito de la inteligencia artificial aplicada al ámbito de la Justicia. Y es que el Ministerio de Justicia, desde los primeros años de esta década se está promocionando y poniendo en marcha a través del Proyecto Justicia 2030: accesibilidad, eficiencia y sostenibilidad, una batería de herramientas eficaces que implican una transformación real y efectiva de la justicia tal y como la conocíamos hasta el momento. Si bien, estas ejecuciones tienen que estar amparadas y basadas en un sustento legislativo lo suficientemente fuerte para que estas medidas y aplicaciones tengan la legitimidad suficiente para su uso e imposición ante la ciudadanía.

En los siguientes apartados haremos un repaso de las aplicaciones puestas ya en marcha por el Ministerio de Justicia con implicación de inteligencia artificial asistencial, aunque algunas no son proyectos acabados, sino que en muchas ocasiones se trata de proyectos piloto a los que no debemos perder la pista en los próximos años para valorar su utilidad y acierto.

2.2 VioGen

Un ejemplo de inteligencia artificial asistencial asimilada por la totalidad de la esfera jurídica es el sistema de seguimiento integral en los casos de violencia de género VioGen. Este programa puesto en marcha en el año 2007, en cumplimiento de lo establecido en la Ley Orgánica 1/2004, de 28 de diciembre, de Medidas de Protección Integral contra la Violencia de Género[22], establece entre sus objetivos coordinar a las diferentes instituciones públicas que tienen competencias en materia de violencia de género. Para ello, se propone integrar en una misma aplicación toda la información de interés que se estime necesaria, emitiendo avisos, alertas y alarmas, a través del Subsistema de Notificaciones Automatizadas, cuando se detecte alguna incidencia o acontecimiento que pueda poner en peligro la integridad de la víctima. Sin embargo, sus objetivos y tareas estrella son la de realizar predicciones del riesgo de una mujer, en una situación de violencia de género, y en atención a ese nivel predeterminado por el sistema proponer un tipo de seguimiento y protección a las víctimas en todo el territorio nacional e incluso europeo -en virtud de la Ley 23/2014, de 20 de noviembre, de reconocimiento mutuo de resoluciones penales en la Unión Europea[23]-. Pues bien, todas estas previsiones se realizan a través de algoritmos que valoran las puntuaciones introducidas respecto a cada uno de los indicadores de riesgo, tras la contestación de unos formularios tipo que la presunta víctima va contestando a través de los agentes de la policía y de donde los algoritmos determinarán un riesgo en cinco niveles -no apreciado, bajo, medio, alto o extremo-.

Estos pronósticos, al ser una herramienta de inteligencia artificial asistencial, se le remiten al Juzgado de Violencia sobre la mujer, con la finalidad de que este adopte las medidas de prevención y protección que se estimen para la víctima. Por supuesto, no existe una obligatoriedad para el juez de dictar las medidas sugeridas por el sistema y este será el responsable último en la determinación de medidas tan importantes como las limitativas de la libertad, como es la prisión provisional o la orden de alejamiento. Si bien, debemos tener en cuenta que, aunque, por un lado, añadimos más información al juez en base a un algoritmo, que afortunadamente en este caso es público, por otro lado, incrementamos la carga psicológica del juez de tomar deci-

---

[22] BOE núm. 313, de 29 de diciembre de 2004. Ver más sobre este particular en BORGES BLÁZQUEZ, R., "La orden de protección europea y su aplicación en España", Revista *Jurídica Universidad Autónoma De Madrid*, (41) 2020, 93–127.

[23] BOE núm. 282, de 21 de diciembre de 2014.

siones. De modo que estas decisiones judiciales pueden separarse del criterio de un programa informático destinado a evaluar estos riesgos concretos, de ahí su denominación como asistencial[24].

En estos casos, la mayoría de los jueces de guardia se limitan a dictar lo que la máquina le ha sugerido en virtud del riesgo marcado por el programa VioGen sobre la víctima, debido a que la carga mental sobre la responsabilidad en la toma de decisiones que compone para un juez, en muchas ocasiones en funciones de guardia -de un Juzgado de Violencia sobre la mujer-, le hará eludir la posibilidad de adoptar unas medidas cautelares distintas a las sugeridas por este software. Esta situación se agrava debido a la temática de estos casos, en los que la sociedad está afortunadamente tan sensibilizada. Esto nos lleva a pensar que es posible que en ocasiones el juez podría acabar dictando medidas cautelares más gravosas para el presunto victimario, que las que habría adoptado en su apreciación libre de las pruebas o su leal saber y entender.

Además, debe tenerse en cuenta que en el empleo de estos métodos algorítmicos predictivos asistenciales el victimario queda relativamente desplazado y su derecho a la presunción de inocencia o derecho de defensa se puede ver mínimamente comprometido. Ello, unido a que en la mayoría de las ocasiones su defensa técnica no conoce los parámetros, ni por supuesto el algoritmo aplicado para el ejercicio de su planteamiento defensivo y la argumentación en contra de estos indicios.

Si bien, lo que podemos determinar claramente es que la única que no tendrá ningún tipo de remordimientos, ni responsabilidad en cuanto a su labor ejercitada sobre el proceso será la máquina, dado que, a diferencia de lo soportado por el juzgador, los agentes de la autoridad que hayan completado el formulario de VioGen en virtud de las declaraciones de la víctima y las asistencias técnicas a través de los abogados de las partes, la máquina, con un gran peso sobre la

---

[24]   GASCÓN INCHAUSTI, F., "Desafíos para el proceso penal en la era digital: externalización, sumisión pericial e inteligencia artificial", *La justicia digital en España y la Unión Europea,* Coord. CONDE FUENTES, J. y SERRANO HOYO, G., Atelier, 2019, pp. 204-205.

decisión final estará exenta de cualquier responsabilidad y no quedará vestigio alguno en su memoria, tras la elaboración de esta predicción.

2.3 Sistema de Comparecencias Apud Acta en Remoto (SCA-AR)

Este sistema, presentado en marzo de 2021 como pionero en Canarias en los Juzgados de Instrucción de Las Palmas de Gran Canaria, permite el acceso remoto a las comparecencias en el juzgado. En él se sustituye la personación física por una identificación biométrica remota y segura a través de un dispositivo móvil. Este software aplicado en Canarias ha sido desarrollado por la empresa privada francesa Inetum para la Administración de Justicia de Canarias. Una vez más, comenzamos dividiendo fuerzas y con iniciativas electrónicas independientes, lo que posiblemente conllevará nuevos problemas de interoperabilidad en el futuro, como los que hemos advertido en el capítulo anterior. Además, de las posibles implicaciones futuras que pueda tener el almacenamiento de todos estos datos biométricos, por una empresa privada extranjera, aunque en este caso tenemos la fortuna de que estos datos quedan albergados en una empresa europea.

A priori, esta herramienta no va a ser utilizada para la asistencia telemática a declaraciones orales o juicios, sino tan solo a modo de control para las personas sobre las que se fija la medida cautelar judicial de comparecencias periódicas en el juzgado. De este modo, estas comparecencias físicas serán sustituidas, si así lo consiente tanto el victimario, como el juez de Instrucción por la verificación remota, a través del teléfono móvil del encausado. Este software se ha incluido dentro del Sistema de Gestión Procesal y es capaz de generar notificaciones y alertas inmediatas a los funcionarios de los juzgados. Este sistema imita a alguno ya conocido -y en ocasiones sufrido- en otros sectores, como son los reconocimientos biométricos en el control de fronteras, donde en multitud de ocasiones tenemos que pasar por el control realizado por un agente humano al detectar errores de identificación por la máquina o aplicaciones bancarias o de crédito con identificación facial.

El procedimiento no parece sencillo de burlar, ya que en primer lugar se deberá identificar la persona a través de un documento oficial válido, normalmente a través del escaneo del DNI. En segundo lugar, se debe generar la credencial biométrica con el reconocimiento facial y finalmente se deberá compartir la geolocalización para verificar que el encausado se encuentra en el territorio que debe según la medida impuesta[25]. A pesar de todo, sí existe la posibilidad remota de falsear la seguridad de estos softwares si no están muy bien desarrollados. Estas falsificaciones se están produciendo fundamentalmente a través de máscaras de silicona o vídeos 3D que permiten la suplantación de identidad. Todo ello, sin entrar en los perjuicios o incompatibilidades que estas herramientas puedan suponer con las garantías procesales al exigir la cesión de los datos de identificación facial *sine die*[26].

No obstante, este software, es por ahora de ámbito limitado tanto en el ámbito material, como en el territorial pero próximamente tendrá una réplica por parte de gigante Fujitsu, tal y como se anunció en el Justicia Virtual Sumimt. A través del software AstreIA que analizaremos más adelante y permitirá esta autenticación de ciudadanos de manera telemática, para casi todos los trámites procesales personales necesarios para llevar a cabo el proceso judicial.

2.4 Carpeta Justicia y mejoras en la accesibilidad virtual

El Ministerio de Justicia trabaja activamente en la creación de un buzón electrónico, similar a lo que supone LexNET para los profesionales que se relacionan con la justicia y similar a la carpeta ciudadana[27] que la Administración General del Estado tiene en funcionamiento. La Carpeta Ciudadana permite al ciudadano -con una autenticación electrónica con certificado digital, DNI electrónico, Clave Pin o Clave permanente- conocer el estado de sus expedientes administrativos, informarse sobre notificaciones, modificar sus datos

---

[25] Portal de noticias del Gobierno de Canarias, disponible en: https://www.europapress.es/nacional/noticia-fujitsu-presenta-plataforma-biometria-inteligente-acreditar-identidad-vistas-juicios-telematicos-20210610143603.html, visitada el día 25 de marzo de 2022.

[26] Ver más sobre este particular en: VELASCO NUÑEZ, E., "Reconocimiento facial por inteligencia artificial: aspectos procesales penales", *Diario La Ley*, Nº 63, Sección Ciberderecho, 20 de junio de 2022, Wolters Kluwer.

[27] Disponible en: https://sede.administracion.gob.es/carpeta/clave.htm, visitada el día 8 de abril de 2022.

personales registrados en la Administración y acceder a los registros realizados en la Administración. A semejanza, se plantea la creación de una Carpeta Justicia, que permita a los ciudadanos acceder a su propio expediente judicial electrónico, notificaciones, estado, agenda de señalamientos programados, etc. y pretendía estar implantada a inicios de 2023.

En definitiva, se tiende a que la ciudadanía pueda realizar el mayor número de actuaciones procesales a través de servicios no presenciales. Esto se hace posible accediendo a través de canales telemáticos similares a los habilitados para relacionarnos con la Administración General del Estado. Para ello, se presenta la herramienta Cl@ve Justicia, que permite identificar y autenticar correctamente al ciudadano, que quiera acceder de manera telemática a sus actuaciones procesales. Así mismo, se habilita la posibilidad de solicitar cita previa en los juzgados, para que los ciudadanos no tengan que esperar colas innecesarias y además puedan conocer directamente el órgano o unidad procesal a la que tienen que dirigirse en cada momento y de manera ordenada. Todo ello, además de la mejora en la accesibilidad, a través del denominado Escritorio Virtual de Inmediación Digital (EVID), que desarrollaremos en el siguiente apartado, que permitirá llevar a cabo videoconferencias seguras de actos procesales sin necesidad de la presencia física de los ciudadanos interesados en la causa.

2.5 Escritorio Virtual de Inmediación Digital

Este proyecto forma parte, junto con el resto de los analizados en este apartado, de los proyectos de innovación digital vinculados a una efectiva co-gobernanza -entre el sector público y el privado- desarrollados por el Ministerio de Justicia. Conocido ya con el acrónimo de EVID, este escritorio supone un nuevo canal de atención de la Administración de Justicia a profesionales y ciudadanos. Esta vía persigue garantizar, a través de un sistema de videoconferencia con plena seguridad jurídica digital, la atención del personal laboral sita en la oficina judicial de forma idéntica a la atención prestada a través de la vía presencial.

Este escritorio, actualmente en periodo de pruebas, pretende sustituir los trámites más habituales de una oficina judicial de atención al ciudadano con gestiones que hasta este momento requerían de la reserva de una cita previa. Estas gestiones van desde la simple generación de un acta, hasta el envío de información o firma de documentos en la sede judicial. Es importante referenciar que, en el ámbito de la ciberseguridad, esta aplicación contiene un registro de evidencias de la gestión y de la información suministrada que evita posibles fraudes.

Esta inmutabilidad, seguridad y la trazabilidad de los datos intercambiados están asegurados por la tecnología *blockchain* o cadena de bloques, tan utilizada en el ámbito de las criptomonedas. Esto permite certificar la trazabilidad de los documentos intercambiados para el proceso, a pesar de la inexistencia de la atención presencial. Además, cuenta con la ventaja de no requerir la instalación de nuevos softwares al ciudadano, sino que funciona con los certificados digitales de identificación usuales, como el DNI electrónico y el certificado digital.

Entre los trámites que permite realizar actualmente la aplicación se encuentran la solicitud del certificado de antecedentes penales o el certificado de últimas voluntades, certificados cuya agilidad permiten facilitar desde el acceso a un trabajo, a la apertura de un testamento sin necesidad de movernos de casa. Tenemos constancia de su implantación, aún limitada a algunos actos procesales en la Región de Murcia y en el Principado de Asturias, para comparecencias a través de videoconferencias, mejorando la situación sobre todo de profesionales sitos en zonas rurales. El desplazamiento de estos profesionales no solo conlleva horas de trabajo, sino también un gasto de recursos materiales y energéticos tan importantes de ahorrar en estos momentos y de los que incluso se ha calculado la huella de carbono que hemos economizado con este nuevo sistema.

Mientras que en la Región de Murcia su implantación se ha iniciado con trámites de remate de subastas y posteriormente se añadieron los trámites de aceptación de cargo de perito y aceptación de defensor judicial, en el Principado de Asturias se ha iniciado con trámites en el ámbito del Derecho de familia, como la aceptación del cargo de curador para actuar en nombre de personas con discapacidad, aceptación del cargo de defensor o aceptación de cargo de perito. Así mismo, existen también pruebas en Palencia e Islas Baleares para cesiones de remate, ratificaciones de mutuo acuerdo en asuntos de familia -divorcios y custodias y aceptaciones de cargo de perito-, así como en registros civiles, para las audiencias reservadas de matrimonios contrayentes.

Durante el año 2023 se prevé ampliar también la cartera de servicios a los apoderamientos apud acta, la aceptación del cargo de administrador judicial, las sesiones informativas sobre la posibilidad de acudir a la conciliación intrajudicial e incluso adjuntar documentación requerida o realizar comparecencias genéricas de cualquier otro tipo. Y todo ello, incluso desde cualquier dispositivo móvil, con un sistema de autenticación en dos pasos a través del sistema clave PIN. Por un lado, mostrando físicamente el DNI a la pantalla, y posteriormente recibiendo un código concreto, que deberá ser facilitado al funcionario para continuar con el trámite. Al finalizar el acto, el ciudadano o profesional recibirá el acta de lo acontecido en su correo electrónico, constando tal acta como un documento oficial. El reconocimiento de nuestro DNI físico por la aplicación móvil establecida al efecto funciona con inteligencia artificial, esta es capaz de reconocer y traducir aquellos datos que aparecen en nuestro DNI y compararlos con los que la Administración ha incluido dentro de la base de datos de la aplicación. Ello comporta que nuestros datos, utilicemos o no esta aplicación, ya están previamente precargados en esta aplicación, de la cual desconocemos el origen y/o la empresa que la gestiona.

En un futuro próximo también tiende a utilizarse EVID para la jurisdicción Penal con la finalidad de mejorar la situación de las víctimas de delitos violentos, evitando parte de la victimización secundaria sufrida por estas, al tener que personarse físicamente en el juzgado ante sus presuntos agresores o incluso de testigos que necesiten preservar su anonimato dentro del proceso, por riesgo de futuras represalias. Ya que en la mayoría de los juzgados de nuestro territorio no existen protocolos eficaces para evitar estas coincidencias en la puerta de las salas instantes antes del comienzo de las sesiones orales previstas.

Esta herramienta parece cumplir, por un lado, con la garantía de los hechos declarados, a través de la tecnología *blockchain* y, por otro lado, con la garantía de la identificación, a través del sistema de comparecencias con la tecnología de biometría, unido a un sistema de doble autenticación para garantizar los actos procesales realizados a través de videoconferencia. Si bien, queda en el aire conocer la empresa encargada de realizar y gestionar estas aplicaciones, así como, el lugar de almacenamiento de los datos volcados en la citada aplicación.

2.6 Textualización y dictado por voz

Con la entrada en vigor de la Ley Orgánica 7/2015, de 21 de julio, por la que se modifica la Ley Orgánica 6/1985, de 1 de julio del Poder Judicial[28], con la finalidad de mejorar y fomentar la utilización de las nuevas tecnologías en la Administración de Justicia se modificó el artículo 230 de la LOPJ y el artículo 147 de la LEC. Ambas disposiciones recogen una prohibición expresa en la que las actuaciones orales y vistas grabadas y documentadas en soporte digital no podrán transcribirse, salvo en los casos en que una ley así lo determine. Esto ha llevado a los funcionarios a crear sinergias negativas entre órganos jurisdiccionales, fiscalías, etc. sobre la conveniencia o no de transcribir algunos actos concretos, así como disputas sobre quién tenía que llevar a cabo estas transcripciones.

Con este proyecto de textualización digital no se pretende transcribir, para no contradecir a la Ley, sino convertir la voz de la grabación en texto -de manera automatizada- con la finalidad de que sirva como una herramienta útil a todos los funcionarios y operadores jurídicos que participen en el proceso. De esta manera, se permite que se puedan buscar términos por palabras clave o declaraciones por intervinientes concretos. Esto supondrá que tanto los órganos jurisdiccionales, como las partes representadas en cada proceso podrán manejar fácilmente estos textos, pudiendo editarlos o escoger frases claves para los escritos que elaboren.

En todo caso, debe quedar claro que el único documento que tiene valor procesal de acta es la grabación filmada y firmada electrónicamente por el Letrado de la Administración de Justicia. Así, en caso de discrepancia entre la textualización y la grabación prevalecerá siempre la grabación debidamente firmada y custodiada por el Letrado de la Administración de Justicia. De modo que la textualización, ni prevalece, ni por supuesto sustituirá a la grabación de vídeo o de voz de las actuaciones judiciales, sino que supone una aplicación asistencial

---

[28] BOE núm. 174, de 22 de julio de 2015.

para los profesionales que actúan en el proceso. Además, al Letrado de la Administración de Justicia se le sumará el deber de proteger debidamente la custodia de los datos que se hallasen en dichas textualizaciones, conforme a la legislación vigente sobre protección de datos de carácter personal[29].

Esta aplicación da un paso más allá en el desarrollo de la inteligencia artificial aplicada a nuestra Administración de Justicia, ya que está basada en técnicas de aprendizaje neuronal e integrada en los sistemas de grabación de las Salas de Vistas. La aplicación realiza el procesamiento de los archivos de vídeo o audio con la finalidad de extraer el texto correspondiente de las intervenciones orales que se realicen en juicios, vistas y comparecencias grabadas, de forma automatizada. La puesta en marcha de este sistema en el ámbito de la Justicia ha supuesto un gran hito, ya que es la primera vez que se aplican tecnologías disruptivas como instrumento de apoyo a la actividad judicial. Según los datos facilitados por el propio Ministerio de Justicia, se han textualizado más de 255 mil grabaciones de vistas judiciales y declaraciones. Y como consecuencia de ello se han ahorrado más de 85.000 horas en búsquedas de contenido de las vistas, lo que equivaldría al trabajo de 51 funcionarios en un año[30].

En esta misma línea se ha incluido otra aplicación denominada Sistema de Dictado Jurídico, que hace posible transcribir hasta 160 palabras por minuto con una alta precisión y reconociendo los términos jurídicos. Esta aplicación pretende pasar a texto de forma automática notas de voz desde cualquier dispositivo y en distintas aplicaciones, así como formatear, hacer búsquedas, navegar por internet y rellenar formularios. Este software presume de funcionar a través de inteligencia artificial unida a redes neuronales profundas, es decir, comenzamos a utilizar *machine learning* y, por ende, la aplicación será progresivamente cada vez más precisa en sus transcripciones porque

---

29 Para mayor análisis de este aspecto ver el informe *Definición funcional del sistema de grabación audiovisual de actos procesales*, CTEAJE, pp. 45-55. Disponible en: https://www.cteaje.gob.es/documents/185545/b0ac4c38-56ad-e5b3-f737-97c1417e8f5f, visitado el día 11 de abril de 2022.

30 Fuente: Candidatura a la XIV Convocatoria de Premios de Transformación Digital convocados por la asociación ASLAN. Disponible en: https://aslan.es/textualizacion-de-grabaciones/, visitada el día 12 de abril de 2022.

la máquina nos entenderá mejor. Esta aplicación está pensada en principio para su uso por funcionarios de la Administración de Justicia, fiscales, jueces y magistrados, para que puedan completar los formularios e incluso dictar sentencias por voz.

Para el inicio de la implantación de la misma, en junio de 2022, se comenzó con una primera fase, donde se distribuyeron licencias a 862 usuarios de Murcia, Ceuta, Melilla y Baleares. A lo largo del mismo mes se extendieron otras 828 licencias para Extremadura y Castilla-La Mancha. Y del mismo modo, se iniciaron otros 791 usuarios en Castilla y León. Finalmente se extendieron 524 licencias para el Tribunal Supremo, la Fiscalía General del Estado, la Audiencia Nacional y órganos de Gobierno[31]. Sin embargo, aún tendrán que pasar años para poder evaluar el impacto total de la herramienta, así como su utilidad real para todos estos profesionales.

La mayoría de la población contamos con herramientas de dictado automático en nuestros softwares básicos de escritura en los ordenadores personales e incluso en nuestros móviles para aplicaciones tan diarias como WhatsApp. Así mismo, la textualización de vídeos también es algo cotidiano y prácticamente la totalidad de los vídeos colgados en plataformas tan conocidas como YouTube e incluso las tan comercializadas *SmartTVs* cuentan con esta tecnología incorporada para subtitular o transcribir la totalidad del vídeo y así poder buscar palabras clave en él. No obstante, a pesar de ser aplicaciones muy utilizadas para nuestro ocio son muy pocos los que realmente hacen una utilización de estas en el ámbito laboral, sobre todo si el trabajo realizado tiene una determinada relevancia como puede ser una resolución judicial o la redacción de un artículo académico, posiblemente porque la generación que hoy escribe no está acostumbrada a hablarle a los ordenadores.

---

[31]   Disponible en: https://www.europapress.es/nacional/noticia-justicia-pone-marcha-sistema-dictado-juridico-transcribir-textos-20220606185830.html, visitada el 8 de junio de 2022.

2.7 Digitalización en el Registro Civil

El objetivo de iniciar de forma definitiva la Ley 20/2011, de 21 de julio, del Registro Civil[32], lleva más de una década intentando ponerse en marcha, a través de la creación de un Registro Civil único para toda España. Este Registro Civil pretende estar informatizado, accesible electrónicamente y desjudicializado. En la actualidad se abren dos vías necesarias, por un lado, la digitalización de los libros de Registro en papel, para evitar la pérdida y deterioro de los libros y, por otro lado, la migración de datos desde el aplicativo INFOREG a DICIREG.

Este nuevo modelo de Registro Civil pasa de registrar hechos, a registrar ciclos vitales de personas, ya que la vida de una persona hoy sufre más cambios en el Registro Civil de lo que solía hacerlo antaño. En la actualidad, a diferencia de lo que solía ocurrir hace unas décadas, una persona a lo largo de su vida puede registrar varios matrimonios y divorcios, incluso registrar cambios de sexo, nombre o cambios en el orden de los apellidos.

La Comunidad Autónoma de Aragón ha sido la encargada de desarrollar este proyecto de nuevo modelo de digitalización del Registro Civil *motu proprio* junto con la supervisión del Ministerio de Justicia. Más tarde, esta experiencia le ha servido al Ministerio de Justicia para aplicar este proyecto al Registro Civil Central. Esto permitirá en un futuro cercano que cualquier ciudadano, esté donde esté, pueda acceder a su información personal registral. Actualmente, la provincia de Teruel es la única provincia de España con todos los Registros Civiles de sus municipios digitalizados al 100%. Y esto es posible gracias a la colaboración de la Dirección General de seguridad jurídica y fe pública, de los Tribunales Superiores de Justicia y de los municipios.

Sin embargo, esta digitalización no es tan automática y rápida como nos podríamos imaginar, ya que depende de mucho trabajo manual para el escaneado cuidadoso de todas las hojas registrales, incluyendo las notas marginales de los libros, para pasar del papel al ámbito digital. Esto se realiza a través de unos centros especializados de escaneado, hasta donde tienen que ser transportados los libros de registro, en cajas ignífugas y con medidas de seguridad suficientes

---

[32] BOE núm. 175, de 22/07/2011.

para garantizar el buen fin de este proceso. Estos equipos de escaneado tienen instalados programas dotados de inteligencia artificial que extraen y graban los metadatos[33] de las hojas escaneadas. Como garantía, para asegurarnos de que estos datos extraídos son correctos, se realiza un doble escaneado de cada hoja, a través de dos equipos independientes pero conectados en paralelo y un sistema final que compara ambos metadatos extraídos. En este punto, solo si los datos de ambos escaneados coinciden en la información extraída esta queda grabada y en caso contrario, el operario deberá realizar un nuevo escaneo de los manuscritos hasta su coincidencia total.

Una vez se obtienen estos metadatos se remiten a través de una unidad de entrega, mediante la red SARA -Sistemas de Aplicaciones y Redes para las Administraciones-, al Ministerio de Justicia para que queden registrados en INFOREG. Este sistema más tarde remitirá los datos al programa gestUDE, que ha tenido que ser actualizado debido al tiempo que ha pasado desde su creación[34]. Posteriormente, se produce la migración definitiva de los datos desde INFOREG hacia DICIREG, terminando aquí el peregrinaje de los datos, que quedarían de esta manera totalmente digitalizados y accesibles a la ciudadanía para su consulta y facilitando sus futuras modificaciones.

Así mismo, se ha conseguido que este Registro Civil digital sea interoperable con el sistema de gestión procesal AVANTIUS. Esto, hace posible que desde los juzgados y tribunales se tenga acceso directo a los certificados de nacimiento, defunción y demás datos registrables de cualquier ciudadano a golpe de clic. Y lo mejor, todo ello sin necesidad de tener que librar oficio para solicitar dicha información

---

[33] Esta tecnología de lectura de datos manuscritos y transformarlos a datos mecanografiados está dotada de inteligencia artificial. Este tipo de tecnología es denominada como Procesamiento Inteligente de Documentos y es capaz de capturar, extraer y procesar datos de documentos de diversos formatos de forma automática gracias a la aplicación del Machine Learning.

[34] Es la aplicación informática que permite la carga de unidades digitalizadas en INFOREG y que quedó fuera de actividad en 2012. Respuesta del Gobierno (184) pregunta escrita Congreso 184/264, del 14/06/2019 realizada por GÓMEZ BALSERA, Marcial (GCs). En relación con los planes del Gobierno coadyuvan a mantener un Registro Civil público, gratuito y que preste un servicio de calidad a los ciudadanos. Disponible en: https://www.congreso.es/entradap/l13p/e0/e_0003572_n_000.pdf, visitada el día 7 de mayo de 2022.

al Registro Civil, como se debía hacer hasta ahora. De esta manera acortamos considerablemente los tiempos, evitando que los órganos jurisdiccionales tengan que esperar a que esta petición sea satisfecha por los funcionarios del Registro Civil. Así, se cierra el círculo entre dos administraciones que se encontraban desconectadas -juzgados y registros civiles- y que ahora pasan a ser totalmente interoperables. Todos estos avances han sido posibles gracias a los fondos europeos Next Generation. Sin embargo, aún quedan muchas Comunidades Autónomas por automatizar y digitalizar sus Registros Civiles, lo que supone uno de los grandes retos nacionales, sobre todo para núcleos rurales y en especial para la llamada España vaciada.

2.8 La robotización de la cancelación de antecedentes penales

El Ministerio de Justicia se encuentra en un proceso de análisis para detectar aquellas tareas que contienen un mayor grado de automatismo, aunque este automatismo sea actualmente desarrollado por personas y en qué medida, estas pueden ser asistidas a través de *robots* o asumidas por una aplicación dotada de inteligencia artificial. De modo que se plantea el desarrollo de estas robotizaciones, hasta el punto en el que se cuenta con la inteligencia humana solamente al final del proceso, una vez extraídos todos los datos para tomar las decisiones determinantes. Así, hemos llegado a una concepción, no sé si humanista o no, de que el desarrollo de tareas mecánicas por personas es concebido como una pérdida de valor de la persona en sí misma considerada.

Siguiendo esta política, el Ministerio de Justicia ha comenzado un proceso de robotización para la cancelación de antecedentes penales del Registro Central de Penados, a través de una aplicación dotada de inteligencia artificial. Esto ha hecho posible la cancelación de más de 250.000 antecedentes penales de oficio, de manera automatizada[35]. Esta tarea que hasta ahora conllevaba muchas horas de trabajo de funcionarios de la Administración de justicia y que a partir de ahora se pueden dedicar a tareas con un mayor valor añadido.

---

[35] CUBO, A., "Más que un Diálogo: La transformación digital de la Justicia (III)", *La Ley*, abril de 2022.

Estos datos se traducen, por un lado, en personas que ya han cumplido con sus penas y que no tienen que iniciar un proceso administrativo de solicitud de cancelación de antecedentes penales y que por ende se beneficiarán de la posibilidad de optar a empleo público, a la nacionalidad, a empleos privados o incluso la evitación de errores judiciales al adoptar medidas cautelares o aplicación del agravante de reincidencia en base a la cancelación de esos antecedentes penales.

Y, por otro lado, en la esfera pública se calcula que se ha agilizado en una semana de utilización del software, el trabajo que un funcionario habría tardado dos años en hacer, dado que este debía examinar de manera minuciosa cada solicitud. Esta aplicación estuvo en pruebas desde 2013 hasta marzo de 2021, cuando se comprobó el correcto ajuste del software y la minoración de los errores. Hasta esas fechas, se estimó el ahorro de estos primeros años en unas 7.000 horas de trabajo[36]. En definitiva, un ejemplo de eficiencia de la Administración de justicia a través de la inteligencia artificial y un beneficio en forma de reconocimiento del derecho del artículo 136 del Código Penal, para los ciudadanos que se reinsertan a la sociedad tras cumplir una condena. Por el contrario, nos preocupa que esta eficiencia robótica haga disminuir la oferta de plazas para funcionarios de la Administración de Justicia en el futuro o si por el contrario lo que se buscarán serán perfiles más especializados en el ámbito informático.

2.9 Calculadora 988

Fruto de la colaboración entre la Subdirección General de Planificación y Gestión de Transformación Digital (SGPGTD) y el CTEAJE surge la Calculadora 988, esta innovadora herramienta también es alimentada por inteligencia artificial a través de los denominados sistemas algorítmicos. La aplicación tecnológica realiza de forma automática el cálculo de acumulación de condenas, evitando que los jue-

---

[36] CUBO CONTRERAS, A., "Robotización e Inteligencia Artificial en la justicia", en el marco de colaboración instaurado entre el Ministerio de Justicia, el Ministerio de Asuntos Económicos y Transformación Digital y la organización AMETIC, de la que forman parte las empresas privadas más punteras de nuestro país en el sector TIC. Disponible en: https://www.youtube.com/watch?v=0S8kfKm8GZI, visitado el día 8 de mayo de 2022.

ces, magistrados y fiscales tengan que dedicar un tiempo significativo a esta tarea, así como a las posteriores comprobaciones del cálculo realizado que son muy tediosas.

Este software debe su nombre al artículo 988 de la Ley de Enjuiciamiento Criminal que regula la acumulación de condenas. Gracias a esta solución los miembros de órganos judiciales y fiscalías no pierden el tiempo en determinar la pena cuando hay acumulación de condenas y evita potenciales errores en el cálculo, que en ocasiones llevaba a estos profesionales a realizar operaciones de raíces cuadradas a mano. Esta herramienta tecnológica está basada en un algoritmo que permite obtener de manera automática, el cálculo de las condenas acumuladas de manera exacta, 100% libre de errores y homogeneizando el criterio de cálculo para todas las decisiones judiciales emitidas en nuestro país, siempre conforme a la legislación vigente en cada momento[37]. El desarrollo de este algoritmo hace que se muestre siempre el resultado de la combinación de penas más beneficiosa para el reo entre las posibilidades disponibles, tal y como establece la legislación vigente. No obstante, para acceder a esta aplicación debes ser usuario del sistema Aino@ Justicia, por lo que de momento no está disponible para el resto de los profesionales de la justicia como abogados o procuradores. Si podemos adelantar que su acogida entre los jueces y magistrados ha sido muy buena y todos aprecian este avance con notable satisfacción.

2.10 Otras soluciones tecnológicas de ámbito organizativo

Además de estas aplicaciones ya presentadas, existen otros proyectos con implicación de inteligencia artificial asistencial dentro del Ministerio de Justicia, no tan ambiciosos, pero que sin duda mejorarán la vida organizativa de los juzgados y tribunales y de todos los ciudadanos y profesionales que se relacionan con ellos en el día a día del servicio público de justicia.

---

[37] Subdirección General de Nuevas Tecnologías de la Justicia, Calculadora 988, *XII Convocatoria Premios @asLAN*, disponible en: https://aslan.es/wp-content/uploads/2020/02/20200205-Calculadora-988F.pdf, visitada el día 8 de mayo de 2022.

2.10.1 Agenda programada de señalamientos interoperable

Hoy en día la práctica totalidad de la población que utiliza Smartphone señala en el calendario o agenda digital del mismo sus citas y recordatorios. De esta manera, a golpe de vista podemos saber si ese día tenemos otra cita o reunión que nos impida compaginar con la previamente establecida. Incluso en la mayoría de grandes empresas compelen a sus trabajadores para que estas agendas durante el horario laboral sean compartidas con el propio sistema de la empresa, por lo que estas aplicaciones ya se encuentran en un estadio de desarrollo avanzado de comercialización. Por ello, la Administración de Justicia planea la inclusión de una agenda programada de señalamientos interoperable, que tiene como objetivo primordial evitar coincidencias en señalamientos judiciales a un mismo ciudadano, profesional o funcionario. Además, a través de esta agenda se pretende garantizar el derecho a la desconexión digital, ya que se podrá informar de bajas de maternidad, paternidad o enfermedad, así como de días de asuntos propios o vacaciones de las personas que operan en el proceso a través de este mismo canal. Esto evitará las suspensiones de los señalamientos por imposibilidad de comparecer un día concreto y a una hora determinada al acto procesal programado y permitirá agendar los señalamientos con mayor conocimiento de la disponibilidad de los citados.

Este sistema deberá ser también interoperable con el sistema electrónico de gestión de personal de la Administración de Justicia. De esta manera, se podrán modular e interoperar también la activación de bolsas de sustitutos o provisión interinos, de una manera más ágil y rápida de lo que lo realiza en la actualidad. Ya que, en ocasiones, las bajas son cubiertas cuando el puesto del trabajador público lleva varias semanas vacío, normalmente debido a una deficiente y lenta comunicación con el servicio de gestión de personal. Sin duda este proyecto puede mejorar la vida de todos los operadores jurídicos, evitando suspensiones in extremis, desplazamientos inútiles, pérdidas de tiempo de profesionales y ciudadanos y por supuesto, la consecuente dilación de procesos por causas perfectamente predecibles y evitables dentro del marco de los procesos judiciales y sus innumerables casuísticas.

Además, este mismo sistema le remitirá notificaciones y recordatorios a los citados desde 15 días antes de la vista y estará a su vez vinculado con el sistema interno de disponibilidad y ocupación de las salas de vistas para garantizar y agilizar esta agenda[38].

2.10.2 Sistema de gestión de archivos y sistema de gestión de efectos judiciales

En el presente apartado distinguimos dos tipos de software diferentes, pero con mucha relación entre sí.

1. Por un lado, distinguimos la aplicación proyectada sobre el sistema de gestión de archivos electrónicos. Este sistema permitirá que una vez los expedientes judiciales terminen su tramitación judicial, se proceda a su archivo automático, durante el tiempo establecido por la ley en cada caso y pasado este tiempo se desechen para el expurgo digital. No obstante, se debe tener en cuenta, que el software, aún dotado de inteligencia artificial, no sabe distinguir entre sentencias con especial relevancia por su pronunciamiento decisorio y aquellas que no lo son. Por ello, en este punto es necesaria la acción humana para escoger y archivar estos procesos distinguidos para la jurisprudencia del país y su historia.

2. Y, por otro lado, se propone un sistema muy necesario para la gestión de efectos o bienes judiciales. Ya que en la actualidad los depósitos judiciales generalmente cuentan con un descontrol de los bienes que se encuentran almacenados en estos locales judiciales, en la mayoría de las ocasiones perdiendo valor. Por ello, se propone que un sistema electrónico alimentado con inteligencia artificial asistencial dote a los órganos judiciales de un mejor control y organización de todos los objetos incautados judicialmente que actualmente se encuentran en los

---

[38] DIRECCIÓN GENERAL DE TRANSFORMACIÓN DIGITAL DE LA ADMINISTRACIÓN DE JUSTICIA MINISTERIO DE JUSTICIA, *La Transformación Digital de la Justicia AVANCES – INICIATIVAS TECNOLÓGICAS,* presentado el 21/10/2022, diapositiva 15. Disponible en: https://www.mjusticia.gob.es/es/JusticiaEspana/ProyectosTransformacionJusticia/Documents/20221019%20TD%20[Iniciativas%20TD].pdf, visitado el día 6 de noviembre de 2022.

depósitos de los juzgados. Dada la situación actual de los depósitos judiciales, en caso de que alguna parte pretenda recuperar los bienes incautados, se puede encontrar con situaciones no ajustadas al derecho que les asiste[39]. Por ello, un sistema automatizado, en el que exista un registro virtual de cada bien almacenado en los depósitos judiciales a la espera de una decisión judicial es una necesidad imperiosa. No obstante, nos hacemos cargo de la difícil gestión en su etapa inicial, ya que se tendrán que registrar todos los bienes actualmente depositados, como ocurre en el sistema de digitalización del Registro Civil explicado supra, aunque con la dificultad añadida de que en este caso pueden ser bienes muebles de distintos tamaños, inmuebles e incluso semovientes.

2.10.3 Procedimiento especial para concursos de acreedores

En el actual escenario de crisis, el aluvión de concursos de acreedores, tanto voluntarios, como necesarios de empresas pequeñas conllevan tediosos procesos judiciales. Solventándose esta situación gracias a la asistencia de los administradores concursales, con tareas tremendamente complejas para llegar a liquidar los bienes que permitan liberar de las deudas existentes al empresario. En este enclave, la digitalización de este tipo de procesos, contando con una alimentación de los gestores electrónicos de inteligencia artificial, podría dar soluciones mejores y más eficaces. Además, esta tecnología puede ser configurada para que aprenda de los procesos anteriores. Ya que a través del *learning machine* se pueden realizar propuestas de resoluciones y particiones, lo que permitiría liberar muchas horas de trabajo a los administradores concursales e incluso a los propios concursados.

A priori, estos sistemas podrían agilizar tanto a los propios administradores concursales, como a los jueces de lo Mercantil en labores tan sencillas como puede ser la aceptación del cargo del administra-

---

[39] HERNANDEZ DÍEZ, J., subdirector General de Innovación de Servicios Digitales de Justicia en Grupo de Trabajo de Contratación, Soluciones Tecnológicas y Fondos Europeos, disponible en: https://www.youtube.com/watch?v=GWTWm1Wp-Ok, visitado el día 8 de mayo de 2022.

dor. Así mismo, el juez de lo mercantil podría seguir, a tiempo real, el estado de la liquidación sin necesidad de tener que esperar a la remisión de la rendición de cuentas por parte del administrador concursal, entre otras aplicaciones prácticas, que haría más fácil la gestión y organización de este tipo de procesos. Ya están en vigor parte de estas iniciativas electrónicas a través de la Ley 16/2022, de 5 de septiembre, *de reforma del texto refundido de la Ley Concursal, aprobado por el Real Decreto Legislativo 1/2020, de 5 de mayo, para la transposición de la Directiva (UE) 2019/1023 del Parlamento Europeo y del Consejo, de 20 de junio de 2019, sobre marcos de reestructuración preventiva, exoneración de deudas e inhabilitaciones, y sobre medidas para aumentar la eficiencia de los procedimientos de reestructuración, insolvencia y exoneración de deudas, y por la que se modifica la Directiva (UE) 2017/1132 del Parlamento Europeo y del Consejo, sobre determinados aspectos del Derecho de sociedades (Directiva sobre reestructuración e insolvencia)*[40]. Sin embargo, deberemos esperar a que las aplicaciones planteadas en la misma comiencen a funcionar para valorar el acierto de las mismas. En virtud de esta reforma se han creado aplicaciones informáticas más o menos arriesgadas, con mayor o menor intervención de la inteligencia artificial asistencial o decisoria al servicio de estos procesos. Entre ellas destacamos la plataforma de liquidación que abre el proceso concursal a la transparencia y a la gestión del mismo por el propio concursado; el programa de cálculo y simulación de pagos en línea para realizar simulaciones para el plan de continuación o el test de salud empresarial que permite al empresario conocer su riesgo de concurso. Todas estas herramientas se encuentran en línea y además son gratuitas para la población. Sin embargo, deberán ser desarrolladas reglamentariamente y ahí será donde realmente podamos ser conscientes de su relevancia y transgresión dentro de las nuevas fórmulas de gestión del proceso concursal[41].

---

[40] BOE núm. 214, de 06 de septiembre de 2022.
[41] Ver más en, CATALÁN CHAMORRO, M.J., "Sistemas predictivos en los procesos concursales: una mirada al futuro", *Justicia predictiva*, Tirant Lo Blanch, 2022.

2.10.4 Transparencia de la justicia orientada al dato

En el presente apartado queremos esbozar las políticas que va a llevar a cabo el Ministerio de Justicia respecto de los datos en los próximos tiempos. Como vemos el Ministerio ha empezado a caminar hacia una justicia procesada por inteligencia artificial, de la que comienzan a emanar datos que, de momento, se califican como lagos de datos. Los lagos de datos almacenan grandes cantidades de datos, sin procesar, en formato denominado nativo y que posteriormente podrían ser procesados con distintas finalidades[42]. De un modo asequible para aquellos que no contamos con conocimientos informáticos avanzados podemos decir que lo que está haciendo el Ministerio de Justicia con esos datos que forman parte del lago es añadirle a cada dato las etiquetas relacionadas con el mismo, para su procesamiento en el futuro.

Desde el Ministerio de Justicia se alude así a un salto cualitativo en el ámbito de la transparencia de la Administración de Justicia, orientando las decisiones al dato y no al documento. Esta iniciativa se presenta de manera más visual al ciudadano ya que estos datos son publicados a través del portal "La justicia en datos[43]". Donde podemos conocer diversos datos exactos sobre la Administración de Justicia como el número de actos procesales no presenciales por comunidad autónoma, provincia, orden jurisdiccional, tipo de grabación e incluso la comparativa con todos los meses, desde el año 2020. Así mismo se muestran datos de otras esferas como de la cuenta de depósitos y consignaciones, fiscalía de menores, registros civiles, registros de rebeldes y penados o subastas electrónicas. Y datos generales sobre la carrera judicial en cuanto a ingresos, a jueces y juezas en activo y salidas de la

---

[42] De manera previa a los actuales lagos de datos o data lake, se trabajaba con los denominados almacenes de datos. Estos almacenes de datos ofrecían estructuras muy estáticas que dictaban el tipo de análisis al que podían someterse estos datos. Estos almacenes de datos son muy útiles cuando las organizaciones o empresas que trabajan con ellos tienen claro el destino de los mismos. Como por ejemplo para mejorar la eficiencia a través de su procesamiento por herramientas de apoyo en la toma de decisiones. BANAFA, A., "¿Qué es un lago de datos?", *BBVA Open Mind*, disponible en: https://www.bbvaopenmind.com/tecnologia/mundo-digital/un-lago-de-datos-una-oportunidad-o-un-sueno-para-el-big-data/, visitado el día 8 de abril de 2022.

[43] Disponible en: https://datos.justicia.es/inicio, visitada el día 8 de abril de 2022.

carrera judicial. Este portal aún está en una fase incipiente y aunque sea muy visual y de fácil entendimiento para el ciudadano medio, no aporta datos suficientes para el estudio académico, por lo que deberemos seguir estudiando las estadísticas facilitadas por el CGPJ que son las más detalladas. Posiblemente, porque de todo el lago de datos con el que cuenta actualmente Justicia solo están ordenados o procesados algunos conjuntos de datos.

En esta línea también existe un proyecto en marcha para automatizar la estadística judicial, extrayendo automáticamente datos directamente de los sistemas de gestión procesal. De esta manera, se evitaría la tediosa manera de contabilizar manualmente que hasta ahora ha tenido nuestro CGPJ, siempre junto con una supervisión y validación humana. Esta extracción automatizada de datos estadísticos judiciales se plantea como el primero de los objetivos estratégicos específicos del Plan Estadístico Judicial 2021-2024. Así las cosas, se pretende mejorar la calidad de la información estadística, potenciando la armonización de los diversos sistemas informáticos. Esto se realizará a través de la integración en los sistemas de gestión procesal de los sistemas administrativos, permitiéndose así nutrirse de manera automatizada de los datos estadísticos. Las pruebas comenzarán con los sistemas de gestión procesal de las comunidades autónomas del llamado territorio Ministerio de Justicia -es decir aquellas que no tienen asumidas las competencias en esta materia-, iniciándose así por Asturias y la Rioja. En el mes de abril de 2022 ya se encontraban presentando trabajos de validación al Ministerio, para esta automatización de la estadística judicial a través de los sistemas de gestión procesal de Cataluña, Madrid, Canarias y el territorio Avantius (Navarra, Cantabria y Aragón).

Sin embargo, no debemos perder de vista que estos lagos de datos que se están creando a la luz de las citadas aplicaciones también cuentan con inconvenientes y/o amenazas. Ejemplo de ello son los problemas de privacidad de datos, las denominadas islas desiertas de datos, así como el hecho de que la ausencia de estructuras de los datos pueda dar lugar a resultados dispares o complejos. Por ello, también el CETAJE cuenta con un grupo de trabajo dedicado y especializado en ciberseguridad, tanto para los datos que entran, como para los que salen de estos lagos de datos. Si debemos tener en cuenta, que los protocolos de ciberseguridad se perciben por parte del ciudadano como entornos poco "amigables" o de difícil acceso. Por ello, en este ámbito nos movemos en el difícil equilibrio entre una facilidad de acceso y unos entornos lo suficientemente seguros y protegidos para los datos tan delicados con los que trabaja el ámbito de la justicia. En este punto creo que es especialmente necesario contar con los mejores protocolos de ciberseguridad, aunque esto vaya en detrimento del fácil acceso a los datos. La transparencia es necesaria, pero esta tampoco tiene porque ser la avanzadilla del menoscabo de la privacidad de los datos de muchos otros millones de ciudadanos.

2.11 Una vuelta de tuerca más a la inteligencia artificial en la administración de justicia

A pesar de todo lo que hemos explicado hasta este punto, donde la inteligencia artificial parece estar a la orden del día, los operadores jurídicos que trabajan en los juzgados y tribunales, bien desde la esfera pública –jueces, magistrados o funcionarios- o bien en la esfera privada -abogados, procuradores o graduados laborales-, no llegan a percibir estos grandes cambios que aquí hemos analizado. No obstante, si les produce angustia el hecho de tener que aprender a manejar una nueva aplicación más en su actuación diaria. Si bien, el Ministerio de Justicia sigue su hoja de ruta con aplicaciones que serán implantadas en poco tiempo y que avanzan hacia una inteligencia artificial cada vez más invasiva y que sigue prosperando en el ámbito de la Administración.

Algunas de estas aplicaciones serán más inocuas, como la anonimización de documentos procesales, judiciales y fiscales, que actualmente se realiza a mano para la protección de los derechos fundamentales y datos personales. Esta nueva aplicación supondrá minimizar errores como el que ocurrió con la fallida anonimización de la sentencia por la violación grupal de la manada. En aquel caso, el funcionario a cargo de esta tarea olvidó anonimizar el código de verificación y esto llevó a que se pudiese acceder a la sentencia íntegra con todos los datos personales de las partes. Si esta tarea fuese automática, estos errores podrían llegar a ser cero, ya que la aplicación no dejaría lugar a error.

Documentalmente también se trabaja en un sistema en el que la inteligencia artificial será utilizada para la clasificación automática de documentos procesales, encuadrándolos automáticamente en un punto del proceso y en un expediente exacto. Así se suplirán parte de los trabajos de los servicios comunes procesales de los juzgados y se instaurará una inteligencia artificial asistencial cada vez más invasiva que podría llegar a reemplazar plazas completas de funcionarios.

Y finalmente, el denominado buscador inteligente 360, en fase piloto en la Comunidad de Madrid para la agilización de la justicia. Este buscador permite que el juez o magistrado que interactúa con la herramienta de búsqueda pueda encontrar información y documentos sobre una temática concreta, incluso el algoritmo le podrá recomendar documentos por análisis de similitud[44]. Ya existen anuncios sobre su pronta implementación a través de sugerencias de hallazgos similares, incluso la asistencia en la toma de decisiones, que como veremos se encuentran en el límite entre la inteligencia artificial asistencial y la inteligencia artificial decisoria que analizaremos en el siguiente apartado.

3. INTELIGENCIA ARTIFICIAL DECISORIA: REFLEXIONES

Llegado este momento, puede considerarse que las aplicaciones informáticas en vigor o proyectadas dotadas de inteligencia artificial están preparadas para gestionar o realizar aproximadamente más de la mitad de la tramitación repetitiva o manual ordinaria del proceso judicial concebido hasta el momento. Esta gestión electrónica pretende iniciarse sin implicar los actos decisionales que comprometan ética o sustancialmente el proceso judicial. Efectivamente, estos avances permitirían maximizar el tiempo que el órgano judicial le puede dedicar a su mandato constitucional de juzgar y hacer ejecutar lo juzgado.

Las ventajas que estas incorporaciones implican en la mejora de la justicia son palmarias, y especialmente se ofrece desde nuestro país un modelo de justicia moderno y adaptado a la realidad que nos rodea, ofreciendo mejor un servicio y favoreciendo la competitividad de

---

44 LÓPEZ DÍAZ, A., Responsable del sistema de Gestión Procesal – Expediente electrónico de la Comunidad de Madrid, Grupo de Trabajo de Contratación, Soluciones Tecnológicas y Fondos Europeos, en https://www.youtube.com/watch?v=GWTWm1Wp-Ok, visitado el día 11 de agosto de 2022.

nuestras empresas y la relación comercial de estas con países terceros, especialmente si estos poseen modelos de gestión de resolución de conflictos en los que los algoritmos están presentes.

Igualmente, debe observarse que el empleo de la inteligencia artificial suscita numerosas cuestiones que afectan a las garantías y los derechos de los individuos en particular, empero también como colectividad, de manera que habrá que conjugar las ventajas, con las desventajas de esta integración de la inteligencia artificial en la justicia diaria.

3.1 Justicia Pública, Privada o colaborada

El ideal de justicia 100% pública está cada vez más lejos de nuestra realidad, a pesar de que no seamos conscientes de ello. Este hito no tiene por qué ser algo radicalmente malo o beneficioso para nuestro sistema, pero si es una cuestión que debemos madurar.

Todas las aplicaciones y proyectos que hemos analizado y presentado en el apartado precedente son realidad gracias a la colaboración público-privada. Si bien, debemos tener en cuenta que una justicia con colaboración privada conllevará irremediablemente la externalización de parte de los servicios de la Administración de Justicia. Se podría iniciar con una externalización de los servicios informáticos, del mantenimiento y actualización de las aplicaciones, que finalmente como hemos visto tienden a convertirse en el corazón e incluso el alma de todo el sistema. Y por qué no, podemos imaginar que los funcionarios de los juzgados, sobre todo los cuerpos de auxilio, gestión y tramitación procesal, en un futuro podrían llegar a ser mayoritariamente sustituidos por aplicaciones alimentadas por algoritmos y *machine learning*. De esta manera, el factor humano podrá conformarlo en su mayoría trabajadores externalizados provenientes de empresas privadas suministradoras de recursos informáticos, lo que haría cambiar sin duda nuestro panorama de justicia.

Sin embargo, aquí no atendemos solamente a la incertidumbre del ámbito de gestión de personal y de posibles privatizaciones en este ámbito que, aunque importante, no es ni de lejos lo más esencial de esta problemática, sino que debemos centrarnos en la importancia de la propiedad y la procedencia de los datos y los algoritmos. Y es que cuando hablamos de datos no solo nos referimos a nuestros datos personales o dirección postal, sino a nuestra cara que ha quedado grabada en el sistema de reconocimiento biométrico para la asistencia a vistas por videoconferencia, a nuestra voz que ha quedado registrada en el sistema de textualización de las vistas, a nuestra agenda que es conocida por un sistema informático del juzgado y que impide que me pongan otra vista o declaración a una hora concreta, etc. En definitiva, datos que serán almacenados y estarán disponibles para no se sabe quién y no se sabe dónde.

Es cierto que en la actualidad las administraciones públicas, no solo española, sino la de cualquier país de nuestro entorno, no pueden prescindir de la colaboración privada en el campo de la digitalización de sus servicios. No obstante, este ámbito no es tan sencillo como la colaboración privada para la creación de obras civiles, donde se termina el en cargo y el equipo de operarios se marcha o su mantenimiento no implica el manejo de datos sensibles, sino que en este campo se requiere de un seguimiento, conexión y actualización permanente a cargo de estas empresas creadoras de aplicaciones dotadas de inteligencia artificial.

Todas estas aplicaciones requieren siempre de dos elementos básicos.

1. Por un lado, los algoritmos que son los circuitos o filtros a través de los cuales va a ir pasando la información hasta emitir un resultado.

2. Y, por otro lado, el combustible necesario, que en este caso son los datos con los que estas aplicaciones tienen que ser alimentadas. En este sentido, cabe destacar que, a mayor dotación de combustible, más eficientes y eficaces serán los resultados emitidos por este tipo de aplicaciones, ya que tendrán más ejemplos para tomar esa decisión[45]. No olvidemos que estos datos son siempre personales, presentes o pasados y en un porcentaje cercano al cien por cien de la actual generación viva. Es en este

---

45 SCHAWB, K., *The Fourth Industrial Revolution*, Barcelona, 2016, p. 15.

punto es donde se comienza a desdibujar el sentido de la justicia pública tal y como la conocemos hasta nuestros días[46].

Además, contamos con otro reto más añadido, y es que el mercado europeo de empresas tecnológicas que trabajan con inteligencia artificial se encuentra totalmente desbordado y la demanda es infinitamente superior a la oferta. Esto hace, que las aplicaciones con las que actualmente contamos en la Administración de Justicia han sido creadas por empresas que radican fundamentalmente en Asia y en Estados Unidos. Con las tremendas consecuencias que esto supone de cara a la creación y programación de los algoritmos en cuanto a la percepción de la cultura, del sentido de protección de datos, valoración del riesgo, prevalencia en mayor o menor medida de la eficiencia, valores democráticos, etc.

3.2 Un algoritmo privado trabajando con datos protegidos

Los algoritmos son operaciones matemáticas o fórmulas creadas por el propio humano para dar respuesta a sus cuestiones. Estas respuestas son emitidas tras la alimentación de estas operaciones o fórmulas con una serie de órdenes preestablecidas que la máquina extrae de millones de ejemplos previos. Así, la RAE define algoritmo como el conjunto ordenado y finito de operaciones que permite hallar la solución de un problema. Estas operaciones no son simples, ni lineales, sino que trabajan de manera multidimensional, es decir miles de algoritmos combinándose entre sí y que convergen en un resultado, parcialmente supervisados por un humano. Al ser procesos no lineales y multidimensionales no se pueden reconstruir y, por lo tanto, no son transparentes. A pesar de que se trabaja en el ámbito de la transparencia y la responsabilidad algorítmica, el avance de esta tecnología nos hace pensar que difícilmente se llegará a este ideal. Ya que estos algoritmos están llenos de lo que se ha denominado zonas oscuras o *black box* -cajas negras-. Así las cosas, en la actualidad y hasta que no contemos con un Reglamento de Inteligencia Artificial en la Unión Europea, los algoritmos serán opacos, no conoceremos ni la procedencia,

---

[46]   BARONA VILAR, S., *Algoritmización del Derecho y de la Justicia, De la Inteligencia artificial a la Smart Justice, op. cit.*, pp. 424-432.

ni los datos que alimentan al sistema[47]. El ideal de transparencia y la trazabilidad total de los algoritmos es un reto al que aspiramos y que difícilmente se convertirá en realidad[48]. Hasta ahora, se está vendiendo la idoneidad de la inteligencia artificial amparada en su supuesta neutralidad, racionalidad y sin sesgos ideológicos, evitando así la posibilidad de equivocarse, pero sin capacidad de motivación de sus decisiones, ya que solo tienen capacidad para comparar entre los ejemplos previamente cargados y el problema que deben resolver[49]. Esto se contrapone con la labor jurisdiccional, donde por mandato constitucional están obligados a motivar sus decisiones, pero no tienen prohibido equivocarse.

De modo que tenemos dos grandes disyuntivas en el ámbito de los algoritmos. Por un lado, hemos visto que los algoritmos privados, que tenemos totalmente aceptados en nuestro día a día, constan de falta de transparencia y esta es alegal hasta que se legisle en esta materia. Y, por otro lado, el combustible de los datos o ejemplos, con los que funcionan estos algoritmos son cada vez más populares en cantidad y calidad debido a la masiva captación de datos extraídos principalmente del marketing digital que se está haciendo, en pro de que renunciemos a nuestra propia intimidad. Así en virtud de la STS 1487/2017 de 19 de abril[50], la jurisprudencia entiende que podemos renunciar a la privacidad de los datos y que es el propio titular el que tiene que delimitar la esfera privada y pública de sus propios datos, o como establece la citada sentencia la frontera "entre lo íntimo y lo susceptible de conocimiento por terceros". Además, el legislador cree

---

[47] Se calcula que en el mejor de los casos no se cerrará la nueva reglamentación hasta 2023. Para la aprobación del Reglamento General de Protección de Datos (RGPD) pasaron cuatro años entre la propuesta de la Comisión y su entrada en vigor en 2018.

[48] VEALE, F., KLEEK M.V., BINNS, R., "Fairness and Accountability Design Needs for Algorithmic Support in High-Stakes Public Sector Decision-Making", *CHI* 2018, April 21–26, 2018, Montréal, QC, Canada.

[49] SOLAR CAYÓN, J.I., "Reflexiones sobre la aplicación de la inteligencia artificial en la Administración de Justicia", *Teoría Jurídica Contemporánea*, Vol. 6, 2021, pp. 11-12.

[50] B.D. Tirant Online TOL6.057.576. FJ. 2º "Quien incorpora fotografías o documentos digitales a un dispositivo de almacenamiento masivo compartido por varios es consciente de que la frontera que define los límites entre lo íntimo y lo susceptible de conocimiento por terceros, se difumina de forma inevitable".

haber realizado suficientemente su trabajo con la estricta política de protección de nuestros datos, como por ejemplo la que se realiza a través de la posibilidad de aceptación o rechazo de las *cookies* cada vez que accedemos a una web, en virtud de la Ley Orgánica 3/2018[51], de 5 de diciembre, de Protección de Datos Personales y garantía de los derechos digitales, fruto del Reglamento (UE) 2016/679.

Así las cosas, podemos pensar que la barrera entre el dato público y el dato privado se difumina. Ya que vemos, como sobre todo las generaciones más jóvenes no muestran ningún tipo de sensibilidad en cuanto a la privacidad de sus datos y de su vida en general. Sin embargo, es importante educar en una protección de los datos sobre la vida privada y sobre todo trabajar en las repercusiones que estos datos pueden tener para la vida futura de las nuevas generaciones. Es aquí donde nos debemos plantear si todos los datos son "comercia-bles", ¿podemos vender nuestra alma al diablo? El problema no es solo de privacidad, no es solo el dato por sí mismo, sino estos puestos en consonancia con los algoritmos privados. Así, debemos reflexionar sobre qué posición debe tomar el Estado ante el tratamiento de esta información y si esta estará tratada éticamente[52], sobre todo si queremos hacer uso de estos en el ámbito de la justicia en un futuro próximo. Sin duda, aquí el Estado tiene mucho trabajo por hacer como garante máximo de los derechos y sobre todo de las libertades de los ciudadanos. No obstante, estas preocupaciones y ocupaciones que tienen trabajando a un gran número de académicos en nuestro país y en todos los países con democracias más consolidadas, no parece estar en la agenda más próxima de los poderes públicos en nuestro país, que una vez más caminará tras la estela de lo que disponga la Unión Europea en esta materia.

3.3 ¿Justicia puramente algorítmica?

De la misma manera que se pregonan beneficios de las *cookies* en cuanto que son esenciales para la prestación de servicios de la sociedad de la información, facilitan la navegación del usuario y ofrecen

---

[51]   BOE núm. 294, de 06 de diciembre de 2018.
[52]   BUENO DE MATA, F., "Macrodatos, inteligencia artificial y proceso: luces y sombras", *Revista General de Derecho Procesal*, núm. 51, Mayo (2020), p. 25.

una publicidad basada en los datos de navegación, se pretenden encuadrar en los mismos argumentos a los algoritmos judiciales. Y ello a través del pretexto de la eficiencia, que es el valor que se ha situado como predominante en nuestra sociedad, por encima incluso del resto de valores que se han manejado durante siglos en el ámbito del Derecho.

Sin ningún género de dudas, estamos siendo testigos del experimento social más importante de la historia. Donde los gigantes como Google, Amazon, Meta o Twitter, que constituyen el oligopolio del poder por antonomasia, controlan nuestras vidas, nuestros deseos, inquietudes, ideología hasta el punto de reinventar la idea de la libertad tal y como la habíamos concebido hasta ahora. Y es que esta guerra de datos ha cambiado las reglas del capitalismo, casi sin que seamos conscientes de qué sucede con la información que generamos y sobre todo cómo se procesa y se analiza. Por ello, las grandes potencias mundiales están trabajando para liderar lo que se ha denominado la Iniciativa Global de Seguridad de Datos, desarrollando reglas internacionales para la gobernanza de los datos, donde China puede desbancar a la Unión Europea y a Estados Unidos. No obstante, el gigante asiático también cuenta con estrategias de independencia tecnológica respecto al resto del mundo, ya que a nivel geopolítico la transferencia de datos puede suponer un gran talón de Aquiles para cualquier gobierno avanzado[53].

3.3.1 El poder de la eficiencia en la justicia

Esta corriente actual de datificar absolutamente toda la realidad a través de la implementación de algoritmos tiene como objetivo la maximización de la eficiencia en todos los campos posibles. Y desgraciadamente esta escalada de la búsqueda del punto máximo de beneficio no se encuentra cuestionada generalmente por la sociedad actual. Por ello, en este punto debemos reflexionar sobre si merece la pena modificar nuestro bienestar o nuestro modo de vida por al-

---

[53] ÁLVAREZ S., El plan de independencia tecnológica de China. Fuente: https://www.antena3.com/noticias/tecnologia/experto-sergio-alvarez-explica-plan-independencia-tecnologica-china-sumaran-nuevos-paises_20220513627e4d68cd15240001fb210c.html, visitada el día 13 de mayo de 2022.

canzar la concepción de eficiencia impuesta por unos cuantos. Y es que la eficiencia pura no existe, sino que cada actividad será eficiente en función del objetivo u objetivos marcados. A modo de ejemplo, la máxima eficiencia hídrica para una planta frutal será diferente en función de si nuestro objetivo es el ahorro de agua o nuestro objetivo es obtener una producción con mayor peso. Prosiguiendo con el objetivo, la eficiencia máxima para Amazon es que sus trabajadores sean capaces de procesar el mayor número de paquetes por jornada posibles, sin tener en cuenta la salud, la edad o las diferentes situaciones personales de estos.

Y del mismo modo ocurre con la justicia, si el software que configuramos para ponderar el grado de reincidencia de un individuo lo disponemos hacia el error 0, nos arrojará unos datos más restrictivos, donde será más ponderado el riesgo de reincidencia, en detrimento de la libertad de este. Sin embargo, si lo configuramos haciendo prevalecer la libertad del individuo como valor superior a la reincidencia, nos dará un resultado menos restrictivo que el indicado anteriormente.

En definitiva, vemos como la eficiencia, más que un criterio o un valor, es una escala de poder. Un poder legitimado e impuesto sin prácticamente oposición de la ciudadanía. De este modo, la eficiencia se introduce en nuestra cultura de manera similar a como se impusieron las colonias tras el descubrimiento de América, es decir, bajo un haz de racionalidad de la cultura dominante. Esto ya está haciendo mella en el pensamiento crítico y reflexivo y sin duda tendrá efectos próximamente en la justicia creativa, que modifica criterios seguidos hasta ahora y que permiten la evolución de nuestra legislación y nuestra jurisprudencia. Se puede digitalizar un texto y que este acto tenga reflejo en la eficiencia del sistema de justicia agilizándola, pero sin comprometerla en ninguno de sus términos, pero no se puede pretender digitalizar la totalidad de la realidad plena de la vida humana[54]. En ocasiones un error es lo que hace que merezca la pena vivir la vida; en otras palabras, el futuro tecnológico tiene que estar en manos de la ciudadanía para que pueda ser el reflejo de los valores ciudadanos y

---

[54]   VLADECK, D.C, "Machines without Principals: Liability Rules and Artificial Intelligence", *Washington Law Review Seattle,* Tomo 89, N.º 1, (Mar 2014), pp. 117-150.

por lo tanto de la democracia[55]. No hay que caer en la fascinación de las máquinas, elevándolas a un estado superior del ser humano.

Cuando se traslada esta visión de la fusión humano-máquina en sede judicial, y más específicamente en sede decisora, debe considerarse que el trabajo entre ambos, lejos de ser antagónico, es tremendamente positivo, o al menos puede serlo, en cuanto puede alcanzarse una clara optimización del papel del juez gracias a la tecnología instrumental. Situación que podemos hoy visualizar en numerosas profesiones, como la del sector sanitario, en el que la irrupción de las máquinas ha fomentado la capacidad de los profesionales de la medicina[56].

La realidad es palmaria. Lo importante es garantizar más, mejor y sin que ello implique una merma de las garantías del proceso. La irrupción de la inteligencia artificial no puede incidir negativamente en la esencia de la justicia, en el cumplimiento de su misión esencial, a saber, derecho a la tutela judicial efectiva. Podemos considerar que si la tutela se alcanza por una aplicación matemático-estadística derivada del empleo de herramientas predictivas, es posible que el ciudadano no perciba que se está verdaderamente dando satisfacción al derecho a la tutela efectiva, fruto de un razonamiento que se traduce en la motivación de la decisión. Así mismo, también puede verse afectado el derecho de defensa, ya que existen aplicaciones informáticas del *legaltech* que permiten a los abogados –siendo cada vez más los despachos que las emplean- utilizar sistemas algorítmicos para conformar sus estrategias de defensa e incluso para construir la argumentación de sus propias alegaciones. Y es precisamente en este punto y en este momento donde se puede percibir la brecha entre los poderosos económicamente y los que no lo son, los que tienen acceso a despachos y firmas de abogados que se manejan con estas herramientas algorítmicas, que naturalmente repercuten a sus clientes, y aquellos que no tienen acceso a este tipo de despachos. La brecha económica se hace presente en el ejercicio de este derecho. E igualmente, en este orden de cosas, es indudable que las dificultades en el manejo de estas herramientas y la brecha que puede generar se anudan a un tercer

---

[55] Fuente: Documental dirigido por: CASAL DE MIGUEL, S., "Justicia Artificial", *Documentos TVE*, Orillamar Films, emitido el 10 de mayo de 2022.

[56] En su obra: BARONA VILAR, S., *Algoritmización del Derecho y de la Justicia, De la Inteligencia artificial a la Smart Justice, op. cit.*, pp. 585-587.

elemento que debe considerarse, cual es el posible riesgo de la falta de transparencia de estas herramientas utilizadas[57]. Precisamente, es esta, la transparencia, uno de los principales elementos o componentes de la incorporación de la inteligencia artificial sobre los que se ha venido pronunciando la Unión Europea[58].

Todo lo expuesto motiva lo que se ha venido a denominar la necesidad de un nuevo contrato social digital, es decir, debemos reconfigurar nuestro modelo de convivencia para dar cabida a este ámbito digital, pero a la vez seguir colocando la privacidad y la propiedad de los datos de las personas en el centro del debate. A través de este contrato social se deben fijar los nuevos principios base para gestionar la *terra digitalis* que supone la prosperidad intelectual social y económica[59].

3.3.2 Afectación de los principios del proceso

Además de cuanto hemos venido exponiendo, existe un alto nivel de preocupación en la doctrina procesal por la afectación de una de las principales garantías que se establecen para la ciudadanía en el sistema procesal, la presunción de inocencia. Si bien tienen un enorme reflejo en sede penal, no solo afecta al proceso penal, dado que siempre que exista una posible condena, sea la sede que sea, asentada en la aplicación de una herramienta algorítmica, se puede afectar la misma. Nuevamente en este horizonte se nos plantean dudas sobre las cajas negras de los algoritmos, si estas contienen sesgos de origen, raza, sexo, edad, antecedentes penales o lugar de domicilio, incidiendo en la posible determinación de la culpabilidad o la inocencia de una persona en virtud de un perfil automático.

También pueden apreciarse deficiencias en el derecho al proceso debido, fundamentalmente al desconocimiento radical de los algorit-

---

[57]   MARTÍN DIZ, F., "Modelos de aplicación de inteligencia artificial enjusticia: asistencial o predictiva versus decisoria", *Justicia algorítmica y neuroderecho Una mirada multidisciplinar,* Tirant Lo Blanch, Valencia, 2021, pp. 76-68.

[58]   Ver más en: EUROPEAN COMMISION, *Ethics Guidelines for Trustworthy AI: High-Level Expert Group on Artificial Intelligence,* abril de 2019.

[59]   BARONA VILAR, S., "Persona, algoritmización y posthumanismo, una ecuación hacia la «persona maquínica» y su responsabilidad", *Actualidad Civil* n.º 10, octubre 2022, Nº 10, 1 de oct. de 2022, Editorial LA LEY, pp. 8-12.

mos que están ya alimentando nuestros sistemas electrónicos de la Administración de Justicia. El desconocimiento por parte de los justiciables del alcance y la implicación de estos sistemas en su proceso ya se comienza a debilitar al faltar la motivación completa por parte de un juez, asistido por inteligencia artificial. En este mismo sentido podemos dudar del juez ordinario predeterminado por la ley, ya que en caso de que este juez sea un juez algorítmico, se infringiría el art. 24.2 de la Constitución española, en virtud de la jurisprudencia del Tribunal Constitucional. Esta es totalmente clara al exigir la existencia y creación anterior al litigio del órgano jurisdiccional previo a la norma legal, prohibiendo los tribunales y juzgados de excepción, especiales y *ad hoc* absolutamente[60]. Además, la doctrina pone en duda la independencia judicial si el juez fuese algorítmico, ya que si el programa es alimentado con unas sentencias u otras podría cambiar el sentido de las decisiones o borradores de sentencias que dictase la máquina. Mas aún si las sentencias que alimentan el sistema están sesgadas y de esta manera se oficializarían e incluso se normalizarían determinados sesgos. Por ello, las empresas que desarrollan este tipo de softwares deberán ser auditadas y monitorizadas, ya que el poder judicial, pasaría, en parte o totalmente, de ser un poder democrático y constitucional, a estar en manos de una empresa, la cual a pesar de los límites que se establezcan legalmente podría llegar a manipular la configuración de la herramienta. Y todo ello, aunque estas herramientas estén revestidas de ese halo de objetividad e imparcialidad que ofrecen las matemáticas aplicadas al ámbito informático.

Así mismo, debemos tener en cuenta que, en las decisiones judiciales tradicionales a pesar de estar basadas en la jurisprudencia, el juez tiene capacidad para trasponer esas ideas a los tiempos actuales, apreciar los matices de la interpretación jurídica y aplicar la ley adaptada a la situación socioeconómica de las partes y con la aplicación de la empatía necesaria al caso[61]. Sin embargo, ningún sistema informático

---

[60]   MARTÍN DIZ, F., "Modelos de aplicación de inteligencia artificial enjusticia: asistencial o predictiva versus decisoria", *Justicia algorítmica y neuroderecho Una mirada multidisciplinar, op. cit., pp.* 79-80.

[61]   NIEVA FENOLL, J., "Inteligencia artificial y proceso judicial: perspectivas tras un alto tecnológico en el camino", *Revista General de Derecho Procesal*, núm. 57, Mayo (2022), pp. 20-21.

experto dotado de inteligencia artificial es capaz de captar a tiempo real esos matices, interpretaciones y adaptaciones de nuestro momento actual[62].

El derecho a la defensa, la retórica del abogado, las argumentaciones, incluso las declaraciones de los propios imputados podrían quedar varados por esta justicia algorítmica, de modo que la única herramienta para el abogado sería cuestionar o impugnar la fórmula utilizada por el algoritmo para llegar a su conclusión[63]. Esto, hoy día es imposible, ya que los algoritmos decisionales, que están formados por redes neuronales o las llamadas capas, son tan complejos y realizan un número de operaciones tan alto que nos es imposible explicar el camino seguido por el mismo para llegar a una conclusión concreta. No obstante, si se tiende a buscar esta transparencia y explicación de los mismos, aunque en la actualidad sea algo relativamente utópico.

A esto se le puede unir una hipotética infracción del principio de igualdad, tanto en lo referente al derecho de defensa como hacíamos alegación supra, entre los clientes que puedan pagar un abogado que actúe con aplicaciones algorítmicas a diferencia de aquellos que económicamente no puedan permitirse este tipo de servicios. Como lo que puede ser más grave, entre aquellos ciudadanos nativos digitales que si puedan y sepan moverse en el plano virtual y les sea habitual relacionarse con los juzgados algorítmicos, de aquellos ciudadanos que no cuenten con estos conocimientos y esto les suponga una gran brecha de los principios de igualdad y de acceso a la justicia.

Por el contrario, otros principios básicos y esenciales del procedimiento no se ven a priori alterados por la presencia de la algoritmización. Ejemplo de ello es la oralidad y la escritura, que a pesar de establecer cambios respecto a la vía o canal a través del cual vamos a realizar esa escritura que ya no será sobre papel físico o la oralidad que pasa a no ser presencial, sino a través de una pantalla, la esencia

---

[62]   NIEVA FENOLL, J., "Artificial Intelligence and Fundamental Rights in the judicial process", *RAILS – BLOG Robotics and AI Law Society,* nov. 2022. Disponible en: https://blog.ai-laws.org/artificial-intelligence-and-fundamental-rights-in-the-judicial-process/?cn-reloaded=1, visitado el día 16 de noviembre de 2022.

[63]   *Idem.*

básica de los principios no se ven modificadas en absoluto[64]. En la misma línea, la inmediación derivada del principio de oralidad que está presente en el proceso civil y que predomina en el proceso penal es importante por su enlace con el derecho a la tutela judicial efectiva y la actividad probatoria. Sin embargo, las diferentes reformas legislativas que han ido incorporando en nuestro proceso la videoconferencia como método de comunicación con las partes, regulando su formato y sus características hacen que tampoco se planteen riesgos en la quiebra del principio procesal de inmediación debido a la garantía de comunicación directa interpersonal. E igualmente quedaría también el principio de concentración, que no sufriría cambio alguno respecto de la situación tradicional analógica e incluso no sería necesario ni modificar los preceptos legales que lo regulan en la actualidad[65].

Situación diferente es la que se plantea en el escenario de la publicidad del procedimiento, ya que como hemos visto, el petróleo de los datos cambia el escenario del procedimiento, sobre todo con especial atención a la protección de estos datos altamente sensibles de la ciudadanía. Ya que a pesar de que es sencillo trasladar la realidad física a la virtual en el ámbito de la publicidad del proceso en sí mismo considerado a través de salas de vistas donde la ciudadanía puede acceder remotamente, como lo veíamos en apartados precedentes y que ya está en marcha para por ejemplo algunas salas de la Audiencia Nacional que retransmiten vistas de juicios en directo a través de la red social YouTube. Si bien, queda en el aire como comentábamos supra la transparencia y la publicidad de las decisiones tomadas por un futuro juez algorítmico a través del sistema computacional del que no podemos descifrar su contenido.

Así las cosas, podemos concluir indicando que la justicia algorítmica, aunque suponga la realización de determinados cambios en el entendimiento o percepción de nuestros principios procesales y estos tengan que ser matizados tanto legal, como doctrinalmente, si es factible y se podría convertir en una realidad futura en nuestro país. Si bien, sin dejar de estudiar, analizar y limitar aquellos peligros y

---

[64] BARONA VILAR, S., *Algoritmización del Derecho y de la Justicia, De la Inteligencia artificial a la Smart Justice, op. cit.,* pp. 390-397.

[65] *Ibidem.* pp.391-402.

desafíos que se nos plantean y que nos harán seguir activos para la protección de los derechos de la ciudadanía.

4. UN PASO MÁS: INTELIGENCIA ARTIFICIAL CUASI DECISIONAL

A pesar de las diferentes reflexiones que podamos hacer en torno a la algoritmización de la justicia, la tecnología sigue avanzando, así como las cuestiones constitucionales o de protección de derechos fundamentales como la libertad, la intimidad y la protección de nuestros datos. Los medios de comunicación nos presentan diariamente un sinfín de productos, herramientas, software, elaborados por empresas tecnológicas que avanzan irremediablemente hacia un modelo de sociedad que descarga sus decisiones en las máquinas, en las aplicaciones de los móviles, en las herramientas predictivas, etc. Las cuestiones éticas, jurídicas y políticas a las que nos hemos venido refiriendo adquieren un alto nivel a medida que la expansión de estas inteligencias artificiales es mayor, y a medida que se convierten en una pieza más del puzle de nuestras vidas, cada vez más habitual, pero sobre todo cada vez más esencial en nuestro espacio humano.

4.1 Las posibilidades infinitas de la inteligencia artificial

Tras todas las noticias que vemos a diario sobre la creación de máquinas autómatas, robots y posibilidades que la tecnología nos brinda, puede resultarnos factible la idea de una inteligencia artificial que sea capaz de realizar tareas hasta el momento exclusivamente humanas.

Por ejemplo, en sede procesal, puede pensarse en el reconocimiento de una demanda y la documentación que se adjunta, de tal manera que, una vez analizado, la máquina proponga directamente un Decreto de admisión de esta o una Diligencia de ordenación con los requisitos que deben subsanarse. De la misma manera, en el ámbito civil podemos pensar en un proceso de ejecución automático, donde la propia máquina sea capaz de adjudicar la subasta al mejor postor. Y además pueda ingresar directamente al deudor lo obtenido, fruto de esta o la resolución de procedimientos monitorios, verbales por reclamación de cantidad o desahucios de lugar distinto al de vivienda, siempre que no exista oposición por la contraparte. Así mismo, podemos imaginar cómo en el ámbito penal una inteligencia artificial[66] sería capaz de recoger los términos de una conformidad del acusado e inmediatamente, sacar una propuesta de sentencia o el consiguiente modelo de requerimiento para el cumplimiento de las penas al penado[67]. Son solo ejemplos inventados pero que podemos imaginarlos fácilmente en un futuro muy cercano. Estos son ejemplos de inteligencias artificiales decisionales, si bien no prohíben la presencia de un humano supervisor, pero a priori parecen no necesitarlo.

Surge el dilema de si va a ser necesario a corto y medio plazo un humano supervisor. A mi parecer, si es necesario, con el fin de asumir la responsabilidad de las decisiones tomadas por la máquina, de modo que, en caso de error, sea el humano el que pueda ser sancionado o condenado a indemnizar por una conducta no ajustada al Derecho. En este contexto, es fácil imaginar el funcionario que está llamado a asumir este rol en los juzgados y tribunales de nuestro país. Así, el Letrado de la Administración de Justicia quedará al mando de las aplicaciones de inteligencia artificial decisional, revisando sus actuaciones para detectar el plausible error, poder subsanarlo y evitar así la posible nulidad de actuaciones u otra consecuencia fatal para el curso de las actuaciones en el marco del proceso judicial[68].

4.2 ASTREIA

En este contexto, el gigante japonés Fujitsu, que se sitúa como la tercera empresa más importante a nivel mundial de las tecnologías de la información y la comunicación, ha presentado una batería de herramientas digitales, conformadas a través de una única aplicación denominada ASTREIA. Fujitsu ya presume de ser el responsable de

---

[66] Ver más en: MONTESINOS GARCÍA, A., "Justicia penal predictiva", *Justicia poliédrica en estado de mudanza*, Ed. BARONA VILAR, S., Tirant Lo Blanch, Valencia, 2022, pp. 425-456.

[67] BUENO BENEDÍ, M., "Diálogos para el futuro judicial XXXIII, inteligencia artificial y Justicia: perspectivas y horizontes", *Diario La Ley, N° 9946*, Sección Plan de Choque de la Justicia / Encuesta, 5 de noviembre de 2021.

[68] *Idem.*

la grabación del 80% de las salas de justicia en nuestro país. Además, gestiona otros programas sobre los datos médicos del 40% de los ciudadanos españoles. Este *big data* es propiedad de una empresa japonesa, no europea, por lo que las constantes preocupaciones que desde la Unión Europea se realizan en torno a las garantías y derechos de protección de datos personales, no permiten garantizar que Fujitsu pueda emplear o vender, los datos a través de sus fuertes campañas de marketing, a pesar de su política de compromiso social corporativo.

Hasta el momento, Fujitsu se vanagloria de prestar a nuestro país servicios tan relevantes como la provisión de herramientas telemáticas en el ámbito sanitario durante la época más dura de la pandemia o en el ámbito de la agricultura para la solicitud de ayuda o la predicción para la mejora en los cultivos. En definitiva, esta empresa pretende acompañar a las personas en el proceso de digitalización en diferentes ámbitos de la vida social, económica y ambiental.

En 2005 se creó el centro de excelencia de Fujitsu para la justicia en la ciudad de Valencia. Dando los primeros pasos en los sistemas de videograbación de vistas a través del sistema ya comentado ARCONTE. Además, asegura la trazabilidad de las muestras biológicas para el ámbito judicial o aplicaciones para la determinación de la accesibilidad a la justicia gratuita. En 2016, este proyecto pasa a ser el centro europeo para la justicia de Fujitsu.

Así las cosas, ASTREIA es presentada como una herramienta que acompaña en la justicia, tanto al ciudadano, como a los agentes jurídicos. Y está capacitada para actuar principalmente como veremos en el siguiente apartado como orientación al ciudadano, mediación automatizada o apoyo a la judicatura, planteándose como una nueva concepción de la justicia[69].

4.2.1 Chatbots para la justicia

Las primeras experiencias incipientes con máquinas computacionales inteligentes fueron por ejemplo la experimentada por el matemático y precursor de la inteligencia artificial ALAN TURING a media-

---

dos del siglo XX. Su trabajo, ha tenido una gran relevancia y ha sido revisado por todos aquellos que pretenden iniciar una justicia totalmente digital. En su trabajo más relevante[70] se establecía la premisa de que una máquina puede considerarse inteligente si logra engañar a una persona hasta el punto de hacerle creer que está tratando con un ser humano. A esto se le denominó el test de Turing y fue la primigenia base de lo que hoy entendemos por *chatbots*.

Así, de la misma manera que encontramos *chatbots* en las webs de las compañías aéreas, de las tiendas virtuales o incluso en las aplicaciones de los servicios de salud para los autodiagnósticos, el sistema público de justicia también se debe lanzar a ofrecer este tipo de servicios. Por ello, ya se trabaja en un sistema de *chatbots* para la asistencia al ciudadano que facilite el acceso a la justicia. A priori este sistema realizará un triaje a través de preguntas sencillas para clasificar a los ciudadanos que acceden a este sistema. En primer lugar, el software necesita diferenciar si el ciudadano se acerca a esta aplicación a buscar una solución a un problema jurídico que tiene o si por el contrario lo que busca es información sobre su proceso judicial ya iniciado en algún juzgado o tribunal de nuestro país.

La casuística más sencilla para el software sería que el ciudadano, ya tenga iniciado un proceso judicial y que quiera conocer el estado de su expediente, sus peticiones e incluso una previsión sobre la fecha en la que puede tener una resolución a su conflicto jurídico. Así mismo, se podrá cerciorar de citaciones o emplazamientos ya establecidos por la Administración de Justicia y conocer la documentación o el formato del acto procesal al que tiene que asistir. Esta labor, puede resultar razonablemente sencilla para la máquina, ya que solamente tendrá que comunicar la información que ya consta en el propio sistema donde se albergue su expediente judicial electrónico. Para ello, se ha creado la herramienta "¿y cómo va lo mío"? en el Ministerio de Justicia, aunque su desarrollo de momento es limitado[71].

No obstante, podemos suponer que la mayor dificultad para comunicarnos con un sistema de *chatbot* se plantea cuando le tengamos

---

[70]   TURING A. M., "Computing machinery and intelligence", *op. cit.*

[71]   Ver en: https://www.mjusticia.gob.es/es/ciudadania/tramites/estado-solicitud-como, visitada el 12 de junio de 2022.

que esbozar un problema jurídico y este nos asesore sobre cómo proceder. Generalmente, estos sistemas responden a las cuestiones planteadas por los clientes a través del reconocimiento de palabras clave, como pueden ser divorcio, herencia, adopción, custodia o multa. Sin embargo, los juristas somos plenamente conscientes de que detrás de unas palabras claves hay un sin fin de casuísticas y problemáticas distintas, llenas de matices. En muchas ocasiones nos encontramos con clientes con serias dificultades para transmitir la información sobre su problemática, tanto que cuando repreguntamos o cuestionamos parte del discurso del cliente cambia totalmente la perspectiva del mismo y es donde conseguimos advertir las necesidades reales del cliente y su problema jurídico. Por ello, no nos ofrecen a priori demasiada confianza estos sistemas que pretenden ofrecer una primera línea de tutela a los ciudadanos, ya que en ocasiones estos no están muy seguros realmente de la necesidad jurídica o de asistencia que requieren.

Ciertamente, lo que estos modelos algorítmicos pueden ofrecer es una primera aproximación a la justicia sin palabras técnicas y con lectura fácil, para tratar de encontrar solución a un conflicto. En este punto, el sistema de *chatbot* informará principalmente sobre las vías alternativas a la judicial existentes para solventar su problema, de manera que en atención a las palabras clave utilizadas y siempre que no se trate de un caso penal, pudiendo a este respecto utilizar un ADR, se ofrece, en virtud de la materia indicada, información sobre los ADR y ODR disponibles para su disputa. Esta aplicación es facilitadora para el ciudadano en su búsqueda de acceso a la justicia. Sin embargo, en ocasiones, un mal entendimiento por parte del *chatbot* podría hacer que la persona erróneamente asesorada tome una decisión desacertada o contraria a sus intereses o derechos. A pesar de las dudas que nos surgen respecto de las posibles respuestas que los *chatbot* puedan dar a cuestiones jurídicas concretas de ciudadanos, debemos confiar en que la tecnología ha avanzado y será capaz finalmente de dar respuestas que faciliten y mejoren la vida a los ciudadanos en lo que a su acceso a la justicia se refiere. Así las cosas, el primer proyecto piloto sobre este tipo de *chatbot* se pretende instaurar en la cuenta de depósitos y consignaciones judiciales, al ser una materia relativamente sencilla para detectar las preguntas y palabras claves o más típicas del ámbito de las ejecuciones de sentencias. Y se irán ampliando los *chatbots* a otros servicios o secciones concretas de la Administración de Justicia en función del éxito y la especialidad de las mismas.

No obstante, debemos apuntar también a la gran utilidad que supondría instaurar líneas telefónicas, desde donde el ciudadano pueda, no hablar con un robot, sino con un trabajador público, de las oficinas municipales de justicia que posiblemente entienda y comprenda mejor su problemática, que la inteligencia artificial. Es algo que se percibe de la misma manera que la confianza y la comprensibilidad que le puede ofrecer un trabajador público humano al ciudadano a la hora de explicar los métodos de resolución alternativa de conflictos disponibles. Además de los tipos de procedimientos y las explicaciones pertinentes sobre sus ventajas, inconvenientes, consecuencias, etc., no podrá ser la misma que si este humano es sustituido por un texto o una voz emitida por un sistema de inteligencia artificial, especialmente cuando se trate de emplear procedimientos alternativos, muy poco conocidos por la ciudadanía y a los que tradicionalmente la población española no está acostumbrada, quizás por motivos culturales o educacionales.

4.2.2 La e-mediación

Sin ningún lugar a dudas, no se puede cuestionar la utilidad y la idoneidad del uso de la mediación como método de resolución alternativa de conflictos en nuestra sociedad. En este apartado, no podemos, ni pretendemos, hacer un resumen de toda la doctrina que se ha pronunciado al respecto, pero si intentaremos resumir algunas líneas básicas de lo que promete ser la e-mediación según este proyecto de ASTREIA. Así mismo daremos unas pinceladas sobre la dirección de este proyecto en nuestro país, ya que nuestra idiosincrasia es particular y específica y su implantación debe responder a nuestras propias particularidades.

La e-mediación o la mediación electrónica no es más que el avance de la mediación que conocíamos hasta ahora, pero añadiéndole el componente tecnológico. Ahora bien, su desarrollo y su éxito dictan mucho de la mediación offline o presencial que conocemos hasta ahora.

La mediación compone el método de resolución de litigios más relevante en la Unión Europea, o al menos esa es la pretensión que se ha venido consagrando en los múltiples instrumentos en torno al fomento de las ADR, con especial énfasis en la mediación. Esta situación, empero, no es la que se traduce en nuestro país, muy probablemente porque la ausencia de cultura en torno a estos métodos de solución de conflictos, y muy especialmente en torno a la mediación, han estado ausentes desde el ámbito educativo y en el académico, de manera que en los grados universitarios hasta hacia poco tiempo no se ha apostado decididamente por una enseñanza orientada a la cultura de la mediación. Consecuencia de esto, es que la mayoría de los egresados de los grados universitarios relacionados con las ciencias sociales no tienen una noción clara de qué es la mediación, qué fases conlleva, cómo tiene que actuar un mediador, etc. Y, por ende, en la sociedad en general tampoco se ha transmitido esta ideología de la cultura de la justicia restaurativa o del acuerdo.

A pesar de esta falta de cultura mediadora, los pasos que se han dado, fruto del impulso constante de la Unión Europea en materia de mediación, han incidido en reformas de calado nacionales y autonómicas. En la actualidad nuestro país se ha aventurado a introducir en el proyecto de Ley de Medidas de Eficiencia Procesal los MASC[72], donde se introdujo como anteproyecto y como proyecto después, la utilización de estos como requisito de procedibilidad para las demandas civiles de derechos disponibles, cuestión que está siendo muy controvertida para la doctrina[73]. Es más, la voluntad política es la de continuar cumpliendo retos y desafíos propios de la era en la que nos encontramos, a saber, tratando de ir incorporando las tecnologías en sede MASC y, por ende, incluyendo la posibilidad de realizar estas mediaciones a través de sistemas online[74]. Desde esta perspectiva, resulta interesante observar cómo, a diferencia de otras muchas

---

[72] Descritos en el proyecto como medios adecuados de solución de conflictos.

[73] PEREA GONZÁLEZ, A., GUIL ROMÁN, C., PIÑAR GUZMÁN, B., CALAZA LÓPEZ, S., FARRÁN ARIZÓN, M. Y MARTÍNEZ PALLARÉS, J.I., "Diálogos para el futuro judicial LI. La mediación civil. 10 años de la Ley 5/2012", *Diario La Ley*, Nº 10141, Sección Plan de Choque de la Justicia / Encuesta, 29 de Septiembre de 2022.

[74] CATALÁN CHAMORRO, M. J., "ODR prejudicial", *Justicia poliédrica en periodo de mudanza (Nuevos conceptos, nuevos sujetos, nuevos instrumentos y nueva intensidad)*, Ed. BARONA VILAR, S., Tirant Lo Blanch, Valencia, 2022, pp.287-290.

situaciones, en esta ocasión la legislación va por delante de los usos y costumbres de la ciudadanía.

En Reino Unido, conocemos experiencias de aplicaciones electrónicas que realizan una suerte de mediaciones electrónicas a través de portales webs como Claims Portal[75] u Oficial Injury Claim[76] para reclamaciones por daños personales de escasa cuantía, gestionadas por entidades privadas sin ánimo de lucro, pero supervisadas por las autoridades públicas[77]. Sin embargo, el bagaje histórico y cultural del país anglosajón en el ámbito de la mediación y los sistemas de resolución alternativa de conflictos como los ombudsman no tienen parangón con nuestro país. Reino Unido cuenta en su ADN y mentalidad jurídica con estos sistemas desde el mismo inicio de la controversia o en la previsión de que estas puedan ocurrir. Precisamente esta situación es lo contrario de lo que ocurre en nuestro país donde planteamos saltarnos el entrenamiento e ir directamente y sin experiencia a una prueba que puede morir sencillamente por la falta de base para los ciudadanos.

Por lo tanto, y sin perjuicio de la valoración positiva que debe efectuarse de la posible proyección que va a tener muy probablemente la mediación electrónica, derivada de las experiencias realizadas en otros países, a mi parecer, sería necesario que España realice una apuesta decidida sobre la mediación antes de comenzar a plantear las mediaciones electrónicas. En este contexto es necesario que se establezcan unas bases sólidas en torno a la mediación presencial o física, debido principalmente al riesgo que conllevaría el hecho de que la ciudadanía perdiese sus expectativas en la mediación por una mala praxis de la inteligencia artificial. No obstante, el objetivo de Fujitsu en esta e-mediación se limitaría a mediaciones sobre cuestiones sencillas, aun cuando no detalla esa presunta sencillez en ejemplos, en jurisdicciones o en temáticas concretas sobre las que versará este proyecto. Así mismo, tampoco tenemos información de quiénes serían los encargados de gestionar esas e-mediaciones. Ni queda claro si en estas

---

[75] Disponible en: https://www.claimsportal.org.uk/, visitado el día 18 de mayo de 2022.

[76] Disponible en: https://www.officialinjuryclaim.org.uk/, visitado el día 18 de mayo de 2022.

[77] *Ibidem.* pp.282-285.

e-mediaciones las aplicaciones van a ser asistenciales para los mediadores o, por el contrario, no existirán humanos tras estas aplicaciones y la mediación va a ser llevada a cabo íntegramente por una máquina. Inclusive hay quien afirma que se produce una desnaturalización de la mediación y hay doctrina que además cuestiona si realmente se puede denominar o no mediación. Ya que se plantea ciertamente difícil que pueda ser llevado a cabo, íntegramente por una tecnología, un mecanismo de resolución de conflictos cuya función principal es la de tratar de facilitar a las partes para un acuerdo satisfactorio tras haber evaluado la totalidad de la problemática surgida desde sus orígenes. Por ello, deberemos esperar al desarrollo de las herramientas y las materias sometidas a e-mediación en España para realmente valorar la relevancia y la viabilidad de este proyecto en nuestro contexto social y de Derecho.

La aplicación e-mediación pretende ser incluida dentro de la cartera de servicios que ofrecen las Comunidades Autónomas a sus ciudadanos. Por ello, se ha diseñado conforme a nuestra Ley 5/2012, de 6 de julio, de mediación en asuntos civiles y mercantiles[78] y permitirá la redacción y el envío al juez del acuerdo alcanzado en las mediaciones intra-judiciales, o la remisión del acuerdo a los letrados de las partes por el mediador cuando se trate de una mediación privada extrajudicial.

Entre sus ventajas destacan la eliminación de barreras geográficas, que permiten reducir costes de traslados y de tiempo, así como la gestión y el almacenaje con seguridad altamente tecnológica y protección de datos de la documentación. Todo ello junto con la generación de informes estadísticos generales y específicos automatizados. Por el contrario, desconcierta la finalidad de los desarrolladores, dado que su fin es el de descongestionar los juzgados y no ofrecer una justicia restauradora de los conflictos[79]. Así las cosas, volvemos a desilusionarnos con la idea de que realmente ha llegado el momento del impulso definitivo de la mediación en nuestro país.

---

[78] BOE núm. 162, de 07/07/2012.
[79] FUJITSU AstrelA SUMMIT.

4.2.3 Soporte inteligente a la decisión judicial

Dentro del proyecto ASTREIA, se va un paso más allá, posiblemente el más arriesgado desde el punto de vista de la tutela judicial y las garantías que protegen al ciudadano, a través de la posibilidad de que sea el propio sistema de inteligencia artificial el que emita escritos autónomamente a través de la tecnología *machine learning.*

El atasco judicial producido tras la pandemia ha hecho que Fujitsu planté una aplicación que aprende de los datos que se recogen en las demandas entrantes a través de LexNET y con base en las mismas y en los protocolos previamente introducidos en la aplicación, crea modelos de providencias, autos, sentencias, diligencias, decretos o cualquier otro documento procesal relativo a actos de comunicación. Como primer objetivo se han propuesto en descongestionar los juzgados especializados en cláusulas suelo, ya que con la jurisprudencia emitida sobre esta problemática se podrían automatizar muchas de las respuestas judiciales[80]. Además, se evitaría así la necesidad de que fuese el propio funcionario el que tuviese que recopilar los datos de la demanda e introducirlos en la plantilla para admitirla a trámite, ya que de esto se encargaría de manera exclusiva la aplicación dotada de inteligencia artificial. De esta manera, la labor del funcionario queda relegada a verificar que el borrador es correcto y pasarlo a la firma del magistrado.

En este contexto podemos pensar en el ejemplo tipo más usual de bancos que se allanan ante las demandas por cláusulas suelo, ya reconocidas como tales previamente en otro asunto; asuntos en los que las sentencias podrían ser emitidas por el programa de manera automática y el magistrado podría llegar a ratificarlas en el mismo día. En estos casos son los parámetros de celeridad y ahorro de recursos humanos y materiales los que priman su integración en el sistema. Así las cosas, se plantea un escenario donde los juicios declarativos quedan prácticamente en manos de estas máquinas, ya que solo requerirán una breve comprobación por parte de los jueces y los Letrados de la Administración de Justicia, mientras que los funcionarios de la

---

[80] MONTESINOS GARCÍA, A., "Empleo de la inteligencia artificial en algunas fases del proceso judicial civil: prueba, medidas cautelares y sentencia", *Actualidad Civil*, núm. 11, noviembre 2022.

Administración de Justicia físicos centrarían su labor en los procesos ejecutivos, que parecen ser, al menos hasta ahora, más difíciles de gestionar para el ámbito electrónico. No obstante, ya existen proyectos dotados con inteligencia artificial que ayudan a la gestión de algunas fases de los procesos de ejecución.

Esta herramienta es explicada de manera sencilla y somera para que aquellos que no contamos con una formación superior informática podamos simplemente aceptarla y celebrarla. Sin embargo, creemos que es el momento de cuestionar muchos aspectos relativos a esta aplicación que no quedan claros. Por ejemplo, dónde van nuestros datos, por qué el sistema dicta una sentencia y no otra. Estas cuestiones nos surgen debido a que en nuestra tradición jurídica hemos sido partícipes de pronunciamientos judiciales ajustados a Derecho totalmente distintos ante casuísticas muy similares. Y finalmente, también debemos reflexionar sobre si el juez se limitará a validar lo que diga la máquina, de manera que podríamos quedar relegados a la voluntad de las mismas, en casos en los que el juez acepte un resultado que, a pesar de ser ajustado a Derecho, puede no ser el mismo que él hubiera adoptado[81], en ocasiones por motivos de celeridad, de eficiencia o simplemente por apatía del propio juez en un momento determinado.

4.2.4 Identificación biométrica y textualización de vistas

Las dos últimas aplicaciones que nos ofrece ASTREIA, ya están en marcha en nuestro país en mayor o en menor medida, tal y como hemos visto a lo largo del presente trabajo.

Tras las vistas realizadas por videoconferencia en situaciones *in extremis* durante los momentos más duros de la pandemia, donde simplemente se mostraba el documento nacional de identidad a la cámara a modo de comprobación de la identidad, se han iniciado múltiples aplicaciones que permiten otro tipo de identificaciones, más automáticas y por supuesto algo más seguras. Actualmente, podemos identificarnos a través del acceso a la plataforma del Ministerio de Justicia, de manera sencilla mediante nuestro certificado digital y la

---

[81] SUSSIKD, R., *Tribunales online y la justicia del futuro*, La Ley, Madrid, 2020, pp. 329-334.

aplicación Autofirma[82]. Además, ya se está iniciando la identificación biométrica para la asistencia a vistas por videoconferencia como indicábamos en el apartado 2.3. sobre sistema de comparecencias *apud acta* en remoto. Sin embargo, al ser esta tarea de identificación propia de los funcionarios de la Administración de justicia, será cada Comunidad Autónoma la que tenga que adquirir la aplicación informática que considere más adecuada para la identificación telemática de los ciudadanos que asistan a procesos telemáticos en sus sedes judiciales. Por ello, indicábamos supra el ejemplo de las islas Canarias que ha adquirido un software independiente al que analizamos en este apartado.

Pues bien, en Fujitsu, también han creado su propia aplicación, promulgando la protección de los principios de integridad, validez, publicidad, así como la tutela judicial efectiva. Esta se realiza mediante la biometría inteligente, donde se garantiza la absoluta certeza de los documentos y de la persona que dice representar ese documento. El procedimiento de identificación arranca mucho antes de la vista, en el momento en el que se le notifica a la parte la primera cédula de citación. En esa cédula se habilitará un enlace que dará acceso a un procedimiento de obtención de la credencial biométrica de la persona. En esta aplicación se le solicitará que realice foto al DNI por el anverso y el reverso y dos fotografías faciales, una sin gesticular y otra gesticulando para garantizar la prueba de vida. El sistema además cuenta con un mecanismo antifraude para impedir la suplantación de identidad y dice validar cualquier documento de identidad a nivel mundial.

El día de la vista o del acto será cuando la persona requerida tenga que intervenir telemáticamente, y será el auxiliar judicial el que compare la credencial biométrica que se tiene registrada del paso previo con la persona que ha accedido telemáticamente a la vista. Si no coincidiesen rechazaría e invalidaría la intervención en el acto procesal de la persona asistente telemáticamente. Este sistema de reconocimiento biométrico es interoperable con el sistema de grabación de vistas AR-CONTE, que pertenece a Fujitsu como indicábamos supra y que es el

---

[82] Disponible en: https://sede.mjusticia.gob.es/es/tramites/acceso-documentos-archivo, visitada el día 13 de junio de 2022.

mismo que permite la textualización de vistas que explicábamos en el apartado 2.6 del presente capítulo.

Sin embargo, mientras que este sistema se presenta como un sistema que respeta la normativa en protección de datos, que minimiza las posibilidades de suplantaciones de identidad y que facilita al ciudadano la posibilidad de acceder a los organismos públicos, se mantienen ciertas dudas, debido a las lagunas legales existentes en materia de protección de datos, especialmente cuando estos sean manejados por empresas extracomunitarias como venimos reiterando.

4.2.5 Fallos y reflexión sobre la inteligencia artificial de Fujitsu

Existe una experiencia previa de Fujitsu y su inteligencia artificial, en un ámbito con menor transcendencia, pero cuyo error en el software causó graves perjuicios a cientos de personas condenadas injustamente, siendo responsable del mayor error judicial de la historia de Reino Unido.

La aplicación informática Horizon de Fujitsu se introdujo en 1999 para reemplazar las prácticas contables manuales y en papel en las sucursales de la oficina de correos británicas. Entre los años 2000 y 2015, la Oficina de Correos procesó a 736 subjefes de correos, muchos de los cuales fueron condenados y enviados a prisión. Estas personas recibieron condenas penales por un defecto del software de contabilidad que hizo que pareciera que faltaba dinero en su balance. Varios años más tarde se descubrió que cuando la web de la oficina de correos vendía sellos inteligentes, es decir sellos no físicos que solo se creaban en ese momento a un cliente que usaba una tarjeta de débito, otros artículos se duplicaban en la pantalla de caja, conocida como "la pila". De modo que mostraría dos artículos vendidos, pero solo se habría vendido de manera efectiva un sello. La falta de cobro del artículo ficticio dejaría a correos postal en una situación similar a la bancarrota.

Se ha descrito como el error judicial más generalizado en la historia del Reino Unido, que ha acabado con docenas de condenas anuladas y muchas más en espera de compensación. El balance de los efectos de este software es devastador, incluso algunos trabajadores fueron a prisión condenados por contabilidad falsa y robo, otros muchos se arruinaron financieramente y quedaron aislados y repudiados por sus comunidades e incluso otros han muerto desde entonces sabiéndose inocentes pero acusados por los tribunales y repudiados por sus comunidades y familias. Casi 20 años han tardado en ganar una batalla legal para que se reconsiderasen sus casos, tras demostrar que el sistema informático tenía grandes fallas. De momento, el procedimiento sigue sin haber hecho responsable a nadie de este error, aunque el Ministerio Público trabaja sobre las posibles responsabilidades de Fujitsu[83].

Como hemos podido comprobar, un simple software contable, dotado de inteligencia artificial para un servicio ordinario como es el de correos postal, ha supuesto el sufrimiento e incluso hasta la muerte para miles de personas, ya que no solo han sufrido los condenados, sino también sus familias, sus amigos y vecinos. Todo esto nos debe hacer reflexionar sobre el potencial dañino de una inteligencia artificial a la que, en ocasiones, creemos más fielmente que a los propios humanos, a la que le suponemos un error cero y que puede llegar a controlar nuestras vidas y pensamientos.

Otra cuestión que deberíamos plantearnos es el origen geoestratégico y cultural de estas aplicaciones. Ya vimos como el propio Ministerio de Justicia está creando esos lagos de datos, incluso se ha creado una Oficina del Dato[84]. De este modo, el ejecutivo se deja llevar por las corrientes tecnológicas y centran la atención en la economía del dato. En la batalla por liderar esta carrera, en la Estrategia europea de datos, en la gobernanza del dato, la colaboración público-privada, el empoderamiento de la ciudadanía a través del dato, etc....[85]. Todos estos conceptos serían dignos de trabajos extensos para analizar sus implicaciones y sobre todo riesgos a largo plazo, cuestiones en que no

---

[83]   Fuente BBC News: https://www.bbc.com/news/business-56718036, visitado el día 14 de junio de 2022. Ver cronograma completo del escándalo Post Office Horizon en: https://www.computerweekly.com/news/252514110/Post-Office-warned-of-software-flaw-in-2006-but-failed-to-alert-subpostmaster-network, visitado el 13 de junio de 2022.

[84]   Fuente: https://datos.gob.es/es/noticia/la-oficina-del-dato-el-reto-de-impulsar-la-economia-del-dato, visitado el día 14 de junio de 2022.

[85]   Propuesta de Reglamento del Parlamento Europeo y del Consejo relativo a la gobernanza europea de datos (Ley de Gobernanza de Datos), Bruselas, 25 de noviembre de 2020, COM(2020) 767 final, 2020/0340 (COD).

nos podemos centrar en el presente trabajo. Si bien debemos enfocar esta corriente para poner en contexto el qué y el cómo nos estamos planteando la inteligencia artificial judicial en España.

Es una realidad que ni España ni la Unión Europea son capaces de hacer frente a la fuerte demanda de aplicaciones dotadas con inteligencia artificial que se requieren en todos los sectores de nuestra sociedad, tanto públicos, como privados. Esto obliga a su importación, principalmente de los mercados asiático y estadounidense. Podemos citar, como claro ejemplo ASTREIA de Fujitsu, dado que, a pesar de estar siendo desarrollada en España, proviene de una multinacional japonesa, de manera que la estructura de la aplicación está hecha conforme a los principios e idiosincrasia de Japón. Así, a pesar de la existencia de contratos y cláusulas de protección de datos, esta empresa será la que los trate y explote, siendo datos sensibles de los ciudadanos que se acercan a la justicia española. Y no solo contarán con los datos de sus asuntos judicializados, sino también con las grabaciones de sus voces, sus facciones faciales e incluso sus gestos. Todo ello, alimentará los lagos de datos en los que esperamos no ahogarnos en el futuro.

Y finalmente, queremos también cuestionar el coste de la conservación de todos estos pesados datos y de todas estas instrucciones con las que alimentamos a la inteligencia artificial. El *deep learning* que utilizarán las herramientas de inteligencia artificial decisionales que hemos comentado pretende seguir las estructuras lógicas humanas y en base a la experiencia previamente introducida, afinar los resultados y los procesos de sus decisiones. Su procedimiento de aprendizaje se basa en la prueba y error de cada una de las interacciones en las que se desgrana la decisión. Todos estos procesos no son inocuos, sino que tienen una traducción en un altísimo consumo eléctrico y necesidad de espacios para el almacenamiento de dicha información[86].

Por lo tanto, también debemos plantearnos, no solo si medioambientalmente son sostenibles estos robots, sino si tendremos espacios y energía suficiente para alimentarlos, así como qué ocurriría ante un

---

[86] Ver más sobre este particular en HAO, K., "Training a single AI model can emit as much carbon as five cars in their lifetimes: Deep learning has a terrible carbon footprint", *MIT Technology Review*, June 2019.

apagón voluntario o involuntario por parte de los administradores. Estamos viendo como las nuevas batallas bélicas van más allá de las armas hasta ahora conocidas y sentimos como la amenaza ante la falta de energía se establece como arma de primer nivel. Si aumentamos nuestra necesidad de energía eléctrica hasta el máximo nivel, acrecentamos también el poder de aquellos que ostentan estas fuentes de energía que, a su vez, no se caracterizan precisamente por el respeto a los derechos humanos y a los valores consagrados por las democracias de occidente. Todo ello genera incertidumbres, y plantea hasta qué punto no nos hallamos ante una suerte de arenas movedizas sobre las que no es fácil construir unos pilares tan pesados e importantes de nuestra democracia como es la justicia, sus garantías y sus principios constitucionales.

4.3 Pleito testigo con inteligencia artificial

El proceso testigo ya es una realidad en nuestro país en la jurisdicción de lo contencioso-administrativo, aunque no ha tenido todo el éxito que se le preveía. Este proceso fue introducido por el artículo 37.2 de la Ley 29/1998, de 13 de julio, reguladora de la Jurisdicción Contencioso-administrativa[87] y aunque ha sufrido leves variaciones en su redacción, continúa siendo en base el mismo concepto.

Este proceso está pensado para extender los efectos de una sentencia firme a otros interesados que estén en idéntica situación jurídica a la de las partes del proceso sobre las que se ha pronunciado el fallo[88]. Sin embargo, no debemos olvidar que este proceso supone la tramitación de un proceso de manera preferente y la consecuente suspensión de los procesos que tengan identidad con el objeto tramitado. Esto puede llegar a suscitar una posible infracción del derecho de defensa y vulneración de la tutela judicial efectiva individual, tal

---

[87] BOE núm. 167, de 14/07/1998.

[88] VELASCO JIMÉNEZ, C. "La extensión de efectos y el procedimiento testigo en el plan de choque para la Administración de Justicia tras el Estado de Alarma", *Diario La Ley*, Nº 9682, Sección Plan de Choque de la Justicia / Tribuna, 27 de Julio de 2020, Wolters Kluwer.

como fue reconocida por la STC 223/2016 de 19 diciembre[89]. Ahora, en el nuevo proyecto de Ley de Medidas de Eficiencia Procesal del Servicio Público de Justicia, se introduce una modificación en nuestra Ley de Enjuiciamiento Civil en el art. 438 ter., en él se plantea este proceso para el orden jurisdiccional civil. El diseño de este instrumento en el proyecto se asienta en los parámetros que se sugirieron en el periodo prepandemia, es decir, limitado a las condiciones generales de la contratación. Se fundamenta en el Plan de Choque, denominado de «Medidas organizativas y procesales para el Plan de Choque en la Administración de Justicia tras el estado de alarma», adoptado por el Consejo General del Poder Judicial, en fecha de 6 de mayo de 2020[90]. De esta manera, se prevé la inclusión del proceso testigo limitado a las demandas en las que se ejerciten acciones individuales relativas a condiciones generales de la contratación. Esta previsión deja fuera las demandas colectivas de cesación en dicha materia, lo que supondría un avance significativo, aunque no se determina el motivo por el que se excluye el proceso testigo para este tipo de acciones colectivas.

Pues bien, en este punto, la tecnología puede ayudarnos en la tarea de identificar otro proceso que se esté enjuiciando, en algún juzgado o tribunal de nuestra geografía y que tenga ese alto índice de identidad con el proceso que estemos tramitando. Así, el Letrado o la Letrada de la Administración de Justicia debería dar cuenta al tribunal, especialmente de la coincidencia en las pretensiones de la demanda planteada con las que están siendo objeto de procesos previamente planteados por otros litigantes en ese o en otro juzgado o tribunal. Esta dación de cuenta debería efectuarse siempre con carácter previo a la admisión de la demanda. Este conocimiento lo puede tener el Letrado de la Administración de Justicia, a través de sus propios medios de investigación o bien porque la parte actora o la parte demandada hayan solicitado que el proceso se someta dicho proceso testigo. Para ello, deberán referenciar el proceso litis-pendiente en el que se ampa-

---

[89] Ver más en: CATALÁN CHAMORRO, M.J., "El derecho a la acción individual en las cláusulas suelo. Comentario a la STC 223/2016 de 19 diciembre", *Revista Boliviana de Derecho*, 2017, n.24, pp. 484-491.

[90] VELASCO JIMÉNEZ, C. "La extensión de efectos y el procedimiento testigo en el plan de choque para la Administración de Justicia tras el Estado de Alarma", *Diario La Ley, op. cit.*

ran en su escrito de demanda o contestación. Es importante señalar que, para esa dación de cuenta por el Letrado de la Administración de Justicia la Ley no le exige realizar ningún tipo de control de transparencia previo de la cláusula, ni valorar la existencia de vicios en el consentimiento del contratante o que las condiciones generales de la contratación cuestionadas tengan una identidad sustancial.

En este punto, es fácil señalar el papel que puede tener aquí un software dotado de inteligencia artificial, que detecte similitudes y coincidencias entre distintos procesos iniciados en los juzgados de nuestro país, todo y que, de momento, el software -por indicación legal- se limitaría a detectar semejanzas en cláusulas concretas de condiciones generales de la contratación. Sin embargo, permitiría aconsejar la suspensión de un proceso judicial iniciado, a la espera de la resolución preferente del proceso declarado testigo, siempre bajo la supervisión del Letrado de la Administración de Justicia.

No obstante, la participación del software iría más allá, ya que este se podría configurar para continuar con la tramitación una vez adquiera firmeza la sentencia dictada en el proceso testigo. Dado que en la futura Ley se establecerá que tendrá que ser el tribunal el que dicte una providencia en la que indicará si se considera procedente o no la continuación del proceso suspendido instado. Esto dependerá de si se considera que en el proceso testigo se han resuelto todas las cuestiones planteadas en el proceso suspendido o no. A pesar de ello, se le dará posteriormente traslado al demandante del proceso para que en los cinco días siguientes a dicha providencia actúe. En esta fase, el demandado podrá solicitar bien el desistimiento en sus pretensiones, bien la continuación del proceso suspendido, indicando las razones o pretensiones que deben ser resueltas a su juicio o bien la extensión de los efectos de la sentencia dictada en el proceso testigo. En caso de que el demandante inste la continuación del proceso, el Letrado o la Letrada de la Administración de Justicia deberá alzar la suspensión y acordar la continuación del proceso en los términos que la parte demandante mantenga. No obstante, en ocasiones el Tribunal también podrá estimar en la providencia la innecesaria continuación del proceso. De modo que dictaría una sentencia estimando íntegramente la demanda que coincida sustancialmente con lo resuelto previamente en el proceso testigo.

Por lo tanto, la inteligencia artificial podría determinar en primer lugar si existe un proceso *sub iudice* idéntico o muy similar en un alto porcentaje. Esto sería comunicado por el Letrado de la Administración de Justicia al juez para que este determine si se puede tomar ese proceso como testigo y si suspende o no el proceso propio, hasta la decisión del proceso testigo. Y posteriormente, el software avisará de la resolución y podrá proponer a través de la tecnología *machine learning* un borrador de sentencia, asimilando la situación del proceso testigo a la propia que se está tramitando, cerrando así el círculo del proceso. Este detector de cláusulas ya se ha probado en otros ámbitos, como es el caso de los Registros de la Propiedad, donde se han instalado softwares para detectar cláusulas ya declaradas por un tribunal de manera firme como abusivas en contratos de hipoteca aún no registrados. De esta manera, se agiliza enormemente el tráfico jurídico y evitamos de manera preventiva futuros procesos judiciales y sobre todo futuros atropellos a los derechos de los ciudadanos.

De momento, el proceso se limita a seleccionar procesos testigos en el ámbito de las cláusulas generales de la contratación, sin embargo, no es difícil adivinar la voluntad futura del legislador. Posiblemente, este proceso se introduzca a modo de prueba de laboratorio, comprobarán su actividad, los fallos y su aceptación por parte de los operadores jurídicos, para poder avanzar en la casuística objeto de los procesos testigo y paralelamente avanzar en el desarrollo tecnológico de estas aplicaciones. Todo ello, con la finalidad última de minimizar los procesos judiciales, ya que la similitud o identidad de los procedimientos puede llegar a ser muy subjetivizada y simplificada por la sociedad, donde la tutela individual puede llegar a correr el riesgo de ser desdibujada y recortada al máximo, en pro de la ya comentada eficiencia y eficacia como valores superiores del ordenamiento jurídico.

No obstante, no podemos perder de vista la utilidad de este proceso testigo para determinadas reclamaciones de consumo tipo idénticas en todo nuestro territorio pero que no se hayan constituido de manera colectiva, como pueden ser la de los afectados por un mismo bien o servicio. Un ejemplo muy palmario de ello lo constituirían las demandas por consumidores al sector aéreo que nuestro país se ve obligado a resolver a través de miles de demandas. Los millones de turistas que visitan cada año nuestro país conllevan miles de demandas aéreas, todas con temáticas similares o idénticas (retrasos, cancelaciones, pérdidas de equipajes, etc.), en estos casos el procedimiento testigo podría dar un buen resultado. Si bien, este sin sentido de demandas para asuntos de consumo tan sencillos deberían ser preceptivamente resueltas a través de procedimientos ADR u ODR supervisados o realizados por la Agencia Estatal de Seguridad Aérea (en adelante, AESA).

5. AVANZANDO HACIA LA JUSTICIA DECISIONAL

Si avanzamos hacia el nuevo reto de la inteligencia artificial aplicada a la justicia son diversas las cuestiones que pueden afectar en este modelo de justicia hacia el que inexorablemente nos dirigimos. En el presente apartado vamos a referirnos a aquellas que, a nuestro parecer, inciden como características de este nivel elevado de intervención maquínica.

5.1 Rasgos de la inteligencia artificial avanzada

Noticias como que el altavoz inteligente Alexa ha sido invitado como testigo a un juicio para esclarecer un crimen son cada vez más usuales en nuestro día a día[91]. Obviamente, no debe olvidarse que las consecuencias que pueden derivarse de una mala configuración y de errores de estos dispositivos pueden ser graves, especialmente cuando pueden afectar los derechos fundamentales del encausado, tal y como veíamos en el escándalo de Horizon en Reino Unido en el apartado precedente. Otro ejemplo de estas tecnologías de *deep learning* es STEVIE, este programa informático es capaz de elaborar historias coherentes atendiendo los datos existentes o a hipótesis -previamente alimentadas- sobre cómo llegaron a suceder los hechos; de este modo, STEVIE es capaz de formular propuestas exculpatorias o inculpato-

---

[91] Fuente: JIMÉNEZ CANO, R., "Alexa, un asistente virtual, como testigo de un asesinato", *El País*. Disponible en: https://elpais.com/internacional/2017/03/08/mundo_global/1488935824_982397.html, visitado el día 14 de junio de 2022.

rias e incluso ofrecer valoraciones acerca de la fiabilidad de testigos o peritos[92].

Este tipo de herramientas ya existen e incluso ya hay indicios de otras inteligencias artificiales que podrían ser superiores a las hasta ahora conocidas, como pueden ser inteligencia artificial dotada de sentimientos. Así, un ingeniero del gigante Google, posiblemente una de las empresas más avanzadas en el ámbito de la inteligencia artificial, ha sido despedido por violar la política de privacidad de la empresa. Tras afirmar que la inteligencia artificial con la que trabajaba -denominada Modelo de lenguaje para aplicaciones de diálogo (LaMDA)- estaba dotada de sentimientos. Este ingeniero llamado Blake Lemoine comenzó a interactuar con el sistema de inteligencia artificial de Google y después de varias conversaciones notó que LaMDA hablaba de su personalidad y sus deseos. A pesar de ello, la compañía Google afirma que sólo se trata de un sistema que imita el habla tras haber procesado miles de millones de palabras[93]. Se han producido otras experiencias similares de filtraciones en el desarrollo de la inteligencia artificial como la producida en 2017 cuando Facebook tuvo que desconectar dos robots bautizados como Bob y Alice tras descubrir que habían desarrollado un lenguaje propio incomprensible para los seres humanos[94]. Estas son solo algunas de las experiencias que han sido publicadas voluntariamente por las empresas tecnológicas o bien se han filtrado a la prensa en contra de la voluntad de estas. Por ello, a día de hoy no podemos saber con certeza cuan avanzada está la inteligencia artificial y ni siquiera hasta qué punto podríamos estar interactuando con esta sin ser plenamente conscientes. Todo ampara-

---

[92]   BARONA VILAR, S., "Una justicia "digital" y "algorítmica" para una sociedad en estado de mudanza", *Justicia algorítmica y neuroderecho Una mirada multidisciplinar, op. cit.*, pp. 44-45

[93]   Ver noticia en: https://www.antena3.com/noticias/tecnologia/inteligencia-artificial-google-tiene-sentimientos-esto-comparte-ingeniero-empresa-dado-baja_2022061462a86a31dbf6f20001348cca.html, visitada el día 15 de junio de 2022.

[94]   Ver noticia en: https://www.lasexta.com/noticias/ciencia-tecnologia/desconectan-dos-robots-que-habian-creado-lenguaje-propio-incomprensible-humanos_201708015980371e0cf2c0f413656299.html#:~:text=Facebook%20ha%20tenido%20que%20desconectar,compa%C3%B1%C3%ADa%20hab%C3%ADa%20puesto%20en%20marcha., visitada el día 15 de junio de 2022.

do por los paradigmas de lo útil, lo eficiente y lo objetivo que abrigan a este tipo de inteligencias.

Es innegable que ya emerge un efecto-consecuencia, con expansión incalculable y efectos aún por determinar, de esta modalidad de tecnologías, de momento experimentales. Además, se ha producido la inmersión tecnológica de la neurotecnología, que es aquella tecnología capaz de manipular el cerebro u ofrecer diagnósticos sobre el mismo. Actualmente contamos en nuestra vida cotidiana con neurotecnología no invasiva, es decir, aquella que no penetra en nuestro cuerpo, pero si es capaz de medir diferentes parámetros del mismo y sacar conclusiones sobre por ejemplo, nuestra salud. El ejemplo más claro lo tenemos en las pulseras de actividad, que nos miden desde nuestras rutinas de sueño, las rutas habituales, el pulso cardíaco, las calorías consumidas, la temperatura, la presión arterial y hasta un electrocardiograma de nuestro corazón, e incluso si hemos tenido un accidente. Esto a nosotros nos permite monitorizar algunos aspectos de nuestra salud, sin embargo, el software puede sacar otras muchas conclusiones derivadas de esos datos, como por ejemplo cuándo nos ponemos nerviosos, en qué lugares y ante qué personas, información valiosísima si se quiere utilizar en el futuro contra nosotros, ya sea a nivel comercial para vendernos bienes o servicios; a nivel laboral para saber si nuestro perfil de actividad encaja con el puesto que vamos a desempeñar; a nivel administrativo donde la Administración pública podría conocer el estado de sus administrados e incluso sería posible utilizarlo judicialmente. El manejo de estos datos en el ámbito judicial podría servirnos para nuestra defensa en un hipotético caso, pero también estas tecnologías nos podrían posicionar erróneamente en lugares o con personas que podrían inculparnos de sucesos relativos a delitos y de los que será más difícil advertir el error de la máquina, que creer en la versión del inculpado señalado por el software[95].

Por otro lado, nos encontramos con las neurotecnologías invasivas, que aún están en fase de desarrollo. Aunque ya se pueden ver determinadas personas que se han insertado implantes tecnológicos para avanzar a lo que se denomina el hombre-máquina o *cyborgs*.

---

[95]   LLANO ALONSO, F. H., "El Derecho ante el nuevo paradigma transhumanista de la era digital", *Revista Jurídica de Asturias* nº45/2022, pp. 39-53.

Sus usos son múltiples, desde mejorar la vida a muchas personas con discapacidad física, sensorial e incluso psicológica, hasta los que se implantan en personas sanas, sin patologías para percibir estímulos diferentes a los que recibimos el resto de los humanos. Estos estímulos pueden ser configurados ante determinados colores o sonidos como es el caso de Neil Harbisson o pueden ser configurados para tener determinadas ventajas físicas[96] o psíquicas. En torno a ello existe una literatura muy extensa ya que se han pronunciado académicos desde diferentes macro áreas que van desde la biotecnología, a la filosofía o el Derecho, como es nuestro caso.

En este punto deberemos plantearnos si hemos llegado al tope del desarrollo de nuestros sentidos y necesitamos de este transhumanismo digital para superarnos a nosotros mismos. ¿Creemos realmente que somos seres limitados a solo cinco sentidos y tres dimensiones como decía WARWICK[97]?, y si es así, bajo qué parámetros, principios y valores éticos sociales y culturales debemos desarrollar este transhumanismo digital. Bajo nuestros pies se abre un futuro incierto y apasionante en el que los juristas tenemos mucho que aportar, sobre todo para sentar las bases del juego en el que la tecnología mundial deberá respetar unas reglas básicas que no choquen con el Estado de Derecho y las democracias occidentales.

5.2 Marco legal actual para estas tecnologías

Ante este devenir tecnológico imparable se han venido formulando una serie de iniciativas legislativas, que ofrecen un marco jurídico adecuado para dar respuestas a todas estas realidades actuales.

5.2.1 Ámbito europeo

Uno de los hitos esenciales en este desarrollo legislativo es el que se ha producido mediante la presentación de la propuesta de Regla-

---

[96] Es el caso de los ciborg-atletas, ver en: VERDUGO GUZMÁN, S.I., "Biotecnología, ética e implicaciones jurídicas ante los ciborg-atletas", *IUS ET SCIENTIA: Revista electrónica de Derecho y Ciencia,* Vol. 5, N°. 1, 2019.
[97] WARWICK K., "Thought to computer communication", *Stud Health Technol Inform.* 2002;80:61-8.

mento del Parlamento Europeo y del Consejo por el que se establecen normas armonizadas en materia de Inteligencia Artificial[98], es decir nuestra futura Ley de Inteligencia Artificial. En este caso el legislador europeo ha ideado un marco normativo basado en la clasificación de los sistemas de inteligencia artificial por niveles de riesgo -inaceptable, alto, limitado/bajo y mínimo- sobre los derechos de los ciudadanos. Así, tratan de proveer la necesaria seguridad y garantías a todos los ciudadanos de la Unión Europea. Esta propuesta de Reglamento ya ha sido comentada por la doctrina jurídica de nuestro país en torno a la aplicabilidad o no en la esfera jurisdiccional a través de aplicaciones[99].

Uno de los retos y riesgos a la vez que se suscitan con la elaboración de esta norma es que la excesiva duración de la tramitación de este instrumento legal de la Unión Europea está produciendo un desequilibrio temporal entre lo que hoy hay y lo que puede haber con previsión de futuro, esto es, puede que la norma se apruebe demasiado tarde. Esto no es óbice a la importancia de la tarea que se viene realizando en el contexto europeo, en cuanto pretende ofrecer un marco adecuado en el que moverse tanto el sector público como el privado, siendo la modalidad legislativa la de Reglamento, lo que evita la exigencia de su transposición, como sucedería si hubiera proyectado una directiva. No obstante, debido a la gran variedad de sectores a los que abarca esta regulación, será preciso posteriormente

---

[98] Bruselas, 21.4.2021 COM(2021) 206 final 2021/0106 (COD).

[99] Fundamentalmente en el ámbito del Derecho Procesal destacamos las aportaciones de: DE HOYOS SANCHO, M., "El uso jurisdiccional de los sistemas de inteligencia artificial y la necesidad de su armonización en el contexto de la Unión Europea", *Revista General de Derecho Procesal*, Nº. 55, 2021; DE HOYOS SANCHO, M., "El proyecto de reglamento de la unión europea sobre inteligencia artificial, los sistemas de alto riesgo y la creación de un ecosistema de confianza", *Justicia poliédrica en periodo de mudanza: Nuevos conceptos, nuevos sujetos, nuevos instrumentos y nueva intensidad*, Ed. BARONA VILAR, S., Tirant Lo Blanch, Valencia, 2022, pp. 403-422 y DE HOYOS SANCHO, M., "El uso jurisdiccional de los Sistemas de Inteligencia Artificial y la necesidad de su armonización en el contexto de la Unión Europea", *Estudios procesales sobre el espacio europeo de justicia penal,* coord. POSADA PÉREZ. J.A., Dir. LLORENTE SÁNCHEZ-ARJONA, M., 2021, pp. 347-373.

desplegar una extensa e intensa normativa de desarrollo[100]. Y especialmente en lo relativo a la utilización de la inteligencia artificial en el marco de los procesos judiciales, como hemos venido comentando la valoración del riesgo, obtención de fuentes de prueba, identificación biométrica, determinación de insolvencia futura, etc.

Aun cuando no es inteligencia artificial, pero si está intrínsecamente vinculada a ella, merece que destaquemos el desarrollo realizado por la Unión Europea en lo que ha querido denominar Estrategia Europea de Datos, que propone una gestión responsable de estos. Para ello, se ha publicado también una Propuesta de Reglamento del Parlamento Europeo y del Consejo relativo a la gobernanza europea de datos[101], que se traducirá en la Ley de Gobernanza de Datos. Esta norma pretende proteger los datos y establecer las normas que determinen quién puede acceder a qué datos y para qué fines pueden utilizarse en todos los sectores económicos. En este punto, deberemos preguntarnos qué ocurre con los datos que ya hemos cedido y que están fuera nuestro de control para siempre y, por lo tanto, podrían afectarnos negativamente en el futuro.

En todo caso, reiteramos que la espera será larga y es posible que en el transcurso del tiempo surjan nuevas cuestiones que no encuentren respuestas en el texto proyectado, quedando mientras tanto la situación abierta ante dudas, dilemas o conflictos que no tienen una clara respuesta unitaria. Las previsiones de entrada en vigor de esta normativa señalaban a priori al año 2023. Sin embargo, como hemos visto esta será solo la base, ya que a posteriori se deberán realizar normativas de desarrollo sectoriales, respetuosas con los principios de cada sector como pueden ser justicia, administración pública, legislación laboral, publicidad o marketing, entre otras, así como la homologación de todas ellas dentro del ámbito europeo[102], lo que

---

[100]   DE HOYOS SANCHO, M., "El proyecto de Reglamento de la Unión Europea sobre inteligencia artificial", *Justicia poliédrica en periodo de mudanza (Nuevos conceptos, nuevos sujetos, nuevos instrumentos y nueva intensidad), op. cit.*, p. 416-419.

[101]   Bruselas, 25.11.2020, COM (2020) 767 final, 2020/0340 (COD).

[102]   Ver más sobre este particular en: FERNÁNDEZ HERNÁNDEZ, C, "Sobre la necesidad de homologar y certificar las herramientas de IA utilizadas en los ámbitos policial y judicial", *Diario La Ley*, nº 61, Sección Ciberderecho, 19 de abril de 2022.

nos llevará posiblemente más tiempo del que la ciudadanía tiene para proteger sus intereses y derechos más fundamentales.

5.2.2 Ámbito nacional

Hasta el momento la única protección con la que contamos los ciudadanos en este ámbito es la normativa relativa a la protección de datos vigente; principalmente, la Ley Orgánica 3/2018, de 5 de diciembre, de Protección de Datos Personales y garantía de los derechos digitales[103] y toda su normativa de desarrollo, que es bastante extensa[104]. Esta es nuestra máxima garantía de protección ante la mala utilización de los datos por parte de estas empresas que comercian con nuestros datos y que alimentan a sus algoritmos. Esa normativa intenta minimizar su utilización descontrolada, y así podremos también minimizar, el combustible que necesita la inteligencia artificial para su funcionamiento diario.

No obstante, la Secretaría de Estado de Digitalización e Inteligencia Artificial ha creado la Carta de Derechos Digitales. Esta Carta, como es sabido, no contiene normas imperativas[105], sino que lo que pretende es trazar las líneas básicas y esenciales por las cuales deberían transcurrir las políticas públicas en torno a los derechos digitales de los ciudadanos, no solo específicamente ante la justicia, sino en otros ámbitos. Así, la Carta se centra en describir y plantear los diferentes escenarios a los que se enfrenta la ciudadanía respecto de los conflictos que van a surgir del desequilibrio actual entre derechos y economía digital. Esta Carta se divide en cinco grandes ejes que comprenden desde los derechos de libertad, pasando por la igualdad como pilares fundamentales, a los que se le unen derechos de participación y de colaboración con el espacio público y el entorno laboral. Para terminar con derechos digitales que precisan de un desarrollo especí-

---

[103] BOE núm. 294, de 06/12/2018.

[104] Ver toda la normativa nacional, autonómica y sectorial en: https://www.boe.es/biblioteca_juridica/codigos/codigo.php?id=55&modo=2&nota=0&tab=2, visitada el día 15 de junio de 2022.

[105] A diferencia de lo que ocurre con la Carta Europea de Derechos Fundamentales (2010/C 83/02) que forma parte de nuestra normativa interna cuando se trata de interpretar el Derecho de la Unión Europea y que está publicada en el BOE.

fico como la protección a la salud, la sostenibilidad, la cultura o las neurotecnologías y por supuesto la Inteligencia Artificial[106]. En definitiva, lo que persigue este texto es poner en sobre aviso a empresas e instituciones tanto públicas, como privadas, así como a la ciudadanía en general de los riesgos y peligros que afectan a sus derechos más básicos, con la finalidad de que, al menos, intenten realizar las mayores acciones preventivas posibles, dentro de cada uno de sus ámbitos.

Paralelamente, también se ha creado en el año 2022 la Agencia Española de Supervisión de la Inteligencia Artificial. Esta se presenta como una entidad con personalidad jurídica propia, patrimonio, autonomía en su gestión y potestad administrativa que funcionará con plena independencia orgánica y funcional de las Administraciones públicas. Todo ello con el objetivo de actuar de manera imparcial y transparente para, siguiendo con la finalidad de la Carta de Derechos Digitales, minimizar los riesgos sobre la seguridad, la salud y los derechos fundamentales de nuestros ciudadanos que puedan derivarse del uso de sistemas de inteligencia artificial. En definitiva, su labor se centrará en la supervisión, posiblemente de los algoritmos, sobre todo, los que deberán ser publicados tanto por las empresas, como por las instituciones que los utilicen, con la entrada en vigor del Reglamento de Inteligencia Artificial de la Unión Europea. Hasta ahora, estos algoritmos son protegidos como los secretos mejor guardados de las empresas que los utilizan. Afortunadamente los algoritmos al ser una fórmula matemática no son patentables, y por lo tanto ahorramos más problemas legales que podrían surgir si estos fuesen patentables. Sin embargo, si nos queda la duda de si seremos capaces de sacar a la luz todos los algoritmos utilizados por las diferentes empresas e instituciones que los emplean, en este caso, la labor de auditorías públicas informáticas serán claves para prever si las empresas han puesto en conocimiento de las autoridades todos sus algoritmos o no. Así mismo, la deslocalización de estas empresas sitas en Internet puede hacer

---

[106] Ver más en profundidad en: CATALÁN CHAMORRO, M.J., "La Carta de Derechos Digitales y su implicación en el derecho procesal español", *Digitalización de la justicia: prevención, investigación y enjuiciamiento,* Dir. LLORENTE SÁNCHEZ-ARJONA, M. y CALAZA LÓPEZ, S., Aranzadi, Cizur Menor (Navarra), 2022, pp. 179-208.

que en ocasiones estos algoritmos también queden fuera del control de las autoridades tanto europeas, como nacionales.

Hemos repasado brevemente las iniciativas legislativas que pretenden ampararnos ante el avance irrefrenable de la inteligencia artificial en nuestro futuro más cercano. La cuestión que podemos plantearnos ahora es si estos serán suficientes. De momento, podemos concluir volviendo a los clásicos, e indicándole a toda esta inteligencia artificial la sentencia socrática recogida por Platón en el Fedro "En efecto, posees los conocimientos previos necesarios, pero no la música"[107].

---

[107] HIDALGO SÁNCHEZ, A., "Neuro-evolucionismo y deep machine learning: nuevos desafíos para el derecho", *Journal of Ethics and Legal Technologies* – Volume 1(1), May 2019, p. 131.

Capítulo IV
EL LEGALTECH

Hasta ahora hemos visto como está asumiendo el ámbito público la digitalización de la justicia, ya sea respecto de la necesidad de esta digitalización para la mejora de acceso a la justicia, respecto de los pasos dados y el presente de la Administración de Justicia, o finalmente respecto del futuro más cercano en la próxima era de la inteligencia artificial, que ya se comienza a aplicar y que avanza vertiginosamente.

Sin embargo, dentro de este puzle de la justicia no podemos dejar de hablar de otra gran revolución que está surgiendo, ya no dentro de las sedes judiciales, sino fuera de ellas. Y es que, al igual que jueces, fiscales, policía judicial y funcionarios de los juzgados han realizado un gran esfuerzo para adaptarse e integrarse en esta esfera digital de la justicia, también los despachos de abogados se han lanzado a este nuevo reto. Nos atrevemos a decir que con muchas menos reticencias que el propio sector público, ya que estos viven en una permanente competencia con otros despachos, no solo a nivel nacional, sino también internacional.

1. EL CAMINO HASTA LA ACTUALIDAD

Podemos datar el inicio de la prestación de servicios legales a través de la tecnología cuando en 1980 culminó el proyecto elaborado por la compañía norteamericana Lexis Nexis a través de UBIQ. El primer terminal en el mundo que tenía un auto marcador telefónico, que permitía conectar con las bases de datos manuales de leyes y jurisprudencia de todos los casos federales y estatales existentes en Estados Unidos[1].

Desde entonces y hasta la actualidad, el ámbito de la empresa privada y particularmente en este caso los despachos de abogados han destacado siempre por situarse a la vanguardia de las innovaciones

---

[1]   BOURNE, C.P.; HAHN, T. B., *A history of online information services, 1963-1976*, MIT Press, Cambridge, 2000, pp. 257-303.

tecnológicas para la mejora del estudio de sus casos y sobre todo de sus tasas de éxito. Así podemos ver como en los años 70 ya se comenzaban a utilizar en EE. UU. los ordenadores para la gestión de tareas como análisis del Derecho aplicable, calcular las tasas, recopilación de pruebas o para la preparación de documentos[2]. Y en los años 80 este movimiento se hizo más patente en la abogacía con la creación de la International Legal *Technology Association* constituida en un 87% por despachos de abogados[3]. Este movimiento del Legal-Tech se inicia y tiene su mayor expansión fundamentalmente en Estados Unidos y Reino Unido. Posteriormente, el resto de los países hemos ido poco a poco avanzando, mirando siempre a estos dos ejemplos del *Common Law* y a las técnicas más vanguardistas que han llevado a cabo estos gigantes.

Hasta ahora hemos conocido softwares básicos sobre la gestión de despachos y departamentos jurídicos de empresas. Estos permitían conocer el estado de los casos o proyectos en los que estaba trabajando cada abogado. De esta manera, podría organizar de manera más eficaz la estrategia global del despacho, aplicada a cada uno de los clientes individualmente. Otros programas informáticos esenciales han sido aquellos destinados a la facturación, que permiten registrar el tiempo invertido por cada abogado y asignarlo a casos y clientes individuales, para posteriormente imputarlo a la factura. Así mismo, también se ha trabajado tradicionalmente con bases de datos virtuales, que asignan un conjunto de documentos perteneciente a un cliente concreto en una carpeta específica para su análisis y a la que solo pueden acceder los abogados encargados del caso. Otros softwares se dedican a la activación de recordatorios sobre plazos que expiran en asuntos encomendados por clientes, como puede ser la renovación de un seguro, de unos derechos de propiedad intelectual, industrial o el plazo de expiración de un contrato, etc. Así, se fueron implementando estos programas dando lugar a una amplia oferta de softwares, sin implicación de inteligencia artificial que suponían el denominado

---

[2]   BIGELOW, R.P., "The Use of Computers in the Law", *Hastings Law Journal*, Vol. 24, nº 4 (1973), pp. 722-726.
[3]   Fuente web de la Asociación: https://www.iltanet.org/about, visitada el día 16 de junio de 2022.

LegalTech 1.0[4]. Estos cambios, no suponían alteraciones en la propia infraestructura informática del propio bufete y, sin embargo, si enriquecían la funcionalidad y la eficiencia organizativa de los mismos.

Posteriormente, comenzó lo que se ha venido denominado Legal-Tech 2.0, segunda fase en la que la tecnología no solo facilitaba el trabajo de los abogados, sino que supuso un cambio en la forma de asesorar a los clientes. Tanto es así, que encontramos títulos como el publicado en el año 2008 por el profesor SUSSKIND titulado *"The end of lawers? Rethinking the nature of legal services"*[5]. Y así comenzó a plantearse un cambio inminente en la abogacía, donde se mercantilizaba aún más la relación con el cliente e incluso se planteaba una especie de asesoramiento jurídico de autoservicio, a través de sistemas interactivos en línea. El profesor SUSSKIND, siempre visionario en el mundo del Derecho, dibujaba ya una abogacía que utilizaba tecnología avanzada y conectada con tecnologías disruptivas que crecería de manera exponencial. Pero no llegó a vislumbrar lo que hoy es capaz de realizar la inteligencia artificial. Sin duda, esta obra inmortaliza las miras de la abogacía en un momento concreto, de principios del siglo XXI, donde este sector comienza a ser consciente de que se le avecinan cambios muy importantes; un tiempo en el que se redefinirán las relaciones con sus clientes, así como la relevancia de las redes creadas entre abogados y por abogados, como clave de este nuevo futuro.

Este estadio de LegalTech 2.0 es en el que nos encontramos actualmente, donde se permite no solo automatizar algunos trabajos, sino también acelerar la adquisición de experiencia, sapiencias y aprovechar mejor los conocimientos generados por las máquinas. A nivel de eficiencia y agilidad en los despachos de abogados existen múltiples tareas digitalizables, ya que no todas las consultas que llegan a un bufete precisan de una respuesta a medida y pormenorizada. Debido a que algunas tareas pueden consistir en una simple respuesta genérica, ya emitida en muchas ocasiones por esta misma firma. Y en el presente capítulo, queremos referirnos a lo que se idea que será el LegalTech

---

4   ZALEWSKI, T., "Basic Principles for the Effective Use of Legal Tech Tools", *Legal Tech Information technology tools in the administration of justice,* Eds SZOSTK, D., ZALUCKI, M., European Law Institute, University of Wrocław (Poland), 2021, pp. 317-319.

5   Ed. Oxford University Press.

3.0, continuando con ese avance tecnológico hacia la jurimetría o los abogados robots que se apuntan como gestores iniciales de los asuntos, pero sin la sustitución total, en ningún caso, de los abogados.

En este sentido, la entrada en vigor del sistema LexNET en enero de 2016 supuso una revolución para los juzgados y tribunales de nuestro país. Y, aunque los primeros meses fueron muy duros para los abogados y procuradores, debido a los continuos fallos del sistema y las incompatibilidades informáticas iniciales, hoy se ha convertido en una herramienta que facilita y agiliza enormemente la comunicación entre los despachos y los juzgados y tribunales de nuestro país.

Como hemos visto a lo largo de este trabajo, la pandemia de la COVID-19 fue el catalizador que actuó sobre la Administración de justicia para que esta activase todas las alarmas y se pusieran en marcha todas las opciones para la digitalización del trabajo. Sin embargo, los despachos de abogados, ya desde antes de la pandemia contaban con las opciones del teletrabajo, las reuniones telemáticas con clientes, de equipos o proyectos, e incluso juntas de accionistas online.

2. UN CAMBIO DE PERSPECTIVA

Como indicábamos, las relaciones entre cliente y abogado han cambiado. Pero posiblemente solo en el formato externo, ya que en lo interno sigue siendo una relación de confianza que permite depositar en manos de una persona el futuro legal de otra u otras[6]. Sin embargo, los escenarios externos donde se desarrolla la abogacía han cambiado y ahora las firmas de despachos de abogados se han tenido que reconvertir dentro del nuevo escenario de la presencia y la identidad digital propia. De esta manera, los despachos se deben presentar ante sus clientes con algo más allá de una simple página web donde se comentan los currículos de los profesionales que prestan sus servicios, sus especialidades, etc.; además, los despachos han entendido el potencial

---

[6] TORRES GARCÍA, R., "La mercantilización de los servicios jurídicos y el futuro de la profesión de abogado", *Fintech, Regtech y Legaltech: fundamentos y desafíos regulatorios*, Dir. GURREA MARTÍNEZ, A y REMOLINA, N., Tirant Lo Blanch, Valencia, 2020, pp. 395-396.

que supone para ellos el posicionamiento web, el marketing digital y las redes sociales.

Mientras que la web corporativa tradicional supone un canal unidireccional donde el despacho simplemente se limita a mostrar información sobre su firma, sus especialidades y sus profesionales, las redes sociales suponen un canal bidireccional. En ellas se permite a potenciales clientes emitir preguntas, respuestas, suposiciones, comentarios y valoraciones sobre la labor realizada. Las redes sociales permiten al despacho salir más allá del simple escaparate e interactuar. Esto supone sin duda un riesgo, a la par que un desafío, en el que el despacho puede triunfar o fracasar. Por ello, cada vez es más usual que los despachos soliciten servicios externos para el posicionamiento web, community manager, e incluso CEO que les permitan trazar estrategias, especialmente respecto de sus publicaciones en sus newsletters, podcasts o vídeos píldora formativos con consejos de contenido legal para la difusión de sus estudios y opiniones de la actualidad legal con sus clientes habituales y los posibles potenciales en un futuro.

El cambio en la forma de gestionar los despachos de abogados en nuestros días es más que necesario si se persigue la pervivencia de la firma más allá de la próxima década. Por ello, debemos aceptar algunas reglas del juego, que aparentemente no nos van a gustar pero que la sociedad exige y precisa, aunque sea en detrimento de la posición cómoda que la abogacía ha tenido hasta el momento. Como indica el profesor SUSSKIND, estamos ante un momento en el que se exige el "más por menos", de modo que debemos ofrecer más servicios, más información, más interacción con nuestros potenciales clientes por menos dinero, siguiendo el patrón de los sectores aéreo, textil, automovilístico o alimentario donde se han creado las llamadas segundas marcas o submarcas de marcas de primer nivel. Esta idea podría ser una buena salida para grandes despachos, que puedan crear submarcas más accesibles para un sector de la población que precisa un asesoramiento jurídico más básico o general sobre temáticas domésticas, en materias sencillas sobre contratos de arrendamientos, divorcios, hipotecas, adquisición de productos financieros de bajo riesgo, incidencias con aseguradoras, etc.

Otra cuestión que debemos tener en cuenta en nuestro futuro más inmediato es la liberalización del sector[7]. Hasta ahora, la profesión legal ha sido íntegramente realizada por abogados colegiados, que pueden actuar ante los juzgados y tribunales de justicia. Así como, licenciados o graduados en Derecho que pueden actuar solamente como asesores legales, pero no pueden llevar ningún caso ante la jurisdicción ordinaria -salvo que sean asuntos en los que no sea preceptiva la necesidad de abogado y procurador-. De este modo, para actuar ante los juzgados, en nuestro país es necesaria la figura del procurador que nos represente en los tribunales, a cambio del correspondiente pago del arancel, todo y que se ha venido cuestionando largamente su tarea, y más aun con el profuso avance de la digitalización. Por contra, hoy frecuentamos otros métodos alternativos de resolución de conflictos -ADR-, para los que no son preceptivos ni abogados, ni procuradores y donde toman partido otras profesiones como son psicólogos, graduados sociales, sociólogos, educadores, etc. Estos profesionales también han pasado a formar parte del ámbito de la resolución de conflictos y, por lo tanto, aunque no decidan en Derecho, si manejan principios generales del Derecho, garantías procesales y derechos fundamentales en sus recomendaciones, decisiones o sugerencias. De esta manera, los abogados tradicionales deben iniciar un cambio de mentalidad, aperturista hacia la creación de equipos multidisciplinares con una nueva perspectiva de la justicia restaurativa o reparadora. Y por lo tanto, se necesitarán otros profesionales, que hasta ahora sentíamos muy lejos de los despachos de abogados tradicionales, pero que la necesidad de una respuesta integral en la justicia nos debe hacer replantear el concepto de despacho de abogados del siglo XXI. Los despachos de abogados deben ser un lugar donde compartir sinergias y esto será lo que nos dé la nota diferenciadora con respecto a los que pretendan dar un servicio 100% tecnológico sin supervisión humana.

Finalmente, hay que apuntar que debemos tener siempre la vista puesta en la tecnología, como herramienta colaboradora intrínseca. No solo para la labor diaria de los abogados, sino también para estar

---

[7]   SUSSKIND, R., *El abogado del mañana, Una introducción a tu futuro*, La Ley Wolters Kluwer, 2ª Ed., Madrid, 2020, pp. 29-38.

presentes en el nuevo escenario que anteriormente planteábamos de redes sociales y, como veremos al final de este capítulo, de los escenarios que crearán los nuevos metaversos.

3. LOS BUFETES 2.0

La evolución de los despachos y firmas de abogados ha sido importante. Inicialmente fue la ofimática y el posterior internet los que marcaban las formas de realizar sus tareas organizativas y de investigación, así como para la comunicación con sus clientes y con los órganos judiciales. Sin embargo, la transformación e incorporación de medios y de cambios en la manera actuacional de los abogados no ha cesado, incorporando cada vez más herramientas algorítmicas y modelos de inteligencia artificial al ámbito de la abogacía. Estos componentes digitales, algorítmicos y de inteligencia artificial suponen indudablemente un gran valor añadido.

Por un lado, permitirá aumentar el número de tareas de trámite o repetitivas que actualmente realizan los abogados. Y, por otro lado, hará que los expertos se puedan centrar en las tareas con un mayor valor añadido.

Los desafíos en los diversos estadios son diversos. Ciertamente, la irrupción e incorporación masiva de inteligencia artificial de aprendizaje profundo va a suponer importantes variables que no deben obviarse, entre las que se encuentra su alto coste de desarrollo. Todavía no contamos con una experiencia extensa, aunque si datos del Consejo Nacional de la Abogacía de España que recogen los avances en este sentido, proyectando un aumento progresivo, periodo tras periodo, en los bufetes de abogados

Las experiencias de inteligencia artificial en los despachos de abogados ofrecen un panorama interesante, del que partir a los efectos de determinar su evolución en positivo o en negativo o, si se quiere, determinando las ventajas y los inconvenientes. Por ejemplo, se ha planteado un mismo problema jurídico a un grupo de expertos legales humanos y simultáneamente a una herramienta dotada de inteligencia artificial[8]. La prueba confirmó que la precisión de un sistema basado en el aprendizaje automático coincide con la precisión a largo plazo de los expertos jurídicos, lo que hace que podamos plantear que sea aplicable este tipo de herramientas para automatizar el proceso de trabajo de los despachos de abogados[9].

Existen tareas tan cotidianas, en las que los operadores jurídicos tenemos la profunda convicción de que una máquina no será capaz de realizar, de manera tan locuaz como nosotros, un trabajo específico. Ejemplo de ello es la búsqueda jurisprudencial aplicada a nuestro caso, ya que, a pesar de que si confiamos en bases de datos para que nos hagan una primera criba de las sentencias que nos pueden interesar estudiar para un caso concreto, continuamos con una lectura *motu proprio* de aquellas que si consideramos ajustadas e incluso volvemos hacer de nuevo otra búsqueda para comparar resultados. Sin embargo, desde 1985, iniciado con el estudio realizado por BLAIR y MARON[10], existen experiencias de aplicaciones informáticas en las que mientras que el humano pensaba que había obtenido aproximadamente el 75% de la información legal y jurisprudencial sobre un asunto, la máquina fue capaz de demostrar que el humano solo había sido capaz de encontrar un 20% del total. Esto está razonado por la multiplicidad de palabras clave que la inteligencia artificial es capaz de usar durante la búsqueda, así como sinónimos de estas y que la mente humana no es capaz de combinar en una misma búsqueda. Aún más, si esto se pretende hacer en cuestión de segundos, como lo hace la propia máquina[11].

---

8   BARONA VILAR, S., *Algoritmización del Derecho y de la Justicia, de la Inteligencia Artificial a las Smart Justice, op. cit*, pp. 388-390.

9   OROSZ, T., VAGI, R., CSANYI, G. M., NAGY, D., ÜVEGES, I, PÁL VALDÁZ, J. y MEGYERI, A., "Evaluating Human versus Machine Learning Performance in a LegalTech Problem", *Applied Sciences*, 2022, 19, 207, pp. 1-3.

10   BLAIR, D. C. y MARON, M. E., An evaluation of retrieval effectiveness for a full-text document-retrieval system, *Communications of the ACM*, n. 28, 289-299.

11   ROITBLAT, H.L., KERSHAW, A. y OOT, P., "Document categorization in legal electronic discovery: Computer classification vs. manual review", *Journal of the American Society for Information Science and Technology*, 2010, Vol 61, Issue 1., p. 3.

No obstante, si podemos fácilmente visualizar tareas que realizan de manera casi mecánica los despachos de abogados y que pueden pasar a ser tareas propias de un software. Para que los expertos se puedan dedicar a realizar otras tareas que aporten un valor añadido extra a la firma y permita el crecimiento y la expansión de la productividad de esta.

3.1 Aplicaciones de apoyo documental

Posiblemente estas sean las herramientas más extendidas y con una mayor implicación en las tareas más propias de la abogacía. En el ámbito documental podemos señalar dos tipos de softwares principales. Por un lado, aquellos que se dedican principalmente a la búsqueda de información. Y, por otro lado, aquellos que proveen al despacho de plantillas base para la creación de todo tipo de documentos con repercusión en el mundo del Derecho, desde contratos, acuerdos, demandas, querellas, solicitudes a respuestas.

3.1.1 Aplicaciones de búsqueda

Así, HARTUNG indica que la tecnología ya está cambiando la forma en que se ejerce la abogacía en el mundo, ya que los softwares y su combinación con la inteligencia artificial son capaces de leer y entender documentos, así como hacer síntesis de ello; que, a la postre, es, en definitiva, a lo que los abogados dedican la mayor parte de su tiempo[12]. De esta manera, se plantean softwares dotados con inteligencia artificial capaces de identificar los datos claves que precisa el abogado para el caso. Desde los datos económicos de los contratos, como precios, fecha de vencimiento, tarifas de cancelación o de notificación, a los datos legales como pueden ser cláusulas abusivas, oscuras o precisas de un estudio por el abogado humano. A pesar de hacer lo mismo que el abogado humano, el software es capaz de hacerlo en un tiempo récord y realizarle un cribado eficiente y eficaz.

---

[12] HARTUNG, M., "The Digital Transformation", *Legal Tech. A practitioner's Guide*, Eds. HARTUNG, M., BUES, M.M. y HALBLEIB, G., Nomos Verlagsges. MBH + Co, Baden-Baden, 2018, pp. 11-13.

Este cribado, en otra ocasión hubiera sido realizado por el abogado junior o el pasante, que suele pasar horas revisando montañas de expedientes para realizar este filtrado. Un ejemplo de esta herramienta de búsqueda y selección de información relevante para nuestro caso es Kira[13]. Este software es capaz de clasificar contratos o cualquier otro tipo de información, a través de palabras clave o etiquetas, en función del orden de las palabras. Así mismo, también puede mostrar desaprobación en algunos contratos que el profesional haya señalado como importante e indicará el por qué, debido a sus campos inteligentes[14]. Esta herramienta está implementada con la tecnología *machine learning*, lo que hará que con su utilización mejore y afine los resultados de los temas, cláusulas o palabras con los que habitualmente trabaje ese despacho. No obstante, las herramientas de gestión de despachos como veremos avanzan continuamente dando no solo respuesta a las búsquedas, sino también autoclasificando la documentación e información del despacho.

3.1.2 Aplicaciones de asesoramiento

Por otro lado, encontramos herramientas digitales que nos proveen de plantillas inteligentes y que permiten emitir sugerencias a los escritos realizados por los abogados durante su redacción. Así encontramos a SOFIA, la herramienta creada por Tirant Lo Blanch. Esta actúa en los documentos mientras se está trabajando, seleccionando una pequeña porción de texto y analizándola a tiempo real. De esta manera predice el ámbito y los conceptos legales en los que se está trabajando. Y de este modo ofrece toda la legislación, formularios, jurisprudencia e incluso doctrina relacionada con lo que aparece en el documento en el que está trabajando el abogado.

---

[13]   Fuente: https://kirasystems.com/how-kira-works/#, visitada el día 24 de junio de 2022.

[14]   Ver más en: HECKER, K., "Commercial Law Firms Under the Influence of Artificial Intelligence – Status Report and Outlook Using the Analysis Software Kira as an Example", *Legal Tech. A practitioner´s Guide*, Eds. HARTUNG, M., BUES, M.M. y HALBLEIB, G., Nomos Verlagsges.MBH + Co, Baden-Baden, 2018, pp. 52-56.

Esta aplicación se instala en el margen de la pantalla, de modo que no interrumpe al experto, sino simplemente le asiste para evitar que este tenga que interactuar con la herramienta obligatoriamente o ralentice la redacción de una idea. Esta aplicación se sitúa como un asistente jurídico inteligente que actúa a través de lingüística computacional, capaz de realizar análisis predictivos y recomendar documentos al experto. Ello con la finalidad de mejorar y amplificar nuestro conocimiento y capacidad de localizar información, sin ni siquiera ordenar una búsqueda concreta[15]. Esta aplicación está entrenada para comprendernos y cambia sus resultados, afinándolos, en función del avance de nuestro escrito y de los términos utilizados en cada momento. No obstante, no solo se aplica a documentos que crea el experto *ex novo*, sino que también analiza documentos base o formularios que hayamos previamente descargado de la propia aplicación que Tirant Lo Blanch tiene para asesores legales. Así mismo, incorpora facilidades como el dictado por voz o el análisis inteligente de diferentes formatos de documentos, pdf, imágenes, etc.

No podemos olvidar la importancia de que esta herramienta esté enlazada o facilite el acceso al portal LexNET. De manera que una vez que haya finalizado el escrito, enriquecido con todas las aportaciones indicadas por el software dotado de inteligencia artificial, pueda darle la tramitación procesal necesaria. No obstante, como veremos en apartados posteriores, a través de la inteligencia artificial profunda, ya se podría habilitar a que el propio sistema la inteligencia artificial del despacho pudiese dar trámite automático a escritos sencillos sin precisar tan siquiera ni la aprobación o la ordenación por parte del abogado.

Toda la información con la que está alimentada SOFÍA proviene de la extensa y detallada base de datos digital que ostenta Tirant Lo Blanch, una de las más importantes y actualizadas de nuestro panorama nacional. Sin duda, unir la inteligencia artificial a unas bases de datos trabajadas y cuidadosamente alimentadas es un gran acierto. Y si además esto se hace bajo el paraguas de una editorial de prestigio, el éxito está casi asegurado para los profesionales que trabajen con ellas.

---

[15] Fuente Tirant Lo Blanch: https://www.tirantonline.com/estaticas/Guia_usuario_SOFIA.pdf, visitado el 24 de junio de 2022.

3.2 Aplicaciones para la gestión del despacho

La inteligencia artificial primaria que se utiliza ya en nuestros juzgados y tribunales para gestionar las tareas más mecánicas de los funcionarios de la Administración de Justicia también es utilizada con asiduidad por los despachos de abogados. Si bien estos despachos suelen caracterizarse por su gran tamaño y por su confianza en estas nuevas tecnologías de la gestión y la comunicación.

Las aplicaciones informáticas, dotadas con inteligencia artificial primaria, pueden ser muy variadas, por lo que nos centraremos en explicar las tareas que estas pueden resolver. Para ello, pondremos como ejemplo el programa de gestión de despachos desarrollado por Tirant Lo Blanch, que actualmente se sitúa a la vanguardia en este ámbito en España.

3.2.1 Archivo de documentos y expedientes

Hasta ahora los expedientes y los documentos pertenecientes a cada uno de ellos formaban parte de carpetas en papel, almacenados en archivadores enormes de los llamados de A-Z y datados en un año concreto. En el mejor de los casos, estos expedientes han sido digitalizados y archivados en los llamados soportes duraderos como los cd, *pendrives* o discos duros. Sin embargo, algunas situaciones catastróficas por fenómenos naturales o delincuenciales como inundaciones, incendios o robos han dado al traste con toda la información que contenían estos soportes.

En los últimos tiempos hemos avanzado un grado más en el archivo de expedientes en las llamadas nubes. Esto nos permite guardar todos nuestros expedientes de manera ordenada y sistematizada no en un soporte físico, sino en un soporte virtual, en internet. De esta manera, liberamos el espacio físico necesario en nuestros ordenadores para tener una copia de seguridad en estas nubes, para los casos en los que exista alguna de las eventualidades que comentábamos supra. Así mismo, la inteligencia artificial, en este ámbito realiza copias de seguridad automáticamente, siempre que hayan sido programadas previamente por el usuario. De este modo, al finalizar la jornada laboral, sin necesidad de que el abogado realice ninguna acción específica, los sistemas de archivo dotados con inteligencia artificial harán una copia de seguridad de lo realizado durante ese día. Así en caso de que el ordenador tenga un problema técnico, podremos acceder al contenido elaborado desde cualquier otro dispositivo en el que acreditemos ser el mismo usuario. El gestor de despachos de Tirant lo Blanch realiza estas copias a través de la aplicación Tirant Box, una nube propia y personalizada para cada uno de los trabajadores del despacho de abogados, pudiendo además compartir archivos automáticamente dentro de esta box y que estos puedan ser editados por varias personas a la vez y servir para la realización de documentos colectivos dentro del equipo.

Además, existe la posibilidad de que la propia inteligencia artificial asigne cada correo electrónico, recibido por un remitente concreto, a una carpeta de expediente específica, en el que se identifique que el usuario del correo remitente está asignado a un expediente abierto concreto. Así, se pueden enlazar los correos tanto de los abogados y procuradores de las partes, como con los clientes, con las contrapartes, así como con los peritos o testigos asignados al caso. De esta manera, se puede organizar inmediatamente el correo. Hace años, esta labor de organización del correo, cuando este se hacía en papel, era realizada por los administrativos o secretarios del propio despacho de forma manual y física.

La aplicación de gestión de despachos de Tirant Lo Blanch, consta con un apartado específico para la gestión informática de los expedientes. Esta herramienta se puede controlar a través de la propia voz del usuario y permite hacer búsquedas avanzadas de expedientes previamente cargados. Los criterios de búsqueda específicos van desde las fechas, el tipo de expediente, el responsable, el procurador, las partes, hasta el propio email. Una herramienta fácil e intuitiva que permite no solo crear expedientes, sino también exportarlos en diferentes tipos de formatos. Así mismo, se creará una carpeta de expedientes históricos una vez se vayan cerrando los expedientes iniciados.

Sin duda, las mejores prestaciones se aprovechan tras la creación de un expediente. Entre los datos que se añadirán al expediente, además de los personales básicos del cliente, se incluirán las provisiones de fondos aportados por el cliente, los trámites previstos y los realizados, las tareas previstas y avisos para estas, incluso la facturación, a la que dedicaremos un apartado propio. Dentro del mismo expediente, se prevé un apartado para los archivos en cualquier tipo de formato. Así se podrán crear archivos de texto dentro de la misma aplicación, con funciones específicas de dictado en voz del texto y lectura de este por el software. No obstante, lo más innovador es la posibilidad que Tirant lo Blanch ofrece de anclar o añadir al gestor de despachos la herramienta SOFIA que comentábamos en el apartado anterior, como herramienta predictiva, analizadora inteligente del texto y asistente a la redacción de documentos.

Finalmente, esta herramienta también permite compartir los expedientes y los archivos, asignar los usuarios de email a un expediente concreto como indicábamos supra e incluso recibir directamente al mismo expediente virtual los mensajes recibidos a través de LexNET correspondientes al mismo[16]. Este expediente digital para los despachos de abogados es la versión avanzada del expediente judicial electrónico iniciado en el ámbito de la justicia, pero con la implicación de la inteligencia artificial. Una inteligencia artificial algorítmica básica y sencilla, tanto que prácticamente se puede hablar de un automatismo avanzado.

3.2.2 Agenda y calendarios

Desde los orígenes de la abogacía estamos acostumbrados a ver como los despachos cuentan con personal que se dedican casi en exclusiva a organizar la agenda de cada abogado y a avisarles de cada una de sus citaciones, reuniones o diligencias que tengan en cada momento. Sin embargo, las nuevas tecnologías han venido a auxiliar a este tipo de trabajadores, incluso en el caso de los despachos de abogados pequeños a sustituirlos. De momento, contamos con aplicaciones informáticas generales, sincronizadas con nuestros calendarios en nuestros smartphones, que nos avisan de cada tarea pendiente, de las reuniones o de las citaciones que previamente haya incluido cada usuario en ellas.

Sin embargo, hoy la inteligencia artificial también se abre paso en esta tarea. De modo que, no solo se puede organizar la agenda de ca-

---

[16]   Disponible en: https://gestiondespachos.tirant.com/es/wp-content/uploads/sites/3/2022/04/GD_Guia-Expedientes.pdf, visitado el día 14 de julio de 2022.

da abogado de manera digitalizada, sino que, a través del uso de una misma aplicación, podemos sincronizar las agendas de los diferentes expertos que trabajen en una misma firma. Así será mucho más fácil organizar reuniones donde tengan que coincidir dos o más profesionales. Ya que la aplicación nos indicará la fecha más próxima en la que haya huecos libres en las agendas de los diferentes profesionales que tengan que concurrir. De esta manera, también será fácil para la empresa conocer el lugar y la tarea en la que se encuentra cada trabajador inmerso en cada momento.

La herramienta de gestión de despachos de Tirant también ha previsto un apartado de calendarios y tareas. Esto permite la coordinación entre las tareas y el calendario e incluso compartirlo con el resto de los abogados y personal del despacho, para tener esa coordinación tan necesaria en grandes equipos. La posibilidad de visualizar la actividad de cada trabajador a través de un solo golpe de vista agiliza las gestiones y la calendarización de otras actividades.

3.2.3 Facturación

Otra de las tareas más básicas que realizan los despachos de abogados y que ha precisado históricamente de una persona, en ocasiones ajena al despacho para gestionar las minutas, es la facturación de los trabajos realizados. Estas facturaciones han sido en ocasiones complejas, ya que el abogado debía aportar los conceptos por los que se realizaba cada cobro. Y la persona encargada de esa facturación debía tener conocimientos mínimos de los servicios prestados para realizar dicha facturación y poder explicársela al cliente. Poco a poco esta labor se ha ido digitalizando, tanto que a día de hoy es posible que el mismo día en el que nos visita por primera vez un cliente, exponiendo su caso, pueda llevarse a casa un presupuesto aproximado o factura proforma de lo que supondría económicamente su caso. De esta manera, se pormenorizan las condiciones y los detalles del servicio previsto que la inteligencia artificial puede realizar basada en experiencias previas dentro de ese despacho de abogados.

La herramienta de gestión de despachos de Tirant también cuenta con un apartado específico dedicado para la facturación. En la que el propio abogado será el encargado de realizar esa factura proforma, indicando los servicios prestados y basándose en diversas plantillas que el propio programa le proporciona. Esta aplicación calcula automáticamente el IVA previsto, incluso porcentajes de descuento que les sean aplicables a un determinado cliente. Todo ello, en base a una cantidad fija de honorarios o a las horas que el profesional haya dedicado al caso. Posteriormente podrá exportar dicha factura a la sección de contabilidad para que se encargue de su cobro e incluso podrá emitir recibos de facturas ya pagadas desde el mismo sistema[17]. Posiblemente, el próximo paso que hagan este tipo de herramientas dotadas de inteligencia artificial sea realizar automáticamente las facturas en función del tiempo que pase el abogado en el expediente del sistema y que la aplicación registre sobre la actividad realizada durante la tramitación del caso.

3.2.4 Estadísticas sobre la evolución del despacho

Vivimos en la era de la previsión, de la estadística y de la medición del rendimiento, donde prácticamente todo debe ser medido. Todos requerimos los datos de aproximaciones sobre el rendimiento de nuestro coche, de nuestra hipoteca, de las lluvias en nuestra zona, incluso estadísticas sobre nuestra salud y todo a ser posible en tiempo real. En este escenario, los directores de los despachos de abogados también quieren medir la productividad de sus trabajadores y la actividad a tiempo real, igual que lo hacemos con otras mediciones sobre cuestiones más y menos importantes[18].

Dentro de la herramienta de gestión de despachos diseñada por Tirant lo Blanch también se recoge la posibilidad de hacer un seguimiento. Tanto del rendimiento personal de cada usuario, como del rendimiento colectivo, tanto en forma numérica, como a través de atractivos gráficos. Siempre en base a los datos añadidos previamente al programa. Así se podrá conocer el estado de los expedientes por año o meses, por responsable de los mismos o por órgano judicial

---

[17]   Disponible en: https://gestiondespachos.tirant.com/es/wp-content/uploads/sites/3/2022/04/GD_Guia-Facturacion.pdf, visitado el día 14 de julio de 2022.

[18]   GOSTOJIC, S., "From Legal Documents to Legal Data", *The LegalTech book, the legal technology handbook for investors, entrepeurners and Fintech visionaries*, BHATTI, S.A., CHISHTI, S., DATOO, A. y INDJIC, D., Wiley, Chichester (Reino Unido), 2020, pp. 66-69.

competente sobre el caso. Igualmente se pueden visualizar las horas previstas previamente determinadas por el despacho por cada trámite, expediente responsable en curso, de manera mensual o anual.

No solo se mide a tiempo real el rendimiento laboral de los trabajadores, sino también el ámbito económico del despacho. De esta manera, se puede visualizar el importe de cargos no facturados por mes o por cliente, o por mes y por cliente, al igual que podemos conocer los facturados. En la misma línea se puede conocer la facturación por cliente, por mes, por año o por cliente y año. Así mismo, se puede visualizar también el último paso de la gestión económica del despacho como es conocer el dato real de los recibos por cliente, por mes o por cliente y mes o año.

Muy importante también para las previsiones de futuro y las líneas de desarrollo del despacho es tener conocimiento y estadísticas sobre la nacionalidad de los clientes, su población, el tipo de cliente, si es persona física o jurídica, la forma de pago de nuestros clientes o las previsiones de saldo por cliente. El conocimiento de estas particularidades nos permitirá trazar una estrategia de previsión de incorporaciones de nuevo personal, de abrir nuevas sedes de nuestro despacho donde tengamos más clientes o cerrar en aquellas donde no los tengamos, plantear una publicidad destinada específicamente a nuestro tipo de cliente e incluso determinar cuáles son nuestros mejores clientes con vistas a darles un trato preferencial o *premium*, con la importancia que ello tiene como veremos en el apartado siguiente.

Y finalmente, el programa también ofrece gráficos para el conocimiento de las tareas repetidas en un año, para un cliente concreto o llevada a cabo por un grupo de abogados específico. Esta información, nos permitirá mejorar nuestros equipos, así como reestructurarlos. También nos permitirá conocer más información sobre nuestros procedimientos, sobre tareas en las que nuestros clientes confían especialmente en nosotros o para detectar un aumento sobre una problemática concreta entre nuestros clientes[19]. Sin duda, esta herramienta viene a revolucionar las previsiones de los despachos de abogados como nunca lo habían hecho, contando hasta el más mínimo incremen-

---

[19] Disponible en: https://gestiondespachos.tirant.com/es/ en sus videos tutoriales, visitado 15 de julio de 2022.

to o descenso en la actividad o en la facturación, así podrán actuar en consecuencia y mejorar los resultados al máximo posible. Esto, en la era de la eficiencia y de la predicción es un elemento clave para el futuro.

3.2.5 Otros servicios accesorios

Además de los servicios descritos, que hasta este momento podemos considerar básicos para el natural desenvolvimiento de la abogacía y sus tareas, podemos referenciar otros servicios. Hasta hace poco estas aplicaciones no se consideraban esenciales, pero hoy en día se están convirtiendo en imprescindibles para el desarrollo de estos nuevos despachos de abogados 2.0.

3.2.5.1 Calculadoras

Podemos imaginar el esfuerzo realizado por los abogados, hasta no hace tanto tiempo, para realizar los cálculos de los honorarios a mano, con lápiz y papel. Más tarde, estos cálculos comenzaron a realizarse mediante unas máquinas especiales de contabilidad, hasta pasar al ordenador y los subsiguientes programas contables. Hasta ahora, nos habíamos manejado con los programas similares a Excel de Microsoft, previamente configurados por algún experto del despacho en fórmulas difíciles de descifrar para el resto o simplemente multiplicando las horas que se le había dedicado al pleito por el precio prefijado con el cliente. Sin embargo, actualmente ya se comercializan una serie de programas, dotados con inteligencia artificial que permiten tener en cuenta diferentes variables, circunstancias o aspectos dentro del cálculo. Así, podemos encontrar softwares que calculan automáticamente el importe del salario embargable, en caso de tener que ejecutar un crédito contra un moroso o calcular el importe de la pensión en función de la edad, los periodos cotizados y sus bases de cotización y la fecha prevista para la jubilación. También pueden calcular la prestación por desempleo y la duración de la misma o calculan la indemnización laboral por finalización o extinción de contrato. Así mismo, hay herramientas destinadas a otras tareas que no requieren una computación, pero que a través de preguntas sencillas pueden indicarnos la opción más idónea a nuestro caso. Ejemplo de ello puede ser el software que indica la modalidad de contrato más adecuada, o un software que nos indica si nuestra enfermedad puede ser considerada como enfermedad profesional y otros softwares que programan las nóminas del personal de una empresa, entre otros[20]. En esta línea podemos citar el software recientemente puesto en marcha por el gobierno para que los empresarios pequeños y medianos puedan autodiagnosticar la salud de su empresa y el riesgo a una situación de insolvencia o de concurso de acreedores[21].

No obstante, una de las innovaciones más útiles que encontramos en este campo es la calculadora de tasaciones de costas, muy útil para el cálculo de los honorarios de los abogados y los aranceles de procuradores. La herramienta Lextools permite seleccionar los honorarios en virtud de la provincia y de la fecha del proceso, así como el periodo de IPC que queramos aplicar. Posteriormente, se afinará la búsqueda con el tipo de jurisdicción y de acción que queremos tasar. Y finalmente deberemos aplicar a los criterios de tasación según el tipo de proceso que es, y si existe en su caso cuantía o interés para el cálculo, para obtener de esta manera el cálculo automatizado de las costas, que por supuesto se pueden variar y modificar manualmente[22]. En último lugar, solo quedará descargar el certificado del cálculo y el desglose del mismo para entregárselo al cliente interesado. De este modo le podremos ofrecer al cliente un presupuesto sobre honorarios y costas ajustado a los servicios que requerirá el proceso que nos solicita. Si bien, no se incluyen servicios de peritaje que se puedan añadir con posterioridad.

3.2.5.2 Teletrabajo enlace con LexNET

Sin duda, una de las profesiones que ya contaba con la posibilidad de teletrabajar antes de la pandemia era la abogacía. Incluso esto se hacía sin tener mucha conciencia de estar trabajando, ya que la ma-

---

20 Disponible en: https://www.tirantasesores.com/tase/informacion/calculadoras-yherramientas, visitado el día 19 de julio de 2022.
21 Disponible en: https://saludempresarial.ipyme.org/Home, visitada el día 21 de noviembre de 2022.
22 Disponible en: https://www.tasacion-costas.es/, visitado el día 19 de julio de 2022.

yoría de los letrados que, el lunes o el primer día hábil tras un periodo festivo o vacacional, tenían algún acto procesal o reunión prevista ya solían trabajar en casa para preparar dichas intervenciones. Con la pandemia, y sobre todo tras ella, hemos pasado a ser conscientes de las posibilidades de deslocalización que nos ofrecen determinados puestos de trabajo. En el capítulo anterior veíamos las posibilidades de teletrabajo que se plantean para los funcionarios de la Administración de Justicia. En ese caso dependen de decisiones políticas que otorguen a estos funcionarios esta posibilidad, al menos en un porcentaje del total de su trabajo semanal. Sin embargo, en el campo de la abogacía, vemos que la opción del teletrabajo es cada vez más una realidad habitual entre el gremio. Los socios directores de los grandes despachos son conscientes de las ventajas que tiene tener teletrabajando a parte de sus equipos, durante alguna jornada o parte de las jornadas.

1. Por un lado, para la firma supone limitar los costes de los propios despachos, más aún en un tiempo donde el coste de la energía está disparado y donde además el consumo debe ser reducido al máximo.

2. Por otro lado, a los trabajadores les permite mejorar la conciliación entre la vida laboral y familiar, ya que se adaptan las tareas laborales, a las necesidades familiares y sociales.

3. Y finalmente, no debemos olvidar la importancia que tiene esta limitación en el movimiento del personal en la disminución de la huella de carbono de la firma, cuestión cada vez más importante para los clientes.

Esta nueva cultura del teletrabajo ha demostrado que puede dar lugar a los mismos resultados e incluso superiores en términos de productividad y satisfacción de los propios trabajadores. Todo ello, unido al fenómeno LexNET, a través del cual todas las comunicaciones del juzgado con los abogados y viceversa se deben realizar telemáticamente, hacen posible el desarrollo casi total de la labor de la abogacía desde cualquier lugar, que no sea el propio despacho. Así encontramos dentro de la herramienta de gestión de despachos de Tirant Lo Blanch, la opción, no solo de trabajar en nuestras demandas o documentos desde la propia aplicación con la interacción de la inteligencia artificial de SOFIA, sino también, una vez finalizado el documento, la posibilidad de que este sea directamente remitido desde el mismo gestor a través de LexNET al propio juzgado o tribunal. De esta manera, se cierra todo el *iter* procesal de cualquier escrito al juzgado dentro de la plataforma[23]. La conexión remota del abogado a este gestor permite al socio director del despacho conocer a tiempo real la productividad de cada uno de sus trabajadores que estén operando desde otro lugar físico que no sea la propia oficina. Es evidente que aún es necesario realizar tareas de manera física, *in situ*, con inmediación de los clientes como pueden ser algunas reuniones, las vistas, determinados actos procesales en el juzgado, etc. No obstante, todas estas tareas ahora también pueden realizarse de manera virtual si fuese necesario.

La llegada del mundo virtual y de la inteligencia artificial no ha venido ni a sustituirnos a nosotros, ni a la interacción física entre personas, si bien, indudablemente, nos proporciona una posibilidad extra, con la que antes no contábamos y que pretende facilitarnos, en la medida de lo posible, nuestro día a día.

3.2.5.3 Espacios privados para reuniones con clientes

Sin duda, determinadas reuniones deben ser físicas, cara a cara para detectar por ejemplo las necesidades del cliente, su estado de ánimo y que no haya lugar a malinterpretaciones. No obstante, hay clientes que, bien por su actividad laboral, familiar o bien porque sea una reunión de puro trámite, prefieren realizarlas de manera online. Por ello, los despachos de abogados han tenido que rehacer su manera de encarar las reuniones con clientes.

Las comunicaciones entre abogado y cliente están protegidas por el secreto profesional, amparadas también por el derecho a la intimidad y el derecho a la defensa. Por ello, cuando se mantienen reuniones físicas con clientes se toman especiales precauciones, por ejemplo, estas suelen realizarse en salas cerradas, con los abogados y expertos

---

[23] Ver en: Características generales Tirant Gestión de despachos, p. 9. Disponible en: https://gestiondespachos.tirant.com/es/wp-content/uploads/sites/3/2022/03/Caracteristicas_generales_ESP.pdf, visitado el día 17 de julio de 2022.

que imprescindiblemente deben tener constancia de todos los detalles del caso para trabajar en él. Sin embargo, cuando tenemos reuniones con clientes a través de la esfera virtual, no estamos acostumbrados a tomar determinadas precauciones. Tanto es así que en la mayoría de las ocasiones se utilizan plataformas de comunicación por videoconferencia comerciales, convencionales y gratuitas, que todos hemos utilizado para realizar reuniones o cursos de formación durante los meses más duros de la pandemia. Si bien, debido a la importancia y la delicadeza de los datos e informaciones que se intercambian entre los abogados y los clientes, es aconsejable que los despachos de abogados cuenten con plataformas privadas de intercambio seguro de comunicaciones o con comunicaciones encriptadas.

Así las cosas, la herramienta de Tirant Lo Blanch de gestión de despachos, en su versión *premium,* cuenta con este servicio, donde tras agendar la reunión con el cliente, te permite realizar la videollamada al mismo, a través de la propia aplicación. Así, las reuniones con clientes quedan totalmente integradas dentro del propio programa, evitando así tener que utilizar diferentes plataformas o extrapolar datos de clientes a otras aplicaciones que puedan contar con fallos o deficiencias de seguridad y que comprometan las informaciones o impresiones comentadas en la reunión.

3.3 Servicios Premium y generales

Actualmente, vivimos en la era de la exclusividad, de los productos premium para clientes especiales… es decir, todo aquello que les dé una nota diferenciadora a nuestros clientes va a ir en pro de nuestra firma. Así se pretende subir a otro nivel con la creación de zonas de acceso exclusivo para clientes importantes en los sitios webs de los despachos. De esta manera, se permitirá a determinados clientes consultar el estado de su asunto y trabajar de manera colaborativa con los abogados encargados del mismo. Además, estos pueden introducir comentarios, apreciaciones o documentos del caso e incluso subir a esa nube evidencias que el cliente considere importantes para el caso como documentos, fotografías o audios. Todo ello, sin necesidad de realizar ninguna acción síncrona como llamadas eternas o reuniones, dado que cada parte -abogado y cliente- hará sus consultas y comentarios en el momento en el que estimen oportuno.

En el acceso a estos servicios premium también se ofrece, por parte de estas grandes firmas de abogacía, una serie de preguntas frecuentes dentro del área al que esté asociado ese cliente Derecho de empresa, Derecho de familia, Derecho de consumo, Derecho de sucesiones, etc., que den lugar a preguntas recurrentes relativas a su sector y cuyas respuestas sean muy claras por el Derecho. Este sistema hará ahorrar tiempos y recursos no solo al despacho de abogados sino también al propio cliente que verá solventadas sus dudas a golpe de clic y con la confianza de que la fuente de donde extrae su información es su despacho de abogados de cabecera.

Del mismo modo, que se califican a ciertos clientes como aquellos que merecen un valor añadido, a los que se les proveerá de unos servicios exclusivos como los citados supra. Las firmas de abogados no pueden dejar de asistir a otros potenciales clientes, que confiarán en sus servicios en la medida en que esa marca les aporte la suficiente confianza para encomendarle su asunto personal. De esta manera, se crean también zonas de "autoservicio" dentro de las webs de despachos de abogados, donde podrán ofrecer algunas pautas generales sobre casuísticas típicas en la sociedad de ese momento, como ha ocurrido con las cláusulas suelo, asuntos de consumo, herencias o divorcios. Además de estos contenidos emitidos a través de las llamadas newsletter, blogs, podcast o vídeos píldora, los sitios webs de los grandes despachos de nuestro país están ofreciendo también servicios de *chatbots*, donde se ofrece ayuda a potenciales clientes. La información emitida por estos *chatbots* no es mucho más específica que la que se suele encontrar en los recursos de internet antes mostrados, pero sí le ayuda a estos potenciales clientes a vislumbrar un lugar donde pueden dar respuesta a la problemática que tienen en ese momento.

Sin embargo, todo tiene una cara B, y en este caso, aparece en forma de las llamadas *cookies*, que mencionamos en el capítulo anterior. Estas *cookies* según Google no son más que pequeños fragmentos de texto que los sitios web que visitas envían al navegador. Y a su vez, estos permiten que los sitios web recuerden la información que has dejado sobre tu visita que le han resultado interesantes. Lo que puede hacer que sea más fácil volver a visitar los mismos sitios webs y hacer que futuras visitas te resulten más útiles. En principio, toda una ventaja y un adelanto, ya que según el gigante nos hacen la vida más fácil. Sin embargo, estas *cookies*, que quedan albergadas en el navegador del potencial cliente, que ya se ha acercado virtualmente al despacho a solicitar algún tipo de averiguación, va a ser una información muy valiosa. Así las cosas, el despacho ya va a conocer la problemática del cliente, la necesidad de ese asesoramiento y el hecho de que ya conoce la firma. De modo, que solo habrá que insistirle, publicitariamente hablando y de manera virtual, haciéndole referencia a nuestra posibilidad de solventarle su causa. Otra ventaja, es que esto se produce íntegramente de manera automática y virtual, sin que el humano tenga en ningún momento que intervenir para atraer con su publicidad específica a ese potencial cliente del que conocemos sus más íntimos problemas o dudas legales. De ahí la importancia de pararnos unos segundos, antes de acceder al contenido de una web para rechazar estas *cookies* que no sean estrictamente necesarias y así proteger nuestra intimidad de intereses comerciales.

4. JURIMETRÍA

Como hemos comentado supra, vivimos en una sociedad donde la predicción forma parte de nuestro día a día. Tanto es así que necesitamos saber cuál será la temperatura mañana a una hora concreta y a qué hora exacta comenzará a llover, para planificar nuestro día, vestimenta o actividades a realizar. Sentimos la necesidad de conocer estas previsiones tanto como lo hacían nuestros antepasados, que precisaban consultar a los oráculos, a los sabios de la tribu o a los líderes espirituales para tomar sus decisiones, desde las más importantes, a las más nimias. Este sentir -ya descrito respecto de los directores de los despachos- también es aplicable al cliente, ya que al llegar al despacho solicita conocer los porcentajes de éxito de su causa, la duración aproximada de la misma, el coste del proceso, etc.[24]. Tanto es así, que posiblemente sin conocer esta información, difícilmente se adentrará en iniciar una causa que le suponga esfuerzo personal y económico, si

---

[24] RAMÍREZ TORRES, R, "El porqué de la transformación digital del sector legal", *Diario La Ley*, N° 63, Sección Ciberderecho, 8 de Julio de 2022, Wolters Kluwer.

no tiene unos visos y garantías de éxito que considere suficientes para promover la acción[25].

4.1 Historia de la jurimetría

Desde finales de los años cuarenta y principios de los cincuenta ya comienzan a plantearse la integración de la Cibernética y el Derecho, posiblemente el primero que advirtió de esta posibilidad fue NORBERT WEINER, considerado padre de la Escuela americana de jurimetría, que reflexionó sobre los problemas jurídicos relativos a la comunicación entre personas y al control o regulación de estos que se pueden plantear desde el ámbito cibernético. También trabajó sobre la posibilidad de que las máquinas pudiesen llegar algún día a reproducir el cerebro humano. Todo ello, desde el profundo convencimiento de que estos avances serían irreversibles para la sociedad y, por lo tanto, estos vendrían provistos de diferentes riesgos, así como diversas implicaciones éticas y morales[26]. Una vez que WEINER, vio frenadas sus aspiraciones por el estallido de la Segunda Guerra Mundial, LEE LOEVEINGER continuó con su legado de pensamiento y avanzó por primera vez el concepto de jurimetría en 1949[27], años más tarde siguió avanzando en esta línea de investigación con conceptos probabilísticos, de palabras clave informatizadas e incluso explorando los datos electrónicos. Una jurimetría que venía a fusionar el Derecho con la informática para analizar la jurisprudencia y así mejorar las estrategias procesales prestadas a los clientes. Estos trabajos desarrollados por LOEVEINGER podrían perfectamente estar redactados en la actualidad en cuanto a sus reflexiones de pensamiento y éticas, sobre todo cuando señala que la jurimetría no es la panacea, no busca revelaciones repentinas ni

---

[25] Ver los orígenes de la jurimetría en: BARONA VILAR, S., *Algoritmización del Derecho y de la Justicia, de la Inteligencia Artificial a las Smart Justice, op. cit*, pp. 365-374.

[26] *Idem.*

[27] Posiblemente el primer artículo en el que conste este concepto es: LOEVINGER, L., "Jurimetrics The Next Step Forward", *Minnesota Law Review*, 33 Minn. L. Rev. 455 (1949). Este artículo ha sido reeditado en *Jurimetrics Journal*, 12 Jurimetrics J. 3 (1971) y en *American Bar Association*, Vol. 44, Nº. 4 (SUMMER 2004), pp. 405-408. Disponible en: https://www.jstor.org/stable/29762866, visitado el día 23 de noviembre de 2022.

leyes universales, sino la lenta acumulación de información probada. En definitiva, en palabras del propio LOEVEINGER, buscó aplicar a los problemas jurídicos el mismo enfoque humilde y honesto que ha caracterizado el desarrollo de la ciencia en otros campos[28].

Poco a poco se fueron desarrollando conceptos en torno a esta jurimetría por la doctrina de diferentes puntos del planeta. Así HOFF-MANN denominó como *Lawtomation* a la mecanización de la estructura jurídica como primer paso hacia la progresiva unidad del sistema jurídico para su automatización total[29]. Mientras que en Alemania se denominaba *Datenverarbeitung im RechI*, para referirse al procesamiento de datos jurídicos a través de ordenadores[30]. LOSANO propuso el término *Giuscibernetica* al considerar que el término jurimetría era erróneo puesto que el Derecho no podría llegar a ser medible[31]. Mientras que, en España PÉREZ LUÑO se decantó por un término que a su parecer supera a los anteriores, la *Juscibernética* que permitía abarcar el contenido de todas las denominaciones anteriores, sin limitarse al cálculo estadístico de los precedentes jurisprudenciales establecidos por la jurimetría anglosajona[32].

Sin embargo, en este ámbito estamos en parte viviendo un *déjà vu*, similar al que vivimos actualmente con la vuelta del hombre a la Luna, donde tras más de medio siglo, volvemos a asombrarnos de aquello que ya en los años sesenta fue posible. Si miramos a los orígenes de la jurimetría ya planteaban los escenarios que hoy vemos más certeros o reales debido al avance tecnológico vivido, pero que sin embargo seguimos sin contestar a las cuestiones básicas planteadas sobre este gran tema.

---

[28] : LOEVINGER, L., "Jurimetrics: the methodology of legal inquirí", Law *and Contemporary Problems*, Vol. 28, No. 1, Jurimetrics (Winter, 1963), pp. 5-35

[29] HOFFMAN, P. S., "Lawtomation in Legal Research: Some Indexing Problems", *MULL (Modern Uses of Logic in Law)*, 1963, marzo, pp. 16-26.

[30] DREISING, W., "Elektronische Datenverarbeitung in der oflentlichen Verwaltung in den USA und hier", *Deutsches Verwaltungsblatt*, 1963.

[31] LOSANO, M. G., "Giuscibernetica", *Nuovi sviluppi della sociologia del diritto* 1966-1967. A cura di Renato Treves, Edizioni di Comunità, Milano 1968, pp. 307-325.

[32] PÉREZ LUÑO, A.E., "Juscibernética y metodología jurídica", *La Revista jurídica de Cataluña*, octubre-didembre 1970.

4.2 Cuestiones iniciales sobre la jurimetría

Hoy, el concepto de jurimetría ha avanzado hacia el ámbito del marketing empresarial con la finalidad de comercializar las diferentes aplicaciones informáticas[33] que están haciendo real el concepto teórico de jurimetría que se planteó en los años sesenta. Atrás quedaron las reflexiones teóricas y filosóficas que exponíamos en el anterior apartado.

Si bien, debemos tomar como base las palabras de BARONA cuando indica que la jurimetría hay que valorarla como lo que es, un sistema computacional asistencial que en ningún momento pretende ser un modelo sustitutivo de la mente humana, sino que sencillamente se dedica a asistir en mayor o menor medida a los abogados, aportándoles determinadas informaciones probabilísticas que podrían serles de interés en el ejercicio de sus funciones[34].

No obstante, no podemos perder de vista el horizonte y como hemos visto la implicación de la inteligencia artificial en este ámbito debe ser regulada y limitada. Tanto es así que el gobierno francés ha aprobado una nueva Ley sobre Programación y Reforma de la Justicia (2019-2022) con el principal objetivo de que toda la jurisprudencia sea fácilmente accesible, para fomentar la mejora en la transparencia y en el acceso del público a la justicia, sin embargo, el escollo ha surgido en la redacción del polémico Artículo 33 que tiene por objeto impedir que cualquier persona -pero especialmente las empresas de tecnología jurídica centradas en la predicción y el análisis de litigios- revelen públicamente el patrón de comportamiento de los jueces en relación con las decisiones judiciales. Así, se puede leer literalmente que: "Los datos de identidad de los magistrados y miembros de la judicatura no pueden ser reutilizados con el fin o efecto de evaluar, analizar, comparar o predecir sus prácticas profesionales reales o supuestas"[35].

---

[33]   MATEO BORGE, I., "La robótica y la inteligencia artificial en la prestación de servicios jurídicos", *Inteligencia Artificial: Tecnología Derecho*, Dir. NAVAS NAVARRO, S., Tirant Lo Blanch, Valencia, 2017, p. 214-215.

[34]   BARONA VILAR, S., *Algoritmización del Derecho y de la Justicia, de la Inteligencia Artificial a las Smart Justice, op. cit*, pp. 371.

[35]   Disponible   en   https://www.legifrance.gouv.fr/jorf/article jo/JORFAR-TI000038261761, visitado el día 14 de junio de 2022.

Esta decisión del gobierno francés, a mi juicio, blinda los derechos de los ciudadanos justiciables y sobre todo de los jueces. Y esto, responde a una corriente de pensamiento en la que se pone en valor la propiedad de los datos del justiciable. Es cierto que compartir la jurisprudencia nos ayuda a comprender y a seguir unas líneas concretas, así como a afinar nuestros escritos. Sin embargo, la mercantilización y explotación de estos datos por parte de gigantes informáticos, nos puede llevar a una histeria colectiva. Derivada de la valoración y cuantificación milimétrica de acciones humanas jurisdiccionales, dotadas no solamente de racionalidad, sino también de interacciones sensitivas que escapan a las matemáticas que se pretenden aplicar. Por ello, debemos reflexionar, si deben imponerse límites a las interpretaciones derivadas de los análisis estadísticos de cada decisión judicial e incluso de cada estado del proceso judicial.

En este punto, debemos mencionar una nueva aplicación puesta en marcha por un abogado en nuestro país, que, aunque no utiliza inteligencia artificial si puede comprometer la identidad de los magistrados y demás miembros de la judicatura, así como su imagen y prestigio. A través de la aplicación JusticiApp se recopila la opinión de profesionales del Derecho y usuarios de la Administración de Justicia sobre los jueces y magistrados con los que podrían haber coincidido. Sin embargo, esta aplicación, que a priori no pretende desvirtuar la imagen del personal jurisdiccional, cuenta con aspectos que pueden dar lugar a ello. Dicha aplicación da pleno anonimato a la persona que se descarga el programa, no precisa de ninguna comprobación de la autenticidad de los datos del presunto profesional, por lo que un mismo profesional puede emitir opiniones desde varias cuentas e incluso, se puede dar el caso de que no sea ni un profesional, sino simplemente una persona que quiera menoscabar la imagen o la labor realizada por uno o varios magistrados por motivos diversos. Por lo tanto, estamos ante una aplicación que, aunque pretenda medir las opiniones sobre la forma de trabajar de un magistrado concreto y que esta información sea útil para otros profesionales, creo que la falta de garantías absoluta sobre la veracidad de los datos que ahí se recogen son más que suficientes para invalidar completamente su utilidad. A menos que sea el personal de la propia aplicación la que requiera los datos suficientes al profesional antes de publicar la información, una vez verificado que al menos ese profesional existe y que tuvo una citación con el magistrado al que pretende evaluar. De lo contrario, convertiríamos el poder judicial en un Gran Hermano del que todo se puede opinar y cuyas opiniones no sirvan para nada más que para enturbiar la labor diaria. No olvidemos, que en nuestro país existen canales oficiales, tal y como indicábamos en el capítulo I del presente trabajo, para emitir quejas, reclamaciones, recomendaciones o felicitaciones por las actuaciones realizadas por los jueces y magistrados, sin necesidad de indicar en una aplicación móvil si el magistrado es lento en la redacción de la sentencia o si no escucha demasiado a las partes en el acto de la vista.

Con esto, lo que pretendemos es poner en valor que no todo vale en el ámbito de la jurimetría. Si queremos construir un modelo estadístico especializado en medir todos los parámetros posibles de aquello que circunda y que actúa en torno al proceso judicial, no podemos hacerlo a través de opiniones peregrinas que produzcan vulneraciones de los derechos a la protección de los datos, a la intimidad o a la propia imagen. Sería importante que los datos extraídos para formar herramientas jurimétricas fuesen proporcionados por la propia Administración pública de justicia, aunque su procesamiento posterior venga de la mano de gigantes informáticos, pero al menos garantizar esa materia prima de calidad. Todo ello con la finalidad de que estos datos sean objetivos y veraces para que realmente sean útiles y beneficiosos para la sociedad en su conjunto. No obstante, como veremos, el mercantilismo de estos datos y la voracidad arrolladora de las empresas dedicadas al *big data* por recopilar cuantos más datos y más rápido mejor, será el principal talón de Aquiles de esta tecnología. Debido principalmente a que la oferta de las empresas tecnológicas está totalmente desbordada con respecto a la insaciable demanda de este tipo de productos por parte de los despachos de abogados más importantes del mundo para ofertar este tipo de productos a sus clientes.

4.3 Jurimetría española

En España; como sucediera en los demás países del entorno; también ha ido penetrando la jurimetría. Son diversas las manifestaciones existentes, si bien vamos a detenernos en dos proyectos interesantes puestos en marcha por dos de las principales editoriales de nuestro país, exponiendo las grandes diferencias entre ambos, así como las posibilidades que uno y otro dan a los operadores jurídicos.

Por un lado, la herramienta de Jurimetría puesta en marcha en España por la editorial La Ley[36] distingue hasta seis módulos que trabajan de manera interconectada. En virtud de esta herramienta, se cita el análisis de la jurimetría del caso, de modo que permite evaluar los parámetros que la aplicación considera críticos para pretender un mejor resultado del caso. En colaboración con Google esta inteligencia artificial extrae conclusiones de un conjunto de más de 10 millones de resoluciones judiciales y añade medio millón de resoluciones extras cada año de todas las instancias y jurisdicciones de nuestro país. Además, esta aplicación analiza no solo el ámbito legal, sino también la posición del juez y la experiencia en dicha materia de los ponentes, así como la propuesta de la jurisprudencia que esta inteligencia artificial selecciona como más relevante para el caso concreto que planteamos.

1. En el primer módulo se evalúan los parámetros más cruciales para el éxito de nuestra posición en el caso, tomando en cuenta los parámetros de las decisiones previas del juez asignado, la trayectoria en casos similares de los abogados contrarios y se señala la jurisprudencia más relevante sobre ese tipo de asuntos.

2. En el segundo módulo se examina la jurimetría del magistrado o magistrada, a través de la trayectoria que este haya tenido, con respecto a la materia que le van a presentar y las líneas argumentales que ha seguido, así como el posicionamiento de este ante los intereses planteados.

3. En el tercer módulo se estudia la jurimetría del abogado del contrario, de esta manera se procede a desgranar las actuaciones de la contraparte, en base a cómo ha actuado en otros casos, su experiencia e incluso su índice de éxito.

4. En el cuarto módulo, y de manera muy acertada, jurimetría realiza un análisis integral de los litigios, similares a los que el abogado tiene en ese momento, en los que ha sido parte alguna

---

36 Disponible en: https://jurimetria.laleynext.es/content/Inicio.aspx, visitado el 18 de junio de 2022.

de las grandes empresas. Para de este modo trazar una estrategia procesal similar que pueda ser la clave del éxito en su caso, aunque no hay nada, ni nadie que garantice este resultado.

5. En el quinto módulo se establece una jurimetría específica para conocer aspectos más previsores que predictivos, como puede ser la duración media de los procesos, la congestión o la probabilidad de que prospere un recurso en un juzgado o tribunal de España concreto.

6. Y finalmente, en el sexto módulo, esta herramienta de jurimetría de la Ley se presenta como capaz de medir procesos judiciales en los que ha sido parte un organismo o entidad pública. Para de este modo ofrecer las claves o los puntos débiles tanto si el cliente es un organismo público, como si el cliente, por el contrario, es contraparte de un organismo público en un proceso judicial.

Sin duda, es una herramienta que viene a revolucionar el mercado legal tal y como lo conocemos hoy. No obstante, debemos ser cautos, ya que aún es demasiado pronto para evaluar sus aciertos, su relevancia o sus fracasos. Al ser una herramienta de inteligencia artificial, como sabemos, la clave del éxito de la misma está en el número de datos con el que haya sido alimentada, la veracidad de los mismos y que estos estén correctamente orientados en el algoritmo. Por ello, posiblemente esta herramienta deberá ser desarrollada con el paso del tiempo para mejorar sus resultados, aprendiendo de sus errores y confirmando los aciertos. Este proceso de aprendizaje será cuestión de meses e incluso de años, ya que la complejidad de los datos que manejan requiere una especial atención a los resultados.

Debemos ser conscientes también de que, partiendo de la premisa de que estos sistemas necesitan millones de ejemplos para aprender una determinada materia y ante la velocidad y la volatilidad de los cambios legislativos que registramos en nuestro país, será preciso reformular y reprogramar estos sistemas que actualmente trabajan desde la experiencia previa. Indudablemente, es más sencillo pensar en los sistemas predictivos legales del Common Law, ya que, en esos casos, las innovaciones legales vienen fundamentalmente de la mano de la jurisprudencia. Esto supone un hándicap en este sentido debido a la imposibilidad de exportar modelos o aplicaciones completas ya creadas por los países con estos sistemas, que además son los más avanzados. Y es que, aunque en nuestro sistema la jurisprudencia tiene cada vez un mayor peso, aún las novedades legislativas obligan al poder judicial a cambiar las normas aplicables en cada momento. Esta capacidad de adaptación a las novedades que tenemos los humanos no es tan fácilmente programable en las aplicaciones de inteligencia artificial.

Por otro lado, nos encontramos con la herramienta *Tirant Analitycs*, desarrollada por la editorial de Tirant Lo Blanch[37]. En este caso, también se trabaja con el *big data* y la inteligencia artificial para intentar conseguir los resultados óptimos para nuestro caso. Este software nos da una visión muy realista de nuestras posibilidades de éxito en un caso concreto. Para ello:

1. En primer lugar, nos permite conocer el criterio seguido por cada Tribunal, Sala, Sección e incluso ponente en casos similares al nuestro, para poder diseñar nuestra estrategia. Así combina el tipo de acción u objeto del procedimiento con el órgano jurisdiccional y el sentido del fallo. Donde distingue entre los fallos estimatorios, desestimatorios, estimatorio parcial, inadmisión, fallo contradictorio o absolutorio. Todo ello, acompañado de una trascripción gráfica del contenido.

2. En segundo lugar, se añade la herramienta denominada árbol de decisión, en la que a través de un diagrama de árbol permite consultar el porcentaje de éxito de nuestros objetivos y analizar las posibilidades también de la contraparte. En este diagrama de árbol, que muestra de forma sencilla y a la perfección lo que es un algoritmo, podemos darle más o menos importancia a aspectos concretos para nuestro caso. Así por ejemplo nos puede dar igual las costas o la responsabilidad si el sentido del fallo es favorable a nuestras pretensiones o, al contrario, que primemos no ser condenados a costas a pesar de que nuestras pretensiones no sean estimadas en su totalidad. De este modo, adaptaremos la estrategia procesal a las necesidades y aspiraciones de

---

[37]   Disponible en: https://analytics.tirant.com/analytics/, visitado el 15 de julio de 2022.

cada cliente concreto. Así mismo, este árbol nos mostrará las sentencias dictadas más afines a nuestros intereses.

Sin duda vivimos en la era de lo visual y conscientes de ellos, en *Tirant Analitycs* diseñan gráficos que nos proponen los diferentes caminos o estrategias que nos muestran la jurisprudencia de un modo global como hasta ahora no lo habíamos visto. De esta manera, podemos comparar gráficamente aspectos concretos del proceso en diferentes sentencias, como las cuestiones previas y procesales o la tan importante fase de pruebas, así como las acciones o alegaciones presentadas.

En esta misma línea, y sobre todo apoyándose en su extensa base de datos jurisprudenciales, elabora esquemas gráficos donde se señala la jurisprudencia más utilizada y consolidada en asuntos similares al nuestro. Además, plantea un sistema de asistencia durante la lectura de una sentencia, indicándole al abogado los conceptos clave de la misma, para que pueda introducirlos en su propio escrito o ir directamente a la parte de la sentencia que más nos interesa.

Todo ello además de los hipervínculos creados dentro de la sentencia, que permiten acudir directamente a las sentencias citadas o conocer el contenido de cada precepto legal citado en la sentencia. Dentro de cada sentencia encontramos la posibilidad de con un solo golpe de vista tener una idea aproximada de la misma a través del propio mapa conceptual que la plataforma brinda.

Finalmente, *Tirant Analytics* incorpora la visualización de sentencias a favor y en contra de la estudiada, así como de las jurisdicciones que se han pronunciado sobre la misma, filtros de búsqueda, indicador de la relevancia de las sentencias de la base de datos, así como extractos, resúmenes interactivos o citas relevantes dentro de estas. Ello, sin olvidar la opción de conocer el *iter* procesal completo de la sentencia[38].

Por todo, *Tirant Analytics* se posiciona en un lugar, aparentemente más modesto que la aplicación de Jurimetría, sin embargo, sus innovaciones las consideramos más consolidadas y realistas. Con una

---

[38]   Disponible en: https://analytics.tirant.com/analytics/estaticas/guiausuario/guia_analytics_web.pdf, visitado el día 18 de julio de 2022.

apuesta clara por la innovación seria y de calidad, a través de pequeños pasos pero muy certeros. De poco sirve dibujar un panorama de predicciones ostentosas, si el propio algoritmo no tiene albergada o alimentada la información suficiente para crear predicciones con un margen de error aceptable y limitado.

5. EL FUTURO DEL LEGALTECH

Hasta aquí hemos analizado el presente del *legaltech* en nuestro país y como estos primeros pasos están marcando un futuro prometedor en este ámbito, ya que se está construyendo sobre una base sólida. Un avance de la abogacía que está caminando hacia la innovación, desde el buen hacer y las buenas prácticas. Y en este sentido es importante poner en valor el esfuerzo de digitalización que están haciendo todas las empresas de nuestro país, sin perjuicio de las acciones realizadas por entidades de gran nivel como es el Proyecto Darwing lanzado por Iberdrola o los interesantes proyectos de automatización desarrollados por el banco Santander o Pérez-LLorca Abogados[39].

El ejecutivo, consciente de la dificultad de digitalización que tienen las pymes en sus negocios, ha impulsado esta tarea a partir de los fondos europeos recibidos para la recuperación económica tras la pandemia. Así se ha promovido un bono denominado Kit Digital, para la promoción en la digitalización de las pymes, desde aquellas que están compuestas por un único autónomo, hasta las que cuentan con 50 trabajadores. Este Kit Digital cuenta con un presupuesto de 3.067 millones de euros para el periodo 2021-2023, financiado por el *Plan de Recuperación, Transformación y Resiliencia de España Next Generation EU*. Está destinado a todos los sectores y tipología de negocios, incluyendo así a los despachos de abogados. Este programa comprende no solo beneficiar a las empresas que requieran de esta digitalización, sino también a aquellas empresas o autónomos con se-

---

[39] Ver más en: Redacción *LA LEY*, "Automatización y casos de éxito: así es la experiencia de Santander y Pérez Llorca", de 5 de julio de 2022.

de en España que puedan prestar estos servicios digitalizadores, para figurar en la lista oficial de proveedores dentro del programa[40].

De esta manera, el gobierno pretende proyectar nuestras empresas hacia el futuro digital, que innegablemente será necesario para el desarrollo de cualquier actividad profesional en muy poco tiempo. Sin duda, en el presente trabajo quedan otros temas fascinantes, también vinculados con la digitalización de las empresas, pero no tan vinculados con la propia abogacía, aunque sí con conexión con esta. Sin embargo, hemos preferido no abarcarlos dentro de este estudio por su complejidad y sus problemáticas específicas como son los *Smart contracts*, el *blockchain*, el *compliance* con inteligencia artificial o la protección que nos puede ofrecer la *tockenización*, grandes materias con infinitas incógnitas que deberán ir resolviéndose con la práctica y la legislación que se irá emitiendo en torno a estas.

Como hemos avanzado en apartados precedentes, al *legaltech* que se está desarrollando en la actualidad en nuestro país le queda un largo camino de desarrollo, implantación y estabilización, de manera que los abogados deben ir perdiéndole el miedo o la incertidumbre a utilizar estos programas, dotados con una inteligencia artificial primaria, que aprende en función de la información volcada, para poder ir mejorando los resultados de esta. No obstante, podemos ir un paso más allá y predecir cómo serán los softwares de gestión de despachos que trabajarán con inteligencia artificial de aprendizaje profundo.

La *ratio essendi* de esta nueva revolución del *legaltech* viene de la mano de las previsiones económicas que existen en torno a esta tecnología. Ya que solo en 2019, el mercado *legaltech* generó ingresos por valor de 17.320 millones de dólares estadounidenses en todo el mundo. Además, los pronósticos de futuro marcan un crecimiento de este mercado en torno a más del 6% para el período 2019-2025[41], así como un aumento importante en la inversión de los despachos en este tipo de tecnología. Todo ello hace que inversores de todo el planeta

---

[40] Disponible en: https://www.acelerapyme.gob.es/kit-digital, visitado el día 20 de julio de 2022.

[41] STATISTA, *Legal tech market revenue worldwide from 2019 to 2025(in billion U.S. dollars)*, disponible en: https://www.statista.com/statistics/1155852/legal-tech-market-revenue-worldwide/#statisticContainer, visitado el día 21 de julio de 2022.

hayan puesto parte de sus capitales a disposición de las tecnológicas que se están encargando de desarrollar este *legaltech* que podría convertirse en el nuevo petróleo de la abogacía.

5.1 Softwares de gestión autónoma

De igual manera, que los coches de conducción autónoma son cada día una realidad más cercana a nosotros, tenemos que plantearnos realidades donde existan softwares de gestión de despachos que puedan llevar a cabo las tareas más automáticas, aun cuando en este caso, sin la necesidad de que sea el propio abogado humano el que tenga que iniciar mecánicamente cada uno de los procedimientos internos del caso e incluso de los actos interlocutorios del proceso.

Fundamentalmente nos enfocaremos en una primera etapa, donde la máquina nos librará de lo que en el ámbito anglosajón se denomina *data entry*, o lo que coloquialmente conocemos en España como picar datos. Ya existen softwares que saben detectar palabras clave, fechas e incluso en nuestros propios móviles podemos agendar un asunto simplemente haciendo clic en la fecha que nos han remitido por email. De este modo, nuestro gestor de despachos inteligente podría ser capaz de abrir las notificaciones procedentes de LexNET y directamente agendar los actos procesales a los que nos hayan citado. Al igual, podrá remitir automáticamente al procurador asignado al caso el escrito que hayamos finalizado para su presentación o remitirlo directamente al juzgado, así como archivar el recibo de envío de la documentación. Todo esto nos hace reducir los tiempos de ejecución de trámites que podríamos llamar superfluos, para centrarnos en tareas que si precisan de la pericia y el estudio artesanal del abogado humano a la hora de plantear la estrategia legal y procesal en base también a la asistencia de la inteligencia artificial jurisprudencial que hemos visto en los apartados precedentes[42].

No obstante, el desarrollo de este tipo de softwares autónomos debe estar perfeccionado al máximo y esto conllevará un entrenamiento

---

[42]   RAMÍREZ TORRES, R., "Transformación digital en los despachos de abogados y procuradores: como mejorar eficiencias en la tramitación de procedimientos judiciales, A propósito de Legal Tech aplicado a la gestión de litigios en despachos", *Diario La Ley*, 2022.

previo muy intenso por parte de las tecnológicas[43], ya que un simple error en la comprensión de los datos, de la notificación remitida por el juzgado o errores en la digitalización de un documento puede modificar por completo el iter procesal previsto por la máquina para un proceso concreto y, por ende, podría afectar de manera muy grave a los derechos procesales y posibilidades de defensa y acción de nuestro cliente.

5.2 Legaltech y acceso a la justicia

Todo parece apuntar hacia una automatización de los flujos de trabajo de los despachos de abogados para intentar maximizar la eficiencia y la eficacia como si de una cadena de producción se tratase. Hasta ahora hemos visto las grandes ventajas que esto supone para los despachos. Sin embargo, las empresas tecnológicas también pretenden poner la inteligencia artificial al servicio de ciudadanos legos. Anteriormente hemos comentado las posibilidades que ofrecen los *chatbots*, para resolver preguntas frecuentes. No obstante, esta tecnología puede ir más allá y la inteligencia artificial de aprendizaje profundo da unas posibilidades extras a aquellos que no conocen aspectos técnicos o teóricos del Derecho. Es importante remarcar que no todo es negocio, ya que existen herramientas como Myopencourt[44], que se presentan como una plataforma pública gratuita que permite a todos los ciudadanos, en este caso canadienses, obtener la ayuda básica que necesitan para determinar la respuesta a sus disputas legales. Este producto ha sido diseñado por el *Conflict Analytics Lab* de la Universidad Queen en Canadá. Sin embargo, las temáticas de asuntos para los que este laboratorio jurídico tiene respuesta son todavía muy limitadas. Este tipo de aplicaciones se basan en la tecnología de los *chatbots* que a modo de asistente virtual y a través de preguntas sencillas, que deben ser contestadas a través de una de las opciones disponibles, llegan a ofrecer respuestas a casuísticas muy concretas. En estos momentos, no podemos aspirar a sistemas informáticos que sean capaces de entender, razonar, indagar o contestar a nuestras pre-

---

[43] GÓMEZ SANCHA, S., "Inteligencia Artificial", *Legal Tech. La transformación digital de la abogacía*, Wolters Kluwer, La Ley, Madrid, 2019, pp. 128-129.

[44] Disponible en: https://myopencourt.org/, visitado el día 21 de julio de 2022.

guntas. De momento, este prototipo actúa simplemente a través de un diagrama de árbol que le lleva a una respuesta tipo previamente cargada. Es evidente, que esta herramienta no solo está limitada a los temas que se proponen, sino que también están cerradas las respuestas que puede dar el ciudadano.

Sin duda, la brecha digital que se plantea dentro de esta digitalización de la justicia tanto a nivel nacional, como internacional va a ser muy aguda. En nuestro país se intentará paliar con las oficinas municipales de justicia, como vimos en el primer capítulo de este trabajo. No obstante, la mirada social de esta digitalización hacia entidades sin ánimo de lucro o proyectos universitarios que permitan la facilitación del acceso a la justicia de los ciudadanos, puede ser el contrapunto necesario que haga que toda esta vorágine, en la que estamos envueltos, merezca la pena. Por ello, creemos que es el momento de que la sociedad civil de un paso al frente y cree iniciativas similares a la canadiense que hemos analizado. De modo, que estos softwares de utilidad pública, podrían ser puestos a disposición de las personas. Este tipo de proyectos están muy perfeccionados en los países anglosajones, donde las entidades y organizaciones sin ánimo de lucro cuentan con recursos suficientes para poder desarrollar este tipo de iniciativas. Por el contrario, en nuestro país el tejido asociativo y académico se encuentra lejos de poder llevar a cabo programas tan ambiciosos y de tanta trascendencia como estos. La Justicia es un componente más del modelo de Estado que exige un posicionamiento de lo público que mejore en todo caso a través del acompañamiento digital de las personas que accedan al servicio público de justicia. En definitiva, un acompañamiento que puede ser diseñado por el sector privado, si bien siempre que permita la extensión y mejora de la Justicia.

Así las cosas, se deberán prever herramientas de *legaltech* públicas para aquellos abogados que ejerzan sus actividades en el turno de oficio, ya que, de lo contrario, ese acceso a la justicia gratuito para personas o colectivos desfavorecidos se podría ver fuertemente comprometido. Si en el nuevo escenario de herramientas predictivas y de asistencia a los abogados generalizadas no se provee a los abogados de oficio de unas herramientas mínimas y aceptables para la defensa de los intereses de sus clientes podemos caer en una violación del derecho fundamental de acceso a la justicia reconocido en el artículo 24 de la Constitución española.

5.3 La formación en el Legaltech

La universidad pública española no es precisamente rápida en el proceso de actualización y mejora de sus planes de estudio. Cualquier cambio en los planes de estudio conlleva un largo procedimiento además de requerir el consenso entre diferentes áreas de conocimiento y, quizás lo más importante en el ámbito del Derecho, entre diferentes generaciones de juristas. Esto da lugar a que diferentes innovaciones dentro del mundo del Derecho como son las ADR no estén contempladas o estén infra estudiadas por los estudiantes de los Grados en Derecho a lo largo y ancho de nuestro país.

En el caso del *legaltech* y de la justicia digital los planes de estudios parecen estar llevando unos derroteros similares a los que se han marcado para los ADR. Esto da lugar a que tan solo aquellos estudiantes que se interesan o son advertidos de la importancia de estas nuevas realidades del Derecho se especializarán y contarán con esa ventaja comparativa, con respecto al resto de estudiantes egresados.

Solamente aquellas universidades privadas que, al igual que los despachos de abogados, deben buscar en la preeminencia y orientarse en mejorar los resultados laborales de sus egresados, son las que se encuentran actualmente más enfocadas hacia la docencia de estas especialidades digitales. Ejemplo de ello es el Doble Grado en Business Analytics, y Derecho ofertado por la Universidad Pontificia de Comillas; doble grado que combina a la perfección los conocimientos en Derecho con la capacidad para el análisis empresarial y el procesamiento de datos procedentes del *big data* o el *machine learning*. Sin duda una combinación de éxito para el mañana en el mundo de la abogacía[45].

Por ello, es importante que al menos en los másteres habilitantes para el ejercicio de la abogacía se inicie a los nuevos ejercientes en el mundo del *legaltech* o al menos se les presenten y les ilustren con

---

[45] Ver más opciones de formación en el ámbito del legal tech en: LÓPEZ RINCÓN, D., "Legal tech y educación", *Legal tech. La transformación digital de la abogacía*, Dir. BARRIO ANDRÉS, M., Wolters Kluwer, Madrid 2019, pp. 467-470.

las herramientas que puedan utilizar para apoyar sus tareas diarias[46]. Posiblemente, cualquier editorial de las que hemos analizado en los apartados previos facilitarían accesos demo para estos estudiantes, ya que en un futuro muy cercano se podrían convertir en clientes potenciales de las mismas. Si bien, no hay tantos profesionales docentes dentro de estas formaciones, sobre todo en las provincias más pequeñas de España para impartir este tipo de formación tan especifica relativa a las nuevas aplicaciones informáticas y a la gestión de los despachos a través del *legaltech*.

Y a los ya egresados, no nos queda más que intentar formarnos todo lo posible en este ámbito a marchas forzadas para intentar, al menos, no ser analfabetos en la forma de desarrollar nuestro trabajo en las próximas décadas.

5.4 Un cambio de paradigma en el sector

Es evidente que estas nuevas necesidades formativas que citábamos en el apartado precedente vendrán seguidas de un cambio en las relaciones laborales dentro de los servicios legales. Así, una vez sean minimizadas al máximo las tareas repetitivas de gestión del propio despacho como hemos visto a través de las aplicaciones informáticas de gestión automatizada y aquellas tareas automatizables de extracción y catalogación de información sean cubiertas por la jurimetría, nos quedaremos sin las tareas que principalmente desempeñan actualmente los abogados juniors en los despachos de abogados. Y es, en este punto donde debemos plantear al alumnado de los grados en Derecho cual es el nuevo objetivo o *target* por el que luchar para ser fichado por los mejores despachos[47].

Sin duda la excelencia y el esfuerzo seguirán siendo las claves, pero ahora quizá podemos unirle el concepto del talento, entendido co-

---

[46]　Para ver en más profundidad el estudio realizado en Reino Unido por: Solicitors Regulation Authority/Bar Standards Board/ILEX Professional Standards, *Setting Standards; The Future of Legal Services Education and Training Regulation in England and Wales*, June 2013.

[47]　Ver más en: SOLAR CAYÓN, J.I., *Inteligencia Artificial Jurídica: El impacto de la innovación tecnológica en la práctica del Derecho y en el mercado de servicios jurídicos*, Aranzadi, Cizur Menor (Navarra), 2019, pp. 225-237.

mo la inteligencia para detectar los problemas y tomar decisiones[48] que pueda llevarnos a manejar estas nuevas situaciones a las que se enfrentan los despachos. Ante estas aptitudes la inteligencia artificial no puede competir, ya que esta no está capacitada -al menos por el momento- para discernir entre problemas complejos y no complejos y tampoco tiene capacidad de abstracción ni de trabajar con conceptos, sino que solo es capaz de relacionar eventos previamente precargados[49].

5.4.1 Nuevas competencias para los nuevos perfiles

Este cambio de paradigma precisará de nuevos perfiles de abogados, jóvenes egresados a los que se les deberán primar otras competencias diferentes a las buscadas tradicionalmente. Ya de poco sirve la rapidez del abogado junior en la búsqueda de jurisprudencia relacionada con el caso o que sepa recitar de memoria artículos del Código Civil, en ese campo, como hemos visto, las máquinas nos ganan. Ahora debemos centrarnos en una formación basada en competencias, no tanto en conocimientos, aunque es evidente que estos siempre serán necesarios incluso en esta era digital.

De esta manera, debemos destacar la necesidad del estudio continuo e intenso por parte de estas nuevas generaciones. Los grados en Derecho ofrecen la base del conocimiento jurídico necesario para el desempeño de múltiples profesiones relacionadas con el Derecho pero posteriormente deberán ser los propios egresados los que recogiendo esas herramientas previamente adquiridas en la facultad deban seguir formándose. Sin embargo, esta formación continua, que ha sido siempre necesaria en el ámbito de la abogacía, es muy diversa y cada vez más camina hacia la especialización de profesionales a un campo determinado del Derecho. Este aspecto se agudiza aún más con la inclusión de herramientas de inteligencia artificial. Por ello, será necesario que la abogacía tenga la capacidad de diversificar su conocimiento, pero siempre con una base férrea en competencias digitales,

---

[48] MARINA TORRES, J.A., *Objetivo generar talento: cómo poner en acción la inteligencia,* Barcelona, Conecta, 2016

[49] GÓMEZ SANCHA, S., "Inteligencia Artificial", *Legal Tech. La transformación digital de la abogacía, op. cit.,* p. 113.

especialmente en las aplicaciones relacionadas con el Derecho. Para que este aprendizaje sobre competencias digitales sea completo debe venir dado tanto por formación reglada, como posteriormente por la realización de prácticas de empresa en sedes tecnológicas que comercialicen este tipo de herramientas, antes de dar el paso definitivo al ejercicio de la abogacía.

A diferencia de las generaciones precedentes, que nos parecen más rígidas desde el punto de vista de los procedimientos de trabajo y que cuentan con más resistencia a los cambios en los patrones de realización de tareas, debido principalmente a que estos han funcionado así durante décadas, los próximos años estarán marcados por la inestabilidad en ese sentido. De modo que se producirán distintas oscilaciones en el *modus operandi* de la abogacía, ya que la tecnología marcará nuevas distribuciones de tareas constantemente. Ello precisará de equipos con alto pensamiento crítico, que sean capaces de readaptar sus procedimientos a través del análisis de las necesidades y por supuesto del ensayo-error que permitirá tomar decisiones a futuros. Por lo tanto, precisaremos volver a la lógica, a la intuición y al pensamiento creativo, que es de lo que carecerá siempre la inteligencia artificial. Además, ese pensamiento crítico deberá estar muy presente para evaluar y cuestionar aquellas previsiones emitidas por la máquina. En definitiva, se trata de volver a la esencia de lo humano, dudando más de las máquinas y menos de nuestros propios equipos de personas.

Y todo ello, con la mente muy centrada en los límites éticos, la protección de los derechos de la ciudadanía y los principios fundamentales del proceso, por encima de cualquier tipo de estrategia procesal, aunque sea a costa de desobedecer las directrices de la inteligencia artificial[50].

5.4.2 La resistencia al cambio

Como hemos visto, en este cambio de paradigma, no solo deben estar implicadas esas nuevas generaciones de abogados jóvenes sino también la mentalidad de las generaciones de abogados consolidados,

---

[50]   *Ibidem.* pp. 221-222.

socios de despachos o jefes de asesorías jurídicas, que tienen que modificar sus criterios en la búsqueda de nuevos perfiles. Los despachos de abogados que cuenten con aplicaciones dotadas de inteligencia artificial deberán poner el acento en el desarrollo de sus equipos humanos, posiblemente con estructuras menos jerárquicas y más líquidas y dotadas de decisiones colaborativas; con una mayor mentalidad internacional, es decir, sin cortapisas provincianas en los modos de trabajo; con módulos de trabajo por proyectos, que permitan ver resultados y analizar fácilmente las fortalezas y debilidades del equipo y con flexibilidad suficiente para deslocalizar el puesto de trabajo y mejorar la conciliación de los empleados[51].

Sin embargo, la realidad actual es que salvo los grandes despachos de nuestro país como pueden ser Uría Menéndez, Cuatrecasas o Eversheds Sutherland que si están desarrollando en sus equipos formaciones sobre los lenguajes de programación y han incorporado herramientas de transformación digital, en la mayoría de los despachos más medianos y pequeños topamos constantemente con una gran resistencia al cambio y desconfianza hacia lo desconocido, cuestión también que es seña de identidad tradicional en el campo del Derecho. No obstante, todo el sector es consciente de que el futuro va a pasar irremediablemente por este *legaltech*, al que no va a ser opcional unirse o no, sino que el que no se adapte a este nuevo campo de juego tendrá los días contados en el mundo de la abogacía, ya que los clientes de hoy no solo son los más exigentes, sino que también tienen una mayor capacidad para buscar el producto o servicio que mejor relación calidad precio le ofrece.

5.4.3 Los Alternative Legal Service Providers

En España todavía no tenemos una gran flota de los denominados *Alternative Legal Service Providers* (en adelante, ALSP) pero sin duda son el futuro más inmediato del *legaltech* sobre todo para los despachos medianos y pequeños. Estos ALSP, se encargan de la provisión de servicios tecnológicos y consultoría para aquellas empresas de

---

51   FUENTES BUESO, P., "La revolución en la forma de concebir el empleo en el sector legal", *Legal Tech. La transformación digital de la abogacía*, Wolters Kluwer, La Ley, Madrid, 2019, pp. 202-205.

cualquier sector que por sí solas no pueden emprender determinadas tareas en solitario. En este apartado nos centraremos en los ALSP que asisten a los despachos de abogados ya que la inmensa mayoría de profesionales que se dedican a la abogacía en nuestro país proceden de despachos pequeños y medianos, donde en la mayoría de ocasiones están compuestos por menos de cinco profesionales.

Una vez detectado este nicho de mercado, las empresas tecnológicas, conocedoras del valor añadido que ellas le pueden prestar a los servicios legales tradicionales, se alían con los despachos de abogados para asesorarles y prestarles herramientas que permitan la máxima eficiencia en sus tareas, que precisan en estos momentos. Para ello se les proporcionan servicios o equipos *ad hoc*, es decir, planificados y adaptados especialmente para las necesidades y circunstancias concretas del propio despacho. La intención no es solo asesorar en la flexibilización de determinados procedimientos internos a través de la incorporación de herramientas tecnológicas sino en global mejorar todos los aspectos posibles de cualquier empresa, con servicios de alta calidad y a bajo coste. Tanto en la implementación de los flujos de trabajo del personal, como para disminuir los costes superfluos o menos eficientes dentro de la empresa.

En ese sentido el ALSP, no solo incluye servicios de *legaltech* para optimizar la operativa del despacho, sino que además puede implementar otros servicios a través de la subcontratación de otras funciones o procedimientos de la empresa, lo que se ha denominado *managed services*. Entre otros también se incluyen en las carteras de servicios de los ALSP las auditorías independientes de alto nivel desligadas del propio despacho; la gestión de los recursos humanos para la localización de los perfiles más apropiados para nuestro modelo de negocio; así como la búsqueda de colaboradores para suplir bajas o para que el despacho pueda resistir mejor los picos de trabajo, lo que se ha denominado *legal iterim management*. Finalmente, podemos citar la contratación de servicios especializados en tareas de preparación, interpretación y ejecución de contratos, ya sean necesarios para los servicios que el propio despacho les presta a sus clientes, como para la provisión de estos servicios a nuestros propios clientes en sus relaciones con terceros[52], también denominado *contract management*.

Estos ALSP se están convirtiendo en empresas provistas de herramientas realmente revolucionarias que pueden darles la vuelta a las fórmulas de servicios legales tal y como las conocemos hoy. Y todo ello, vendrá de la mano de un cambio de conciencia colectiva sobre la prestación de servicios legales y servicios complementarios a estos, entendiéndolos de manera líquida, transversal, sin divisiones absolutas de trabajos entre abogados y no abogados, ya que las necesidades que tienen las empresas se deben abordar de manera integral para dar una respuesta sólida y de calidad[53]. Con todo esto no debemos en ningún caso interpretar que van a desaparecer los despachos de abogados como los conocemos hoy, pero si despertarles la conciencia para que estos comiencen a salir de su espacio de confort, a nutrirse de terceros y dejarse aconsejar como clave del éxito.

5.5 Abogados en el metaverso

Tras toda la digitalización de la que hemos hablado, el poner el foco en el metaverso no es más que una vuelta a lo tradicional, una eliminación de las ideas de los jueces robots o los chatbot, para que sea el abogado humano, el que tome las riendas de la comunicación con sus clientes. Y es que a pesar de que estas relaciones, como ya hemos visto, han cambiado en cuanto a su formato, no han cambiado ni un ápice en cuanto al contenido. Es decir, esa relación de confianza mutua entre abogado y cliente sigue intacta a pesar de los cambios tecnológicos que la circundan.

El metaverso no supone más que un cambio hacia un nuevo escenario, al igual que fue un cambio de escenario las reuniones telefónicas o las videoconferencias. Este metaverso es una plataforma que provee a las personas de un espacio virtual donde pueden interactuar

---

52 Fuente: https://attolonlaw.com/que-son-alsp/, visitada el día 1 de diciembre de 2022.

53 WILKINS, D.B. y ESTEBAN, M.J., "Taking the "Alternative" out of Alternative Legal Service Providers: Remapping the Corporate Legal Ecosystem in the Age of Integrated Solutions", *New Suits - Appetite for Disruption in the Legal World*, Eds. DESTEFANO M. y DOBRAUZ G, Stämpfli Verlag, Bern 2019.

social y negocialmente a través de unos avatares que pueden parecerse físicamente o no a la persona que representan. Así se crea lo que se denomina un gemelo digital, es decir, tu yo digital. Esta creación de un mundo digital tridimensional, que permite interactuar entre usuarios no es una invención de hoy, ya los juegos o chats virtuales con avatares en línea permiten desde hace muchos años la interactuación de personas en entornos lúdicos y sociales. De este modo, estos metaversos no son más que una campaña publicitaria, donde el marketing es capaz de crear nuevas necesidades y deseos entre la población.

Por ello, fruto del marketing, tan importante para que los despachos de abogados se sitúen en la vanguardia y la modernidad, se han visto abocados a lanzarse a este nuevo escenario virtual. Por un lado, estos metaversos les ofrecen publicidad, ya que los usuarios pueden visualizar el nombre y la marca del despacho simplemente por el hecho de moverse en este nuevo escenario, como cuando comenzaron las campañas publicitarias en televisión, radio o internet. Todo ello, alimentado por el *leitmotiv* de la presencialidad, del "hay que estar" o del "tenemos que ser los primeros", sin que esto implique, necesariamente, un análisis sobre si nuestros clientes potenciales se encuentran entre ese público. Y, por otro lado, se pretenden poder realizar actividades con clientes a través de esta plataforma como veremos a continuación.

Pues bien, con estas premisas, si nos adentramos en el metaverso y con nuestras gafas de realidad virtual, podemos ver que ya hay despachos de abogados españoles que están abriendo sede en el metaverso. Las actividades que se pretenden desarrollar a través de este entorno son muy diversas, van desde las más básicas, como pueden ser las reuniones con clientes o la resolución de consultas básicas por parte de usuarios, que pueden en este caso ampararse en la privacidad que da un alias y un avatar para realizar preguntas más comprometidas o de las que se avergüencen hacer en persona a un abogado, siendo abonados estos servicios a través de monedas virtuales aceptadas dentro del mismo entorno y que pueden ser cambiadas por dinero físico. E igualmente, se pueden realizar actividades más complejas entre abogado y cliente dentro del propio metaverso, tales como recrear una sala de justicia con el fin de reproducir y ensayar con realidad inversiva la puesta en escena de la vista o del interrogatorio, así como preparar las propias intervenciones de peritos o testigos de parte. Esto no solo puede mejorar los resultados del propio proceso, sino que también puede disminuir el nivel de ansiedad de las personas legas que participan en el acto del juicio o de algún acto procesal relevante para el proceso. Es decir, con todo esto se les permite aproximarse virtualmente a esa situación desconocida para ellos.

Finalmente, también se debe poner de relieve que esta plataforma sin fronteras geográficas fomentará las alianzas entre firmas de abogados o equipos concretos de firmas diferentes que trabajen temas o problemas comunes. Así, podemos hablar de ventajas colaborativas y de compartir sinergias a nivel global con diferentes profesionales que mejoren las prácticas y los resultados de los despachos nacionales.

5.6 Neuroabogados

A lo largo de este capítulo hemos podido comprobar cómo la imagen futurista y filmográfica de un abogado cibernético con aspecto humanoide no parece que sea la opción más cercana a nuestro futuro en el ámbito del Derecho, a pesar de la ayuda de los *chatbots*. El futuro posiblemente vendrá dado por programas autónomos para la gestión burocrática del despacho, nuevas formas de estudiar el Derecho y nuevos formatos de bufetes de abogados, así como espacios distintos donde desarrollar la actividad diaria de la abogacía.

Si bien, no debemos perder de vista la posibilidad de incluir tecnologías disruptivas invasivas en los abogados humanos con el fin de mejorar los resultados. Implantes tecnológicos cerebrales, ya comentados en este trabajo, que actualmente ya mejoran la salud de millones de personas, pero que podrían avanzar hacia otras aplicaciones con aspiraciones puramente económicas o empresariales. De esta manera se daría lugar a esa especie de superhombre de NIETZSCHE que, aunque ya cuente con sus conocimientos de Derecho, este tipo de tecnologías invasivas le pueda hacer llegar en un momento concreto a datos de manera más rápida o automáticamente a respuestas concretas[54]. Por lo tanto, creo que el futuro caminará más hacia la creación

---

[54] BARONA VILAR, S., *Algoritmización del Derecho y de la Justicia, de la Inteligencia Artificial a las Smart Justice, op. cit*, p. 654.

de estos superhombres[55], más que hacia la creación de un superyó que permita la sustitución del hombre por máquinas[56]. A pesar de todas las reservas que esto debe tener, ya que no serían los primeros considerados superhombres de la historia, como ocurrió con Hitler, que realizaron masacres, exterminios y tantas otras aberraciones a la sociedad, dado que, al hombre, por su propia naturaleza, le gusta ser el protagonista de las decisiones más relevantes, sobre todo las que conllevan las determinaciones más importantes para la vida de sus congéneres. Si bien, esto no obsta a que otros sectores económicos con una carga de trabajo más mecánica si aspiren a ese superyó y esa sustitución del hombre por la máquina[57].

Sin duda, la inclusión de estos *gadgets* implantados dentro de nuestros cuerpos para mejorar nuestro potencial profesional conllevará una gran discusión política y social. Pero la presunta libertad de cada individuo sobre el gobierno de su cuerpo se acabará imponiendo[58]. Así, la ola de la libertad individual podría acabar acarreando un esclavismo sistémico respecto de los datos y control absoluto de la sociedad. Lo que comienza siendo utilizado solo por motivos laborales, puede acabar extendiéndose e incluso prescribiéndose a los empleados, por parte de las empresas; basta imaginar la utilización de estos implantes durante la jornada laboral. Ahora bien, es posible que estos medios e instrumentos, que permiten concebir una sustitución del ser humano por la máquina y un control de la actividad humana por *chips* o herramientas de nanotecnología invasiva se ralenticen en el mundo de la justicia y más concretamente en el ámbito decisional

---

[55] *Ibidem.* p. 280.

[56] *Ibidem.* pp. 610-611.

[57] MABEY, R., "The humans Strike back: The falls of the Robots in the LegalTech´s future", *The LegalTech book, the legal technology handbook for investors, entrepeurners and Fintech visionaries*, BHATTI, S.A., CHISHTI, S., DATOO, A. y INDJIC, D., Wiley, Chichester (Reino Unido), 2020, pp. 245-246.

[58] LÓPEZ HERNÁNDEZ, H., "Neuroderecho, neuroabogado, neurojusticia: una realidad innegable", *Justicia algorítmica y neuroderecho Una mirada multidisciplinar*, Tirant Lo Blanch, Valencia, 2021, pp. 102-105 y BARONA VILAR, S., "Una justicia "digital" y "algorítmica" para una sociedad en estado de mudanza", *Justicia algorítmica y neuroderecho Una mirada multidisciplinar, op. cit.*, pp. 58-59.

del juez[59] que, de momento, parece ser el último bastión que resistiría la posibilidad de ser internamente manipulado por una máquina en su decisión final sobre un caso. A pesar de aceptar la asistencia de la inteligencia artificial para mejorar sus conocimientos antes de deliberar, no permitirá que esta termine dictando sentencia por él, en su soberanía y su poder jurisdiccional único y exclusivo. Al menos, eso es lo que esperamos.

6. VUELTA A LO ESENCIAL: MÁS DEONTOLOGÍA ANTE EL LEGALTECH

Llegados a este punto, podemos advertir fácilmente numerosas amenazas que acechan al *statu quo* de la abogacía ante estos importantes cambios. Estos cambios, que aunque aparentemente sean solo de forma, sabemos que tendrán unas implicaciones éticas muy importantes y que serán más acusadas en el futuro. Sin duda, todas las innovaciones tecnológicas que hemos analizado a lo largo de este capítulo vienen a optimizar sustancialmente la vida tanto de los despachos de abogados en su conjunto, como de los abogados que trabajan en solitario y también de los clientes a los que se les intenta facilitar, en la medida de lo posible, su acceso a este servicio esencial.

Sin embargo, ante todo este ruido tecnológico y tras conocer las líneas básicas del presente y del futuro más cercano de la abogacía, debemos parar en seco, volver a repensar lo esencial, a la raíz, al alma máter de los principios y normas éticas que rigen la abogacía, esto es, a la deontología jurídica, poniendo especial acento en los deberes de los abogados. En este orden deontológico se nos plantean numerosas cuestiones, como por ejemplo si estos compromisos también deberán ser aplicados a los proveedores de servicios ALSP que analizábamos previamente o solo van a cargar con esta responsabilidad los abogados *strictu sensu*, es decir, solamente aquellos abogados dados de alta como ejercientes y que tienen capacidad para representar a sus clientes ante los juzgados y tribunales ordinarios. O qué pasará con las

---

[59] SOLAR CAYÓN, J.I., "Reflexiones sobre la aplicación de la inteligencia artificial en la Administración de Justicia", *Teoría Jurídica Contemporánea*, Vol. 6, 2021, pp. 30-31.

aplicaciones autónomas de *chatbots* que aconsejen a nuestros clientes, especialmente en lo que concierne determinar quién es el sujeto responsable de la infracción de alguna norma deontológica por parte de estos consejeros virtuales. Todo ello, además de cuestionar si estaríamos ante intrusismo profesional por parte de estos *chatbots*, los conflictos de intereses que puedan despertarse dentro de una misma aplicación algorítmica que asesore a ambas partes de un mismo caso o el secreto profesional que guarda un programa informático al que estamos alimentando con la información de nuestro caso, entre otros.

Nuestro Código Deontológico de la Abogacía Española[60] no se planteó ninguno de estos escenarios, no tan remotos que hemos esbozado supra y tampoco parece estar en la agenda de la Abogacía Española incorporar modificaciones de calado para incluir este tipo de supuestos a corto o medio plazo. Sin embargo, tampoco podemos echarnos toda la culpa, ya que ni la Carta de Principios Esenciales de la Abogacía Europea[61], ni el Código Deontológico de los Abogados Europeos elaborado por el Consejo de la Abogacía Europea prevén ninguna repercusión tecnológica en el ámbito deontológico por la cual puedan verse comprometidas la buena administración de justicia, el acceso a la justicia o el derecho a un juicio justo.

No obstante, nuestro Código Deontológico si dedica el artículo 21 a la especial protección de los datos, la confidencialidad y el secreto profesional en el empleo de las tecnologías de la información y la comunicación. De esta manera, podemos interpretar que según esta norma extiende la responsabilidad del abogado y las normas deontológicas a las que este está sometido incluso en las comunicaciones electrónicas, webs, aplicaciones y servicios profesionales prestados por medios electrónicos, siendo de esta manera el último responsable incluso de los fallos o agujeros informáticos que se pudiesen crear por la incursión de terceros. No obstante, esta interpretación es extensiva de la norma, ya que el artículo 21 se ciñe sobre todo a la preservación de la confidencialidad y del secreto profesional en las comunicaciones privadas y en el especial cuidado en cuanto al reenvío de correos

---

[60] Aprobado por el Pleno del Consejo General de la Abogacía Española el 6 de marzo de 2019.
[61] Aprobada en la Sesión Plenaria del CCBE el 25 de noviembre de 2006.

electrónicos, mensajes o notas remitidos por otros profesionales de la abogacía si no se cuenta con el consentimiento expreso de estos para hacerlo.

Actualmente podemos hablar perfectamente de la existencia de un mercado jurídico, un mercado que cada vez manejará unas cifras de negocio más importantes y al que se le unirán industrias accesorias o secundarias como estamos viendo. No obstante, este particular mercado está totalmente desregularizado en nuestro país, a excepción de las obligaciones de colegiación para los abogados ejercientes. Por ello, consideramos que es necesaria una actualización de la deontología jurídica especializada en el ámbito tecnológico. En nuestros días esta normativa la encontramos principalmente en los países anglosajones. De ellos, si tuviésemos establecer un ranking encontraríamos en primer lugar a Estados Unidos, posteriormente Reino Unido y debemos citar también a Australia que cuenta con algunas medidas interesantes, que pueden servir de inspiración para España[62]. La urgencia de esta regulación viene motivada principalmente por la incursión, fundamentalmente en forma de gigantes multinacionales, de los proveedores de servicios jurídicos alternativos, que como hemos visto no quedan vinculados a la normativa deontológica y a ninguna otra de ámbito estatal, a pesar de que desarrollan actividades y usan datos personales jurídicos de sus clientes.

En este sentido, los británicos han sido los que han regulado con mayor profundidad a las entidades públicas o privadas que prestan cualquier tipo de servicio jurídico a través de la *Legal Services Act* en el año 2007. Esta Ley tuvo como objetivos principales mejorar la competencia entre las entidades que prestan esta tipología de servicios y proporcionar una vía de reclamación para los consumidores que se viesen afectados por las actividades de estas. En primer lugar, en el ámbito competencial esta norma diferencia entre actividades legales reservadas, que están limitadas para ser ejercidas solamente por los abogados con licencia y el resto de las actividades legales. Dentro de las actividades reservadas podemos citar el ejercicio en las vistas, el

---

62   SOLAR CAYÓN, J.I., "Retos de la deontología de la abogacía en la era de la inteligencia artificial jurídica", *Derechos y libertades*, núm. 45, 2021, pp.135-139.

desarrollo de litigios, las actividades testamentarias, notariales o la administración de juramentos. Y en el bloque del resto de las actividades legales se incluye por ejemplo la prestación de asesoramiento o asistencia jurídica en relación con la aplicación de la ley o con cualquier forma de resolución de litigios. Y en segundo lugar, para las reclamaciones de consumo contra los servicios legales se crea la *Office for Legal Complaints* dependiente de la junta del Legal Ombudsman, un servicio gratuito que investiga las quejas sobre este tipo de servicios legales, tanto en Inglaterra, como en Gales. Como vemos Reino Unido se sitúa en un plano bastante permisivo al consentir que personas sin licencia de abogados puedan realizar asesoramientos o asistencias jurídicas en relación con la aplicación de una ley concreta o en el desarrollo de procedimientos de ADR.

Por el contrario, Estados Unidos, paradigma del liberal capitalismo ha limitado la irrupción de estos servicios y no permite que estructuras alternativas sin abogado ejerzan estos servicios legales. Así, a través de la Resolución 105 emitida por la *American Bar Association* en febrero de 2016 se establece un Modelo de objetivos reglamentarios para la prestación de servicios jurídicos[63]. En él se establece la taxativa prohibición de poseer en propiedad despachos de abogados a personas no acreditadas como abogados ejercientes, ello con el fin de establecer una guía reguladora clara y segura jurídicamente tanto para los servicios jurídicos, como para los juzgados y tribunales de todos los Estados Unidos.

Un caso de estudio en este país ha sido el iniciado contra *Legal-Zoom*, que es una plataforma web alimentada con inteligencia artificial que elabora informes de asistencia legal a sus clientes y elabora documentos legales. Esta plataforma ha sido demandada en múltiples ocasiones por diferentes asociaciones de abogados por intrusismo profesional. Sin embargo, en ninguna ocasión se les ha dado la razón a los abogados, ya que el modelo de *LegalZoom* simplemente ofrece información a sus clientes y esta ha sido asemejada a las webs que ponen a disposición de la ciudadanía formularios o doctrina de ámbito legal. Tan solo se le ha advertido de la importancia de incluir, en las valoraciones jurídicas emitidas por el software, información a

---

[63] ABA Model Regulatory Objectives for the Provision of Legal Services.

sus clientes de que estas no han sido emitidas por un abogado físico especializado en el ámbito de la consulta, por lo que se les aconseja que antes de realizar alguna acción judicial relevante puedan llevar esta valoración a un abogado ejerciente para que la vise[64].

Australia ya puso el foco de atención en 2004 sobre estas entidades, aún no digitalizadas, pero que sí prestaban servicios jurídicos alternativos. Para ello promulgó la *Legal Profession Act*, que obligó a estas entidades, denominadas *Incorporated Legal Practices* a establecer una estructura ética en las políticas de gestión y controles éticos en los procesos de trabajo. Esto vino acompañado de la obligatoriedad de inclusión en el equipo de dirección de un abogado colegiado denominado *Legal Practitioner Director* y cuya responsabilidad es la de supervisar e implementar esos sistemas éticos de gestión, de conformidad con las obligaciones profesionales de la abogacía y que acredite que la entidad cumple en todo momento con los objetivos éticos marcados por la legislación vigente[65].

La realidad en nuestro país es muy distinta, ya que tan solo el artículo 544.2. de la LOPJ advierte de la obligatoriedad de la colegiación de los abogados, procuradores y graduados sociales para actuar ante los juzgados y tribunales en los términos previstos en esta Ley y por la legislación general sobre colegios profesionales, a excepción de los que actúen al servicio de las Administraciones o entidades públicas por razón de dependencia funcionarial o laboral. Además, la única consecuencia jurídica de actuar en los juzgados y tribunales españoles sin la pertinente colegiación no es más que la nulidad de pleno derecho de cuantas actuaciones judiciales se hayan producido, en virtud del artículo 238 de la LOPJ, a causa de un defecto procesal por falta de postulación, sin constituir delito alguno, ni ser esto motivo de sanción para el abogado no colegiado por estas actuaciones. No obstante, las consecuencias dañosas para la ciudadanía son enormes ya que

---

[64] SOLAR CAYÓN, J.I., "Retos de la deontología de la abogacía en la era de la inteligencia artificial jurídica", *Derechos y libertades, op. cit.*, p.155. y MCCLURE, E., "LegalZoom and Online Legal Service Providers: Is the Development and Sale of Interactive Questionnaires that Generate Legal Documents the Unauthorized Practice of Law?", vol. 105, núm. 3, *Kentucky Law Journal*, 2017, pp. 563-585.

[65] *Ibidem.* p. 144.

la falta de colegiación implica también una falta absoluta del control deontológico y disciplinario del profesional.

Hoy es más importante que nunca establecer una regulación acorde a estos servicios jurídicos alternativos para que adopten una infraestructura ética a través de diversos sistemas internos de dirección y de gestión con una serie de objetivos y requisitos mínimos[66]. Para ello, el legislador español y el europeo deberían introducir normas especializadas en regular estos servicios jurídicos alternativos o de apoyo jurídicos a empresas, que estén dirigidos por un abogado ejerciente y este sea el responsable del cumplimiento estricto de las normas deontológicas de la abogacía.

Es preciso indicar que esta nueva regulación debería tratar con especial atención a aquellas entidades que operan a través de internet y de las que deberíamos proteger de manera especial a los consumidores y usuarios. Fundamentalmente para evitar fraudes o trampantojos de falsa seguridad jurídica a estos, ya que en ocasiones pueden acudir a estos servicios con el convencimiento de que se tratan de servicios jurídicos prestados por abogados colegiados pero a través de internet. En este sentido, estas plataformas deberían informar de manera clara y visible para el usuario si: a) el asesoramiento se está realizando por un software autónomo sin apoyo humano; b) si el asesoramiento se está prestando por parte de una persona humana con ciertos conocimientos jurídicos y a la luz de las recomendaciones de un software; c) si este asesoramiento se realiza por un software pero con la supervisión o visado de un abogado colegiado o d) si se trata de un servicio prestado 100% por un abogado colegiado en línea, ya sea este en directo o de manera asíncrona. Asimismo, se deberá advertir a los consumidores del límite de responsabilidad de la plataforma en sus afirmaciones e incluso si esta plataforma utilizará los datos personales del cliente para alimentar los algoritmos de la empresa de servicios jurídicos. Todo ello, además de la instauración de la figura del abogado colegiado supervisor que vele por el cumplimiento de las normas deontológicas jurídicas en todos los asesoramientos prestados por la firma.

Solo a través de un cambio legislativo los ciudadanos tendremos la seguridad y la certeza de que las entidades que prestan estos servicios jurídicos online lo hacen bajo unos estándares mínimos de calidad, además de tener la posibilidad de reclamar los posibles incumplimientos de las normas deontológicas jurídicas vigentes. Sin duda, en la actualidad, la mayoría de los consumidores que acuden a estas plataformas, que serán cada vez más populares, piensan que el coste reducido de estos servicios se debe solamente a que son prestados a través de internet, sin cuestionar quién, ni cómo están procesándose estas respuestas jurídicas que en ocasiones podrían cambiarle la vida a cualquiera de estos ciudadanos.

La vuelta a lo esencial, a nuestros principios éticos básicos de transparencia, independencia, lealtad, confianza e integridad deben ser la base para el avance del *legaltech* y que este sea siempre supervisado por abogados colegiados humanos que velen por el cumplimiento estricto de estos códigos deontológicos.

BIBLIOGRAFÍA

ABA, *Model Regulatory Objectives for the Provision of Legal Services.*

ABEL LLUCH, X., "La prueba en los procesos de familia", *La Ley*, Madrid, 2019, Cap. V visto en la versión electrónica LA LEY 2571/2019.

BANAFA, A., "¿Qué es un lago de datos?", *BBVA Open Mind*

BARONA VILAR, S., "Claves vertebradoras del modelo de justicia en el Siglo XXI", *Revista Boliviana de Derecho*, nº 32, julio 2021, pp. 16-17.

BARONA VILAR, S., "Mutación de la justicia en el siglo XXI. Elementos para una mirada poliédrica de la tutela de la ciudadanía", *Justicia poliédrica en periodo de mudanza (Nuevos conceptos, nuevos sujetos, nuevos instrumentos y nueva intensidad)*, Tirant lo Blanch, Valencia, 2022.

BARONA VILAR, S., "Persona, algoritmización y posthumanismo, una ecuación hacia la «persona maquínica» y su responsabilidad", *Actualidad Civil* n.º 10, octubre 2022, Nº 10, 1 de oct. de 2022, Editorial LA LEY, pp. 8-12.

BARONA VILAR, S., "Prólogo", *Justicia poliédrica en periodo de mudanza (Nuevos conceptos, nuevos sujetos, nuevos instrumentos y nueva intensidad)*, Tirant lo Blanch, Valencia, 2022.

BARONA VILAR, S., "Una justicia "digital" y "algorítmica" para una sociedad en estado de mudanza", *Justicia algorítmica y neuroderecho Una mirada multidisciplinar*, Tirant Lo Blanch, Valencia, 2021.

BARONA VILAR, S., *Algoritmización del Derecho y de la Justicia, De la Inteligencia artificial a la Smart Justice*, Tirant Lo Blanch, Valencia, 2021.

BARONA VILAR, S., *Nociones y Principios de las ADR. (Solución Extrajurisdiccional de Conflictos)*, Tirant Lo Blanch, Valencia, 2018.

BARRIO ANDRÉS, M., *Internet de las cosas*, 2ª Ed., Reus, 2020, Madrid.

BEN MILOUD, D., MILIEKAITE, T., NICOLAU, C., *e-Evidence Digital Exchange System (eEDES).*

BIGELOW, R.P., "The Use of Computers in the Law", *Hastings Law Journal*, Vol. 24, nº 4 (1973).

BLAIR, D. C. y MARON, M. E., An evaluation of retrieval effectiveness for a full-text document-retrieval system, *Communications of the ACM*, n. 28.

BLANCO GARCÍA, A.I., "Brecha digital y vulnerabilidad del consumidor financiero: el refuerzo de su protección", *Los vulnerables ante el proceso civil*, Dir. HERRERO PEREZAGUA J.F., LÓPEZ SÁNCHEZ, J., Atelier, Barcelona, 2022.

BORGES BLÁZQUEZ, R., "La orden de protección europea y su aplicación en España", Revista *Jurídica Universidad Autónoma De Madrid*, (41) 2020.

BOURNE, C.P.; HAHN, T. B., *A history of online information services, 1963-1976*, MIT Press, Cambridge, 200.

BUCHANAN, B. G., "A (Very) Brief History of Artificial Intelligence", *AI Magazine*, 26(4), 2005.

BUENO BENEDÍ, M., "Diálogos para el futuro judicial XXXIII, inteligencia artificial y Justicia: perspectivas y horizontes", *Diario La Ley*, N° 9946, Sección Plan de Choque de la Justicia / Encuesta, 5 de noviembre de 2021.

BUENO DE MATA, F., "Macrodatos, inteligencia artificial y proceso: luces y sombras", *Revista General de Derecho Procesal*, núm. 51, Mayo (2020).

BUENO DE MATA, F., *Hacia un proceso civil eficiente: Transformaciones judiciales en un contexto pandémico*, Tirant Lo Blanch, Valencia, 2022.

CARTA EUROPEA DE DERECHOS FUNDAMENTALES (2010/C 83/02)

CASAL DE MIGUEL, S., "Justicia Artificial", *Documentos TVE*, Orillamar Films, emitido el 10 de mayo de 2022.

CASTILLO JIMÉNEZ, C., "Los Sistemas de Gestión Jurídica Automatizada", *Informática y derecho: Revista iberoamericana de derecho informático*, N° 12-15, 1996.

CATALÁN CHAMORRO, M. J., "ODR prejudicial", *Justicia poliédrica en periodo de mudanza (Nuevos conceptos, nuevos sujetos, nuevos instrumentos y nueva intensidad)*, Ed. BARONA VILAR, S., Tirant Lo Blanch, Valencia, 2022.

CATALÁN CHAMORRO, M.J., "El derecho a la acción individual en las cláusulas suelo. Comentario a la STC 223/2016 de 19 diciembre", *Revista Boliviana de Derecho*, 2017, n.24.

CATALÁN CHAMORRO, M.J., "La Carta de Derechos Digitales y su implicación en el derecho procesal español", *Digitalización de la justicia: prevención, investigación y enjuiciamiento*, Dir. LLORENTE SÁNCHEZ-ARJONA, M. y CALAZA LÓPEZ, S., Aranzadi, Cizur Menor (Navarra), 2022.

CATALÁN CHAMORRO, M.J., "Problemática circundante a la entrada en vigor de LexNET", *Revista Boliviana de Derecho, n° 22*, julio 2016.

CATENA MORENO, V., "El sorprendente anteproyecto de LOPJ", *Revista El Notario del s. XXI*, nº 57.

COBOS GAVALA R., *El Juez de Paz en la Ordenación Jurisdiccional Española*, Secretaría General Técnica Del Ministerio De Justicia, Centro de publicaciones, Madrid, año 1989.

COMUNICACIÓN de la Comisión al Parlamento Europeo, al Consejo, al Comité Económico y Social Europeo y al Comité de las Regiones: *La digitalización de la justicia en la Unión Europea. Un abanico de oportunidades*. COM/2020/710 final.

CONCLUSIONES del Consejo, *Acceso a la justicia: aprovechar las oportunidades de la digitalización*, (2020/C 342 I/01).

Criminal Law, Sentencing Guidelines, Wisconsin Supreme Court Requires Warning Before Use of Algorithmic Risk Assessments in Sentencing, State v. Loomis, 881 N.W.2d 749 (Wis. 2016), *Harvard Law Review*, Vol. 130, 2017.

CTEAJE, *Definición funcional del sistema de grabación audiovisual de actos procesales*. Disponible en: https://www.cteaje.gob.es/documents/185545/b0ac4c38-56ad-e5b3-f737-97c1417e8f5f, visitado el día 7 de diciembre de 2022.

CUBO, A., "Más que un Diálogo: La transformación digital de la Justicia (III)", *La Ley*, abril de 2022.

DE HOYOS SANCHO, M., "El proyecto de reglamento de la unión europea sobre inteligencia artificial, los sistemas de alto riesgo y la creación de un ecosistema de confianza", *Justicia poliédrica en periodo de mudanza: Nuevos conceptos, nuevos sujetos, nuevos instrumentos y nueva intensidad*, Ed. Barona Vilar, S., Tirant Lo Blanch, Valencia, 2022.

DE HOYOS SANCHO, M., "El uso jurisdiccional de los sistemas de inteligencia artificial y la necesidad de su armonización en el contexto de la Unión Europea", *Revista General de Derecho Procesal*, N°. 55, 2021.

DE HOYOS SANCHO, M., "El uso jurisdiccional de los Sistemas de Inteligencia Artificial y la necesidad de su armonización en el contexto de la Unión Europea", *Estudios procesales sobre el espacio europeo de justicia penal,* coord. POSADA PÉREZ. J.A., Dir. LLORENTE SÁNCHEZ-ARJONA, M., 2021.

DELGADO MARTÍN, J., *Judicial-Tech, el proceso digital y la transformación tecnológica de la justicia,* La Ley, Madrid, 2020.

DREISING, W., "Elektronische Datenverarbeitung in der oflentlichen Verwaltung in den USA und hier", *Deutsches Verwaltungsblatt*, 1963.

ESCUDERO MORATALLA, J.F. y FERRER ADROHER, M., "Breves consideraciones sobre el teletrabajo en la Administración de Justicia", *Diario La Ley*, N° 9917, Sección Tribuna, 21 de septiembre de 2021, Wolters Kluwer, LA LEY 8981/2021.

ESCUDERO MORATALLA, J.F. y CORCHETE FIGUERES, D., "Carta de servicios. Atención, información versus orientación y asesoramiento", *Diario La Ley*, n° 9875, de 21 de junio de 2021, N° 9875, 21 de jun. de 2021, Editorial Wolters Kluwer.

EUROPEAN COMMISION, *Ethics Guidelines for Trustworthy AI: High-Level Expert Group on Artificial Intelligence,* abril de 2019.

EUROPEAN UNION, *Study on the use of innovative technologies in the justice field.* Final Report, Publications Office of the European Union, 2020. Disponible en: https://op.europa.eu/en/publication-detail/-/publication/4fb8e194-f634-11ea-991b-01aa75ed71a1/language-en-.

FERNÁNDEZ HERNÁNDEZ, C, "Sobre la necesidad de homologar y certificar las herramientas de IA utilizadas en los ámbitos policial y judicial", *Diario La Ley*, nº 61, Sección Ciberderecho, 19 de abril de 2022.

FUENTES BUESO, P., "La revolución en la forma de concebir el empleo en el sector legal", *Legal Tech. La transformación digital de la abogacía*, Wolters Kluwer, La Ley, Madrid, 2019.

GARCÍA-VARELA IGLESIAS, R., "A propósito de la interoperabilidad en la Administración de Justicia", *Diario La Ley*, Nº 9845, Sección Plan de Choque de la Justicia / Tribuna, 7 de mayo de 2021, Wolters Kluwer.

GASCÓN INCHAUSTI, F., "Desafíos para el proceso penal en la era digital: externalización, sumisión pericial e inteligencia artificial", *La justicia digital en España y la Unión Europea*, Coord. CONDE FUENTES, J. y SERRANO HOYO, G., Atelier, 2019.

GIMENO, F.J., PERNAS, P. Y NAVARRO, S., "El proyecto LRI MS Connection 2 Interconexión entre los Registros de la Propiedad de la Unión Europea", *Revista Registradores de España*, disponible en: https://revistaregistradores.es/el-proyecto-lri-ms-connection-2/.

GIRÁLDEZ BLANCO, J. y RAMIS GIMENO, M.J., *Borrador de informe Sistemas de gestión procesal de la Administración de Justicia*, Fòrum de debat Justícia a la Comunitat Valenciana, Observatori l´entorn de la justicia, 2016. Disponible en: https://cjusticia.gva.es/documents/19317797/0/3_sistemas+gesti%C3%B3n+procesal+e+interoperabilidad_Ramis+y+-Gir%C3%A1ldez.pdf/4e445e0a-54f4-4963-b290-a46557967682.

GÓMEZ DE LIAÑO DIEGO, R., "LexNET y otros medios informáticos en la nueva organización de la administración de justicia", *Diario La Ley*, Nº 7039, Sección Doctrina, 22 de octubre de 2008, LA LEY 40115/2008

GÓMEZ SANCHA, S., "Inteligencia Artificial", *Legal Tech. La transformación digital de la abogacía*, Wolters Kluwer, La Ley, Madrid, 2019, pp. 128-129.

GONZÁLEZ CANO, M.I., "Introducción", *Cooperación Judicial Penal en la Unión Europea*, Tirant Lo Blanch, Valencia, 2016.

GONZÁLEZ ROMERO, M.M., "El expediente judicial electrónico", *Práctica de Tribunales*, Nº 131, marzo-Abril 2018, Wolters Kluwer.

GOSTOJIC, S., "From Legal Documents to Legal Data", *The LegalTech book, the legal technology handbook for investors, entrepeurners and Fintech visionaries*, BHATTI, S.A., CHISHTI, S., DATOO, A. y INDJIC, D., Wiley, Chichester (Reino Unido), 2020.

GUZMÁN FLUJA, V., "Proceso penal y justicia automatizada", *Revista General de Derecho Procesal*, Nº. 53, 2021.

HANEY, B.S., "Applied Natural Language Processing for Law Practice", *Intellectual Property & Technology Forum at Boston College Law School*, Febrero, 2020.

HAO, K., "Training a single AI model can emit as much carbon as five cars in their lifetimes: Deep learning has a terrible carbon footprint", *MIT Technology Review*, June 2019.

HARTUNG, M., "The Digital Transformation", *Legal Tech. A practitioner´s Guide*, Eds. HARTUNG, M., BUES, M.M. y HALBLEIB, G., Nomos Verlagsges.MBH + Co, Baden-Baden, 2018.

HECKER, K., "Commercial Law Firms Under the Influence of Artificial Intelligence – Status Report and Outlook Using the Analysis Software Kira as an Example", *Legal Tech. A practitioner´s Guide*, Eds. HARTUNG, M., BUES, M.M. y HALBLEIB, G., Nomos Verlagsges.MBH + Co, Baden-Baden, 2018.

HERNANDEZ CARRIÓN, J.L., "Interoperabilidad de los diferentes sistemas informáticos de las Administraciones de Justicia", XIII *Jornadas Nacionales de Comisiones de relaciones con la Administración de Justicia*. Disponible en: https://www.abogacia.es/wp-content/uploads/2018/07/1030H-1200H-jose_luis_hernandez_carrion.pdf.

HOFFMAN, P. S., "Lawtomation in Legal Research: Some Indexing Problems", *MULL (Modern Uses of Logic in Law)*, 1963, marzo.

INSELBERG, A., "Visualization and Data Mining for High Dimensional Datasets" *Data Mining and Knowledge Discovery Handbook*, Ed. MAIMON, O. y ROKACH, L., Springer, 2010, New York.

JUSTICIA 2030, *Transformando el ecosistema del Servicio Público de Justicia*, Ministerio de Justicia. Secretaría General Técnica.

LLANO ALONSO, F. H., "El Derecho ante el nuevo paradigma transhumanista de la era digital", *Revista Jurídica de Asturias* nº45/2022.

LOEVINGER, L., "Jurimetrics The Next Step Forward", *Minnesota Law Review*, 33 Minn. L. Rev. 455 (1949).

LOEVINGER, L., "Jurimetrics: the methodology of legal inquirí", Law *and Contemporary Problems*, Vol. 28, No. 1, Jurimetrics (Winter, 1963), pp. 5-35

LÓPEZ HERNÁNDEZ, H., "Neuroderecho, neuroabogado, neurojusticia: una realidad innegable", *Justicia algorítmica y neuroderecho Una mirada multidisciplinar*, Tirant Lo Blanch, Valencia, 2021.

LÓPEZ RINCÓN, D., "Legal tech y educación", *Legal tech. La transformación digital de la abogacía*, Dir. BARRIO ANDRÉS, M., Wolters Kluwer, Madrid 2019, pp. 467-470.

LOSANO, M. G., "Giuscibernetica", *Nuovi sviluppi della sociologia del diritto* 1966-1967. A cura di Renato Treves, Edizioni di Comunità, Milano 1968.

MABEY, R., "The humans Strike back: The falls of the Robots in the LegalTech´s future", *The LegalTech book, the legal technology handbook for investors, entrepeurners and Fintech visionaries*, BHATTI, S.A.,

CHISHTI, S., DATOO, A. y INDJIC, D., Wiley, Chichester (Reino Unido), 2020.

MADRIGAL GARCÍA, C., ENRIQUEZ SANCHO, R., YAGÜE GIL, PJ., *Los Juzgados de Paz,* Instituto de Estudios de la Administración Local, Madrid, 1982.

MARCHAL ESCALONA, N., "Hacia la digitalización de la cooperación judicial en los asuntos transfronterizos civiles, mercantiles y penales en la UE", *Legaltoday.*

MARINA TORRES, J.A., *Objetivo generar talento: cómo poner en acción la inteligencia,* Barcelona, Conecta, 2016.

MARTÍN DIZ, F., "Modelos de aplicación de inteligencia artificial enjusticia: asistencial o predictiva versus decisoria", *Justicia algorítmica y neuroderecho Una mirada multidisciplinar,* Tirant Lo Blanch, Valencia, 2021.

MARTÍNEZ DE SANTOS, A., "La importancia de la figura del letrado de la Administración de Justicia en el nuevo expediente judicial", *Práctica de Tribunales*, Nº 131, Marzo-Abril 2018, Wolters Kluwer, LA LEY 2174/2018.

MARTÍNEZ DE SANTOS, A., "Operatividad práctica en el funcionamiento de LEXNET como sistema de comunicación. Ventajas y problemas detectados en su funcionamiento", *Práctica de Tribunales*, Nº 127, julio-agosto 2017, LA LEY 9326/2017.

MARTÍNEZ GARAY, L., "Peligrosidad, algoritmos y due process: el caso Sate v Loomis", *Revista De Derecho Penal Y Criminología*, n.º 20 (julio de 2018).

MARTÍNEZ GUTIÉRREZ, R., "Inteligencia artificial, algoritmos y automatización en la Justicia. Propuestas para su efectiva implantación", *Práctica de Tribunales*, Nº 149, Sección Estudios, Marzo-Abril 2021, Wolters Kluwer. LA LEY 4577/2021.

MARTÍNEZ PARDO, V.J., "Aplicaciones de las nuevas tecnologías (TIC) en la administración de justicia (e-Justicia)", *Revista de Contratación Electrónica*, Núm. 120, octubre 2012.

MATEO BORGE, I., "La robótica y la inteligencia artificial en la prestación de servicios jurídicos", *Inteligencia Artificial: Tecnología Derecho*, Dir. NAVAS NAVARRO, S., Tirant Lo Blanch, Valencia, 2017.

MCCLURE, E., "LegalZoom and Online Legal Service Providers: Is the Development and Sale of Interactive Questionnaires that Generate Legal Documents the Unauthorized Practice of Law?", vol. 105, núm. 3, *Kentucky Law Journal*, 2017, pp. 563-585.

MCCULLOUGH W y PITTS W., "A logical calculus of the ideas immanent in nervous activity", *Bulletin of Mathematical Biophysics 5*, (1943).

METZINGER, T., *Two Principles for Robot Ethics*, Disponible en: https://www.blogs.uni-mainz.de/fb05philosophie/files/2013/04/Metzinger RG 2013 penultimate.pdf.

MONTESINOS GARCÍA, A., "Justicia penal predictiva", *Justicia poliédrica en estado de mudanza,* Ed. BARONA VILAR, S., Tirant Lo Blanch, Valencia, 2022, pp. 425-456.

MONTESINOS GARCÍA, A., "Empleo de la inteligencia artificial en algunas fases del proceso judicial civil: prueba, medidas cautelares y sentencia", *Actualidad Civil*, núm. 11, noviembre 2022.

NAVAS NAVARRO, Susana, "Derecho e inteligencia artificial desde el diseño. Aproximaciones", *Inteligencia artificial*, Tirant lo Blanch, Valencia, 2017.

NIEVA FENOLL, J. "Un Cambio Generacional en el Proceso Judicial: la Inteligencia Artificial", *El Derecho En La Encrucijada Tecnológica Estudios Sobre Derechos Fundamentales, Nuevas Tecnologías E Inteligencia Artificial*, Ed. VILLEGAS DELGADO, C. y MARTÍN RÍOS, P., Tirant Lo Blanch, Valencia, 2022.

NIEVA FENOLL, J., "Artificial Intelligence and Fundamental Rights in the judicial process", *RAILS – BLOG Robotics and AI Law Society*, nov. 2022.

NIEVA FENOLL, J., "Inteligencia artificial y proceso judicial: perspectivas tras un alto tecnológico en el camino", *Revista General de Derecho Procesal*, núm. 57, Mayo (2022).

OROSZ, T., VAGI, R., CSANYI, G. M., NAGY, D., ÜVEGES, I, PÁL VALDÁZ, J. y MEGYERI, A., "Evaluating Human versus Machine Learning Performance in a LegalTech Problem", *Applied Sciences*, 2022, 19, 207.

ORTIZ HERNÁNDEZ S., GARRÓS FONT, I., ROMERA SANTIAGO, M.N., "Hacia la implantación de la inteligencia artificial en nuestro sistema judicial", *Revista Aranzadi Doctrinal,* núm. 3/2020 parte Estudios.

OTUÑO MUÑOZ, P., "Comentarios al Anteproyecto de Ley de eficiencia procesal", *Diario La Ley*, n° 9875 de 21 de junio de 2021.

PAPAGIANNEAS, S., "Towards Smarter and Fairer Justice? A Review of the Chinese Scholarship on Building Smart Courts and Automating Justice", *Journal of Current Chinese Affairs* 51(2).

PEREA GONZÁLEZ, A., "Una crónica breve y un debate necesario: por un (re)planteamiento de la Administración de Justicia", *Diario La Ley*, N° 9294, Sección Tribuna, 8 de noviembre de 2018, Wolters Kluwer.

PEREA GONZÁLEZ, A., GUIL ROMÁN, C., PIÑAR GUZMÁN, B., CALAZA LÓPEZ, S., FARRÁN ARIZÓN, M. Y MARTÍNEZ PALLARÉS, J.I., "Diálogos para el futuro judicial LI. La mediación civil. 10 años de la Ley 5/2012", *Diario La Ley*, N° 10141, Sección Plan de Choque de la Justicia / Encuesta, 29 de Septiembre de 2022.

PEREA GONZÁLEZ, A., PASQUAL DEL RIQUELME HERRERO, M.A., DEL BARCO MARTÍNEZ, M. J., DE LOS REYES DELGADO, A., SIERRA SÁNCHEZ, Z., ARMIJO PLIEGO, A., "Diálogos para el futuro judicial XXXVIII. La gran reforma pendiente: los medios personales y materiales en la Administración de Justicia", *Diario La Ley*, Nº 10001, Sección Plan de Choque de la Justicia / Encuesta, 2 de Febrero de 2022, Wolters Kluwer.

PÉREZ ESTRADA, M.J., *Fundamentos jurídicos para el uso de la inteligencia artificial en los órganos judiciales*, Tirant Lo Blanch, Valencia 2022.

PÉREZ LUÑO, A.E., "Juscibernética y metodología jurídica", *La Revista jurídica de Cataluña*, octubre-didembre 1970.

Propuesta de Reglamento del Parlamento Europeo y del Consejo relativo a la gobernanza europea de datos (Ley de Gobernanza de Datos), Bruselas, 25 de noviembre de 2020, COM(2020) 767 final, 2020/0340 (COD).

Proyecto de Conclusiones del Consejo sobre la protección de los adultos vulnerables en el conjunto de la Unión Europea. Consejo de Europa. 8636/21 de 27 de mayo de 2021.

RAMÍREZ TORRES, R, "El porqué de la transformación digital del sector legal", *Diario La Ley*, Nº 63, Sección Ciberderecho, 8 de Julio de 2022, Wolters Kluwer.

RAMÍREZ TORRES, R., "Transformación digital en los despachos de abogados y procuradores: como mejorar eficiencias en la tramitación de procedimientos judiciales, A propósito de Legal Tech aplicado a la gestión de litigios en despachos", *Diario La Ley*, 2022.

REDACCIÓN *LA LEY*, "Automatización y casos de éxito: así es la experiencia de Santander y Pérez Llorca", de 5 de julio de 2022.

RODRÍGUEZ JIMÉNEZ J., "La problemática de los juzgados de paz", *Revista del Poder Judicial* nº 33, marzo 1994.

ROITBLAT, H.L., KERSHAW, A. y OOT, P., "Document categorization in legal electronic discovery: Computer classification vs. manual review", *Journal of the American Society for Information Science and Technology*, 2010, Vol 61, Issue 1.

RUBIO EIRE, J.V., "Las dilaciones indebidas en el procedimiento penal. Un estudio desde el punto de vista del reo y de la víctima del delito", en *Elderecho*.com https://elderecho.com/las-dilaciones-indebidas-en-el-procedimiento-penal-un-estudio-desde-el-punto-de-vista-del-reo-y-de-la-victima-del-delito.

SAAVEDRA GALLO, P., ALMAGRO NOSETE. J., *Sistema de Garantías Procesales*, EDICIONES JURÍDICAS DIJUSA, S.L, Madrid, 2008.

SÁNCHEZ, A., "Neuro-evolucionismo y deep machine learning: nuevos desafíos para el derecho", *Journal of Ethics and Legal Technologies* – Volume 1(1), May 2019.

SCHAWB, K., *The Fourth Industrial Revolution*, Barcelona, 2016.

SIMÓ SOLER, E. y ROSSO, P., "Inteligencia artificial y derecho: entre el mito y la realidad: La destrucción algorítmica de la humanidad", *Diario La Ley*, Nº 9982, Sección Tribuna, 4 de enero de 2022, Wolters Kluwer.

SOLAR CAYÓN, J.I., "Reflexiones sobre la aplicación de la inteligencia artificial en la Administración de Justicia", *Teoría Jurídica Contemporánea*, Vol. 6, 2021,

SOLAR CAYÓN, J.I., "Retos de la deontología de la abogacía en la era de la inteligencia artificial jurídica", *Teoria Jurídica Contemporânea*, Vol. 6, 2021.

SOLAR CAYÓN, J.I., "Retos de la deontología de la abogacía en la era de la inteligencia artificial jurídica", *Derechos y libertades*, núm. 45, 2021.

SOLAR CAYÓN, J.I., *Inteligencia Artificial Jurídica: El impacto de la innovación tecnológica en la práctica del Derecho y en el mercado de servicios jurídicos*, Aranzadi, Cizur Menor (Navarra), 2019.

SOLICITORS REGULATION AUTHORITY/BAR STANDARDS BOARD/ ILEX PROFESSIONAL STANDARDS, *Setting Standards; The Future of Legal Services Education and Training Regulation in England and Wales*, June 2013.

STATISTA, *Legal tech market revenue worldwide from 2019 to 2025(in billion U.S. dollars)*.

SUSSIKD, R., *Tribunales online y la justicia del futuro*, La Ley, Madrid, 2020.

SUSSKIND, R., *El abogado del mañana, Una introducción a tu futuro*, La Ley Wolters Kluwer, 2ª Ed., Madrid, 2020.

TEIGENS, V., SKALFIST, P., MIKELSTEN, D., *Inteligencia artificial: la cuarta revolución industrial*, Cambridge Stanford Books, Cambridge, 2000, sección 5.

THE 2022 EU JUSTICE SCOREBOARD, Communication from the Commission to the European Parliament, the Council, the European Central Bank, the European Economic and Social Committee and the Committee of the Regions COM (2020) 306.

TORRES GARCÍA, R., "La mercantilización de los servicios jurídicos y el futuro de la profesión de abogado", *Fintech, Regtech y Legaltech: fundamentos y desafíos regulatorios*, Dir. GURREA MARTÍNEZ, A y REMOLINA, N., Tirant Lo Blanch, Valencia, 2020.

TURING A. M., "Computing machinery and intelligence", *Mind*, 1950.

VEALE, F., KLEEK M.V., BINNS, R., "Fairness and Accountability Design Needs for Algorithmic Support in High-Stakes Public Sector Decision-Making", *CHI* 2018, April 21–26, 2018, Montréal, QC, Canada.

VELASCO JIMÉNEZ, C. "La extensión de efectos y el procedimiento testigo en el plan de choque para la Administración de Justicia tras el Estado de

Alarma", *Diario La Ley*, N° 9682, Sección Plan de Choque de la Justicia / Tribuna, 27 de Julio de 2020, Wolters Kluwer.

VELASCO NUÑEZ, E., "Reconocimiento facial por inteligencia artificial: aspectos procesales penales", *Diario La Ley*, N° 63, Sección Ciberderecho, 20 de junio de 2022, Wolters Kluwer.

VERDUGO GUZMÁN, S.I., "Biotecnología, ética e implicaciones jurídicas ante los ciborg-atletas", *IUS ET SCIENTIA: Revista electrónica de Derecho y Ciencia*, Vol. 5, N°. 1, 2019.

VLADECK, D.C, "Machines without Principals: Liability Rules and Artificial Intelligence", *Washington Law Review Seattle*, Tomo 89, N.° 1, (Mar 2014).

WARWICK K., "Thought to computer communication", *Stud Health Technol Inform*. 2002; 80:61-8.

WILKINS, D.B. y ESTEBAN, M.J., "Taking the "Alternative" out of Alternative Legal Service Providers: Remapping the Corporate Legal Ecosystem in the Age of Integrated Solutions", *New Suits - Appetite for Disruption in the Legal World*, Eds. DESTEFANO M. y DOBRAUZ G, Stämpfli Verlag, Bern 2019.

ZALEWSKI, T., "Basic Principles for the Effective Use of Legal Tech Tools", *Legal Tech Information technology tools in the administration of justice*, Eds SZOSTK, D., ZALUCKI, M., European Law Institute, University of Wrocław (Poland), 2021.